D1155767

rowohlts
monographien
herausgegeben
von
Kurt Kusenberg

Simone Weil

in Selbstzeugnissen
und Bilddokumenten
dargestellt von
Angelica Krogmann

Rowohlt

Dieser Band wurde eigens für «rowohlts monographien» geschrieben
Den Anhang besorgte die Autorin
Herausgeber: Kurt und Beate Kusenberg
Assistenz: Erika Ahlers
Umschlagentwurf: Werner Rebhuhn
Vorderseite: Simone Weil im spanischen Bürgerkrieg
(Verlag Karl Alber, Freiburg i. B.–München 1968)
Rückseite: Die «Attente» – ein Korridor im Dominikanerkloster von Marseille
(Marie Thérèse Brouchon)

Veröffentlicht im Rowohlt Taschenbuch Verlag GmbH,
Reinbek bei Hamburg, Juni 1970
Copyright © 1970 by Rowohlt Taschenbuch Verlag GmbH,
Reinbek bei Hamburg
Alle Rechte an dieser Ausgabe vorbehalten
Gesetzt aus der Linotype-Aldus-Buchschrift
und der Palatino (D. Stempel AG)
Gesamtherstellung Clausen & Bosse, Leck
Printed in Germany
780-ISBN 3 499 50166 x

1.–12. Tausend	Juni 1970
13.–15. Tausend	Januar 1977
16.–19. Tausend	Juli 1979
20.–22. Tausend	Juni 1981

Inhalt

Simone Weil, um 1922

«Wie oft habe ich im Hinblick auf sie an den Vers von Baudelaire gedacht: ‹Ses ailes de géant l'empêchent de marcher!›»[1]*

Pater Perrin [2]

«Die vollkommene und geflügelte Seele schwebt durch die Lüfte und übersieht die ganze Welt. Die, welche ihre Flügel verliert, wird so weit getragen, bis sie ein Stück Wirklichkeit trifft, wo sie wohnen kann; sie hat einen irdischen Körper angenommen.» – «Die wesentliche Eigenschaft des Flügels ist, hinaufzutragen, was schwer ist.»[3] Unmöglich, klarer auszusprechen, daß der Flügel ein übernatürliches Organ ist, nämlich die Gnade.[4]

VORWORT

Alles Menschliche muß erst werden und wachsen und reifen,
Und von Gestalt zu Gestalt führt es die bildende Zeit;
Aber das Glückliche siehest du nicht, das Schöne nicht werden,
Fertig von Ewigkeit her steht es vollendet vor dir.
Jede irdische Venus ersteht, wie die erste des Himmels,
Eine dunkle Geburt aus dem unendlichen Meer;
Wie die erste Minerva, so tritt, mit der Ägis gerüstet,
Aus des Donnerers Haupt jeder Gedanke des Lichts.

Schiller: «Das Glück»

Jedes Wesen ist ein stummer Schrei danach, anders gelesen zu werden.[5]

«Als extreme Natur ruft Simone Weil bei andern fast automatisch extreme Reaktionen hervor»[6], meint ihr Philosophen-Freund Gustave Thibon, und T. S. Eliot warnt ihre Leser «vor oberflächlicher Einstufung»: man möge die «eigenen Vorurteile im Zaum halten und zugleich Geduld haben mit den Vorurteilen Simone Weils. Wenn ihr Werk einmal bekannt und aufgenommen ist, sollte ein Vorwort wie dieses überflüssig werden.»[7]

In der französischen wie in der deutschen Ausgabe von *Einwurzelung*[8], der letzten größeren Schrift Simone Weils, fehlt ein Vor-

---

* Die hochgestellten Ziffern verweisen auf die Anmerkungen S. 162 f.

Simone Weils Freund Gustave Thibon: «Ich bin Katholik;
Simone Weil war es nicht»

wort; daraus ist jedoch kaum zu schließen, ihr Werk wäre nun «bekannt und aufgenommen». Hierzulande kennt der «Normalverbraucher» von Literatur oft nicht einmal den Namen, und unter Kennern gilt Simone Weil als Geheimtip. Manches deutet darauf hin, daß 25 Jahre nach ihrem Tode ihre Zukunft eben erst beginnt. Eine umfassende, material- und kenntnisreiche Biographie von Jacques Cabaud erschien 1957 und wurde 1967 durch eine Beschreibung der letzten fünfzehn Lebensmonate ergänzt.[9] Eine vollständige kritische Werk-Ausgabe fehlt bislang auch auf französisch.

Mit nur fünf Bänden deutscher Text-Übersetzungen – gegen immerhin zehn englische – ist also für uns der Zugang besonders schmal.

Trotzdem muß man sich wundern, daß nicht längst unsere unruhige Jugend ihren Wortschatz – neben Marx und Marcuse, Mao und «Che» – um die Parolen Simone Weils bereichert hat. Ist ihr Inhalt zu unbequem? An mangelnder Deutlichkeit kann es kaum liegen, denn gegenüber der komplizierten Geheimsprache unserer außerparlamentarischen Opposition besitzen die Texte der Anarchistin Weil den entscheidenden Vorzug vollendeter Einfachheit. Es ist die «edle Einfalt», welche die Sprache des Genies auszeichnet. Keineswegs können jedoch diese Texte, in das Kleingeld von Slogans umgewechselt, irgendeiner Gruppen-Ideologie zu täglichem und allzu nützlichem Gebrauch dienen. Vor Mißbrauch sei vielmehr gewarnt: es gibt, wie man sehen wird, keine Gruppen, Cliquen, Bewegungen oder gar Parteien, welche Simone Weil mit Fug für sich in Anspruch nehmen dürften. Freilich ist sie nur in einer «permanenten Revolution» zu denken und zu verstehen und wäre damit geradezu der Prototyp rebellierender Jugend heute; aber die permanente Revolution der Simone Weil fand, wenn nicht unter Ausschluß der Öffentlichkeit, so doch ohne Proselyten statt, als Revolution im Alleingang. Der Rigorismus, mit dem sie ihre Meinung vertrat und praktizierte, machte sie zu einem höchst unbequemen Partner. War sie ein einsamer Mensch? Freundschaften hat es in ihrem Leben gegeben, von denen einige – wie die mit dem Dominikanerpater Perrin – schicksalbestimmend waren;

Jacques Cabaud plante eine Arbeit über Pascal und stieß dabei auf Simone Weil. Sie ließ ihn nicht mehr los: statt über Pascal schrieb er seine große Weil-Biographie

Simone Weils Vorfahren väterlicherseits stammten aus Straßburg
und dessen Umgebung

und ihre Freunde müssen wir zu
Rate ziehen, wenn wir Simone
Weil kennen und verstehen wollen – «nicht mit dem ‹objektiven
Gleichmut› des Wissenschaftlers,
sondern mit dem leidenschaftlich
klaren Blick einer Liebe, die zu
realistisch und zu anspruchsvoll
ist, um sich in Illusionen einzu-
spinnen»[10]. Im Sinne Simone
Weils könnte nicht allein, sollte
sogar Wissenschaft mit einer solchen illusionslosen und *unpersönlichen Liebe* betrieben werden, die auch ihrem Begriff von
Freundschaft entspricht.

Das Denkmal, welches Perrin
und Thibon der Freundin mit ih-

*Das Geburtshaus Bernard Weils in
der Grand Rue 55, die zu dem alten
Teil von Straßburg gehört, nahe den
Ponts Couverts*

rem Erinnerungsbuch «Simone Weil telle que nous l'avons connue»[8] gesetzt haben, ist gewiß durch Gefühle gefärbt, vielleicht auch verfärbt; trotzdem erfüllt es weitgehend Thibons Forderung nach einem möglichst wahren Bilde, auf das auch die Arbeit an diesem Buche zielt. Dabei bleibt jedoch die Einschränkung Thibons zu beherzigen: «Mögen die Seele und das Leben Simone Weils noch so durchsichtig gewesen sein, so gibt es doch in jeder Freundschaft, die dieses Namens wert ist, einen unantastbaren Bezirk, der keine Belichtung verträgt, und das ist der Grund, weshalb wir gerade das Tiefste», was über Simone Weil zu sagen wäre, «niemals aussprechen werden»[10].

Diese Diskretion ist für das geistige Klima um Simone Weil typisch, und Thibon übergibt auch seine Weil-Anthologie *Schwerkraft und Gnade*[8] der Öffentlichkeit mit dem schmerzlichen und quälenden Gefühl, «ein Familiengeheimnis auszuplaudern»[11]. Ebenso scheinen Familienmitglieder und weitere Freunde Simone Weils entschlossen, das Andenken der Toten, selbst wenn es nur die Personalien der Vorfahren betrifft, durch Schweigen zu ehren. Angesichts der Wolken von echtem und falschem Weihrauch, die das Bild Simone Weils, ehe es recht erkennbar geworden ist, schon vernebeln, mag solche «sancta discretio» verständlich, vielleicht notwendig sein und fordert unseren Respekt, obgleich sie unsere Nachforschungen erschwerte.

Sehr genau kennen wir die geistige Ahnenreihe Simone Weils von Homer und Platon über Kant und Marx zu Alain; ihr leiblicher Stammbaum beginnt jenseits der Urgroßeltern im Zeitendunkel zu verblassen. Das ist um so unbefriedigender, als Simone Weil selbst sagt, *das kostbarste Gut des Menschen in der zeitlichen Ordnung* sei *die Kontinuität* nach vorn und nach rückwärts[12], und *von allen Bedürfnissen der menschlichen Seele ist keines ihrem Leben so innig eingefleischt wie die Vergangenheit...*[13]

Es fehlt uns also mit der genealogischen Vergangenheit Simone Weils ein Stück biographischer Authentizität. Denn das «Menschliche», mit Schiller zu reden, «von Gestalt zu Gestalt führt es die bildende Zeit» durch die Äste und Verzweigungen einer ganz bestimmten Herkunft. Selten nur tritt ein sublimer Geist unvorbereitet wie ein «Gedanke des Lichts» aus der *anonymen Masse* heraus, noch seltener zwei sublime Geister auf einmal wie die Geschwister André und Simone Weil. Ein so ungewöhnliches Gespann ist in der «ersten Generation», selbst der zweiten noch, schwerlich denkbar.

Das Geburtshaus des Vaters Bernard Weil steht im alten Stadtteil Straßburgs, nicht weit von den Ponts Couverts; seine Eltern, Großeltern, Urgroßeltern sind dort noch aktenkundig; ob er allerdings seinen Stammbaum auf den berühmten Talmudisten Jakob ben Juda Weil (um 1400) aus Weil der Stadt zurückführen kann, wie es offenbar vielen gleichnamigen Juden wünschenswert erscheint, ist ungewiß. In der Enzyklopädie «American Men of Science» werden 22 Naturwissenschaftler namens Weil aufgeführt, und in Straßburg leben heute fast so viele Weils wie in einer mittleren Großstadt hierzulande Müllers. Aus Straßburg stammen prominente Konvertiten und Theologen unter den Nachkommen Jakob ben Judas, einigermaßen gerecht verteilt auf die verschiedenen Konfessionen und Länder Westeuropas. Doch müssen wir vorerst darauf verzichten, interessante Verwandtschaften, auch mit deutschen Weils, herauszufinden: dem Altphilologen Henri Weil (1818–1909), dem Orientalisten Gustav Weil (1808–89) oder dem Arzt und Entdecker der Weilschen Krankheit Adolf Weil (1848–1916), so sehr uns gerade dieser als Ahn für Adolphine Simone Weil willkommen wäre. Der Großvater, Kaufmann und Grundeigentümer in Straßburg, hieß jedoch Abraham Weil, und seine Frau Eugénie war die Tochter des Metzgers Mathieu Levy. Diese Großeltern pflegten noch in die Synagoge zu gehen. Von den Eltern der Mutter Salomea Reinherz aus Rostow am Don erzählt Simone Weil, daß sie Freidenker waren. Wenn es der Stolz jüdischer Familien ist, eine mehr oder weniger lange, mehr oder weniger prominente Reihe von Rabbinern unter den Vorfahren zu haben – wie etwa bei Karl Marx –, so ist bei den Bernard Weils davon nichts bekannt. Simone Weil stand der jüdischen Tradition fremd und sogar feindselig gegenüber, erst recht da, wo sie sich auf den Anspruch des «auserwählten Volkes» bezog; anders als die orthodoxen Juden, für die der Erbstrom ein heiliges Vermächtnis darstellt, hielt sie auch nichts von Stammbäumen. Die Sippe habe ihre Rolle als Hüterin der Kontinuität ausgespielt, meinte sie: ... *die Familie existiert nicht mehr*.[14]

Um so bessere Gründe haben wir, hypothetische Familienmitglieder außer acht zu lassen; um so entschiedener wenden wir uns von der «dunklen Geburt aus dem unendlichen Meer» der Blutsverwandtschaft dem geistigen Stammbaum, der individuellen Persönlichkeit, und dem Werk Simone Weils zu.

Auch dies Buch wird, wie jenes von Perrin und Thibon, mit Zögern entlassen, ohne einen Anspruch auf Vollständigkeit oder gar Endgültigkeit. Es darf schon aus Raumgründen kaum hoffen, seinem Gegenstand gerecht zu werden. Doch möchte es, mit Thibon zu sprechen, als Einladung verstanden sein, «eine Schwelle zu überschreiten»[15]. Eine Einladung besonders an den deutschen Leser.

KINDHEIT

«. . . wer wäre imstande von der Fülle der
Kindheit würdig zu sprechen!

Wüchsen die Kinder in der Art fort, wie
sie sich andeuten, so hätten wir lauter Genies . . .

. . . die Kinder sind alle moralische Ri-
goristen.»

Goethe: «Dichtung und Wahrheit»

*Ein Genie ist ein Mensch, der es verstanden
hat, mit achtzig noch so intelligent zu sein
wie mit zwei Jahren.*[16]

«. . . die Märchen, die wie die Religion der
Kindheit sind.»

Alain

*Unschuldig sein, heißt, das Gewicht des ganzen Universums aushal-
ten. Es heißt das Gegengewicht fortwerfen.*[17] In der Sprache der Märchen ist Unschuld und Schönheit, Gutsein und Schönsein, Wahrheit
und Schönheit dasselbe. Dort sind Innen und Außen identisch. Ebenso in der Kindheit. Wo diese Identität verlorenging, ist auch die
Kindheit dahin.

Schilderungen und Fotos geben übereinstimmend davon Zeugnis,
daß die kleine Simone Weil der Vorstellung entsprach, die wir uns
von einem Kinde, «wie es sein soll», machen. Anmut und Unschuld
schienen auch bei ihr in vollkommenem Einklang: Man fand sie
«ungewöhnlich liebreizend» und ähnlich den Abbildungen auf by-
zantinischen Fresken, «auf dem Gesicht ein Ausdruck glückseliger
Heiterkeit, der später verlorenging»[18].

Niemals wieder wird davon erzählt, Simone Weil sei schön gewesen; manche fanden sie später sogar abstoßend häßlich. In Wahrheit
war sie vermutlich nur entstellt durch die dicke Brille, die ihr das
typische Aussehen der hochgradig Kurzsichtigen gab, nämlich das
eines Hilfsschulkindes. Betrachtet man die vorhandenen Porträts, so
zeigt sich, daß ihr Gesicht den Ausdruck kindlicher Unschuld nie
gänzlich verloren hat, wenn auch der *leidenden Unschuld*, die das
Gewicht der Welt mitgetragen und *das Gegengewicht weggeworfen*
hat. *Blutstropfen im Schnee . . . Ein leidender Unschuldiger ergießt
über das Böse das Licht des Heils . . . Glück der Unschuld:* unendlich kostbar, aber gefährdet, *ein zerbrechliches Glück, ein zufälliges . . .
Apfelblüten. Das Glück ist an die Unschuld nicht gebunden.*[19]

Simone Weil wurde am 3. Februar 1909 in Paris geboren. Der Vater war Arzt. Das bis zur Selbstaufgabe bewunderte Vorbild der kleinen Simone war der drei Jahre ältere Bruder André. Später wird sie
sagen, daß sie von ihren Eltern und ihrem Bruder *in einem vollstän-
digen Agnostizismus aufgezogen worden sei,* und sie *habe niemals
die geringste Anstrengung unternommen, um darüber hinaus zu gelangen,* und *mit Recht,* wie ihr scheint.[20]

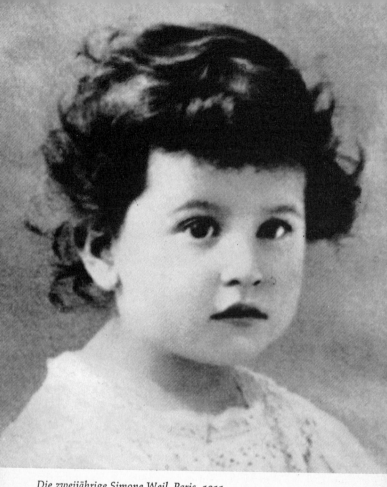

Die zweijährige Simone Weil. Paris, 1911

Die Geschwister wuchsen mit den Sagen und Dichtungen der Antike und mit Grimms Märchen auf, nicht mit dem Alten Testament und nicht mit dem Evangelium. Doch sagt Simone Weil, sie habe *seit frühester Kindheit den christlichen Begriff der Nächstenliebe gehabt, der ich den Namen der Gerechtigkeit gab, den sie an mehreren Stellen des Evangeliums trägt, und der so schön ist . . .*[21] Weder vom Christentum war zu Hause die Rede noch – außer vielleicht im Kriege – von einem wie immer gefärbten Patriotismus. Wirkten die Eltern kleinbürgerlich, wie übrigens viele gebildete Franzosen, so muß doch die Erziehung der Kinder durch Intelligenz und Weltläufigkeit, das genaue Gegenteil orthodoxen Sektierertums, ihr Gepräge erhalten haben. Eine späte Briefstelle könnte auf das Lebensgefühl der Weilschen Kinder deuten: *Die Kinder Gottes sollen hienieden kein andres Vaterland haben als das Universum selbst, mit der Gesamtheit aller vernunftbegabten Geschöpfe, die es enthalten hat, enthält und enthalten wird. Dies ist die Heimat, die ein Anrecht auf unsere Liebe hat.*[22] Ist dies das Wort eines reifen Geistes, Ergebnis dringlichen Nachdenkens gerade auch über die Emotionen, mit denen die Politik zu rechnen hat, so ist es doch zugleich die vollendete Beschreibung eines frühkindlichen Paradieseszustandes, wie ihn auch die kleine Simone Weil genießen durfte, mit all ihrem und trotz all ihrem ungewöhnlichen Verstand und dem von Bruder André mit drastischen Mitteln noch geförderten Wissens-, Erkenntnis- und Wahrheitsdurst.

«Ohne in allzu einfache Psychologie zu verfallen» – und daran tut er gewiß recht –, berichtet Simone Weils Biograph Cabaud jene Episode, wie ein Gast des Hauses, angerührt von ihrer kindlichen Grazie, der kleinen Simone die Hand küßte, worauf sie entfloh und rief: *Wasser, Wasser, ich will mich waschen...*[23] Cabaud fragt, ob man diesen «horreur pour les baisers» bei der kleinen Arzttochter mit Mikrobenfurcht erklären könne. Auch anderswo, bei anderen Interpreten, finden wir die Neigung, Erklärungen aus der Medizin, der Psychoanalyse auf Phänomene anzuwenden, für die es seit Jahrtausenden höchst eindeutige Vokabeln gibt, die aber dermaßen aus der Mode gekommen scheinen, daß man sich offenbar schämen muß, sie zu benutzen, obwohl sie den technischen Zweck einer Fach-Nomenklatur genauso gut, in diesem Fall wahrscheinlich besser, erfüllen. Übung, Askese, Reinheit, Keuschheit: dergleichen gilt dem «modernen» Menschen als Anomalie und bedarf einer Entschuldigung oder mindestens Erklärung. Offensichtlich zu diesem Zweck liefert die deutsche Ausgabe der Biographie eine Gegenanekdote: Simone Weil habe später die Angst, körperlicher Kontakt könnte sie mit Bazillen infizieren, verloren und sogar gesagt, sie lasse sich gern von Männern küssen, die einen Schnurrbart haben, *denn das sticht*[24]. Dies zu interpretieren – die Möglichkeiten sind durchaus ambivalent –, bleibe dem Leser überlassen. Zweifellos handeln jene Apologeten in bester Absicht, aus Verehrung für ihren Gegenstand, weil sie fürchten, Simone Weil könnte mit so antiquarischen Eigenschaften und Gewohnheiten wie die angedeuteten und ohne modische Accessoires aus der Psychoanalyse für unsere Zeitgenossen nicht attraktiv genug sein, vielmehr altmodisch, skurril, abartig wirken. Aber da sie selbst sich niemals nach der Mode gerichtet hat und jeglichen Konformismus strikt ablehnte – warum sollten wir versuchen, sie mit Hilfe modischer Begriffe zu fassen, wo möglicherweise die archaischen allein hinreichen?

Wieweit die Eltern in die Entwicklung ihrer Kinder eingriffen, was und wieviel sie in die Erziehung investierten: ein pädagogisches Konzept, ein zugrunde gelegtes Menschenbild, eine Philosophie – oder «nur» Liebe, ist aus den äußerst mageren Dokumenten kaum

Simone 1915 mit ihrem Vater in Mayenne

zu erschließen, und die Biographen schweigen darüber. Rechnet man mit einer «Normalerziehung» von bildungsbürgerlichem Anspruch und nach französischem Muster, so war den Kindern gewiß ausreichende Aufmerksamkeit und nicht geringer Ehrgeiz gewidmet. Die Tatsache, daß der Doktor Weil die Seinen im Kriege ohne Rücksicht auf die vielen Versetzungen von Hospital zu Hospital stets bei sich haben wollte, spricht für einen starken Familiensinn. Die Eltern Weil führten eine vorbildlich harmonische Ehe, «wie man sie selten trifft»[25]. Von Simone Weil kennen wir kaum Zeugnisse über ihre Kindheit und so gut wie keine, die ihre Beziehung zu den Eltern betreffen. Einzig der zärtliche Ton ihrer letzten Briefe aus London[26] nach New York könnte als Indiz gelten. An die Mutter schreibt sie: *... darling M., Du sollst Dich nicht plagen. Ich verbiete Dir – hörst Du? – Dich mit Deinen Perl-Beuteln kaputtzumachen. Tu gerade so viel daran, um Dich zu beschäftigen, und hör auf, wenn Du genug davon hast. Ich will, daß Du, wenn man sich wiedersieht, noch immer so frisch und jung bist, daß man Dich für meine jüngere Schwe-*

ster hält.[27] Mit herzlicher Einfühlung geht sie auf die inneren und äußeren Bedürfnisse der Eltern ein: berufliche Aussichten für den Vater, die eine Übersiedlung nach England ermöglichen könnten, Lektüre für die Mutter, Grüße an André und seine Familie. *Wenn ich nur glauben könnte, daß Ihr nicht traurig seid, keiner von Euch ... Fondest love.*[28]

Darlings – schon eine ganze Zeit habe ich keine Nachricht von Euch ...[29] *Ich möchte so gern, daß Ihr bei guter Gesundheit und ohne Geldsorgen, daß Ihr imstande seid, Euch richtig zu freuen, ganz und gar, am blauen Himmel, am Sonnenauf- und -untergang, den Sternen, den Wiesen, dem Wachsen der Blumen und des Babys (von André). Überall, wo es etwas Schönes gibt, sagt Euch, daß ich dabei bin. Ich frage mich, ob es in Amerika Nachtigallen gibt? Fondest love, my two darlings ... P.-S. pour. M.*[30] *Ne pas oublier Krishna ...*[31]

Dieser Brief mit der Mahnung, Krishna nicht zu vergessen, datiert vom 17. April, zwei Tage nach der Einlieferung ins Krankenhaus, zeigt uns, daß Simone Weil, jedenfalls in späteren Jahren, mit der Mutter tiefer als nur durch Blutsbande verbunden ist. 1938 hat sie jene Karwoche, welche lebensentscheidend für sie werden soll, zusammen mit der Mutter in der Benediktiner-Abtei Solesmes verbracht. Von London aus läßt sie sie an ihrer Arbeit teilnehmen, bittet um Korrekturen in Manuskripten und gewährt ihr Einblick in sonst gewiß verborgene Seelentiefen. Aber keine Andeutung vom Herannahen des Endes, nur Schonung und, als äußerstes Zugeständnis an die schon gewisse Gegenwart des Todes, die Ankündigung: *Sehr wenig Zeit und brauchbare Einfälle für Briefe im Augenblick, sie werden kurz sein, in Abständen und unregelmäßig kommen ... Au revoir, darlings. Mille et mille tendresses. Simone.*[32] Dies war der letzte Brief, acht Tage vor dem 24. August 1943, dem Todesdatum. Und Ende Mai hieß es: *Bewahrt Euch ein wenig Freude im Herzen, wenn Ihr könnt – gardez un peu de joie au cœur, darlings ...*[33]

Lassen diese raren Briefe auch keine direkten Schlüsse auf die Wesensart der Eltern zu, so sagen sie doch sehr viel über den Charakter der Beziehung und des Umgangs miteinander. Gemeinsame Urlaube, Gastfreundschaft der Eltern gegenüber den Freunden der Tochter, viele Zeichen gegenseitiger Teilnahme, in Gedanken, aber auch praktischer Art, zeugen von herzlichem Einvernehmen, wenn freilich die Eltern den Lebensweg ihres Kindes, vor allem die Strapazen, die sie ihrer ohnehin zarten Konstitution zumutete, mit immerwährender Sorge verfolgt haben mögen und nicht in allen Einzelheiten mit Zustimmung.

Bei Kriegsausbruch 1914 war Simone Weil fünf Jahre alt. Ihr Vater wurde sofort eingezogen, und es begann jene Odyssee von Garnison zu Garnison. So war die kleine Tochter acht Jahre alt, ehe sie auf dem Lyzeum in Laval mit dem Schulbesuch wenigstens anfangen konnte. Ihrer zarten Gesundheit wegen blieb er sporadisch. Bis dahin war ihre und ihres Bruders Bildung wohl mehr ein Produkt des

Milieus, freilich auch der selbst in Frankreich nicht alltäglichen frühreifen Intelligenz dieser Kinder, die miteinander im Auswendiglernernen Racinescher Verse wetteiferten. Wer steckenblieb, bekam eine Ohrfeige; meist die soviel jüngere Simone. André brachte ihr, um den Vater zu überraschen, das Lesen bei; Simone hörte ihm mathematische Formeln ab. Kein Wunder, daß Simone im Kindergartenalter, als sie am Blinddarm operiert werden mußte, bereits Schwestern und Ärzte durch ihren Scharfsinn verblüffte. Eines Tages, wenig später, veranlaßten die Weilschen Kinder durch ihre Unterhaltung in der Straßenbahn eine Dame zu dem empörten Ausruf: «Ich steige aus. Ich kann das nicht länger anhören. Man muß sie wie Papageien abgerichtet haben!»[34] Wahrscheinlich irrte die Dame. Diese Kinder genossen nur die Freiheit, sich gegenseitig zu erziehen.

Die Selbsterziehung beschränkte sich offenbar keineswegs auf Bildung im intellektuellen Sinne, es gab auch eine moralische des Charakters im Sinne der Stoa. Der Stoizismus der kleinen Simone war «heidnisch»; er richtete sich auf das Ertragen von körperlichen Strapazen und andere Leistungen der Selbstzucht. Doch war ihm etwas beigemischt, das Simone Weil später so interpretieren wird: *Die Pflicht, den Willen Gottes hinzunehmen, was er auch fordern mag, hat sich meinem Geist, seit ich sie bei Marc Aurel unter der Gestalt des AMOR FATI der Stoa dargelegt fand, als die erste und notwendigste der Pflichten eingeprägt, als diejenige, gegen welche man nicht, ohne sich zu entehren, verstoßen kann.*[35] Später wird sie *aus Erfahrung* wissen, *daß die stoische Tugend und die christliche ein und dieselbe Tugend sind. Die echte stoische Tugend, die vor allem Liebe ist; nicht jenes Zerrbild, das einige römische Rohlinge daraus gemacht haben.*[36]

Einen wichtigen Teil der kindlichen Seelennahrung machen die Märchen aus, deren Bildervorrat Simone Weil bis an ihr Lebensende begleitet. Die Märchen von Schneewittchen, vom Machandelboom und von Frau Holle geben ihr nie veraltende Symbole an die Hand. In ihren Tagebüchern [37] finden sich immer wieder Notizen über Sagen und Märchen europäischer und überseeischer Völker; sie mißt ihnen größte Bedeutung bei. Später sagt sie, daß die Geschichte von der Goldmarie und der Pechmarie ihrem Charakter die Richtung gegeben habe. Der Einfluß, den die Märchen mit ihren Mut- und Charakterproben, mit ihrer unerbittlichen Moralität auf die kleine Stoikerin ausübten, ist wohl kaum zu überschätzen. In mancher Weise bleibt sie lebenslang das halsstarrige Kind, das sich in den Schnee setzte und nicht weiter gehen wollte, bis es ebensoviel Gepäck zu tragen bekam wie der Bruder.[38] Damit hat sie gewissermaßen ihren Stil gefunden: die Grenzen ihrer Kräfte bis zur Selbstzerstörung überschreitend, wird sie sich stets das «schwerste Gepäck» aussuchen.

Mit zehn Jahren schrieb Simone Weil selber ein Märchen, *Die Feuerkobolde* [39]: Zwei Seiten in sauberer Kinderhandschrift; ein Gemisch aus Angelesenem und -gelerntem, so scheint es; die griechischen Namen als Lesefrüchte des unersättlichen kleinen Bücherwurms erkennbar. Zu erkennen aber auch ein erster intuitiver Griff ins Ar senal der Archetypen und eine merkwürdige Selbstverständlichkeit, mit der eine vorgeburtliche Existenz und Wandlungen behandelt werden, die kaum anders als im Sinne von Reinkarnationsprozessen zu deuten sind.

Aus welchen Quellen diese Vorstellungen der Zehnjährigen stammen, wissen wir nicht; sie könnten spontan entstanden sein aus dem intensiven Erlebnis der Märchen und Mythen. Diese Welt, in der sie auf eine natürliche Weise zu Hause zu sein schien, wird für Simone Weil ihren unschätzbaren Wert behalten. Stets wird sie auf die Chiffren dieses Uridioms zurückgreifen, die sie bei allen Völkern wiederfindet und als Bürgen einer gemeinsamen Spiritualität jenseits des Turmbaus zu Babel verstehen möchte. Bis in die luzide Einfalt ihrer Diktion ist Simone Weil vom Erlebnis der Märchen geprägt, «welche wie die Religion der Kindheit sind»[40], und diese Sprache wird sich als außergewöhnlich geeignet erweisen, die profunden und zuweilen paradoxen Inhalte ihres Denkens in unmittelbar einleuchtende Bilder zu *übersetzen*. «Die kindliche Unterscheidung zwischen dem Guten und dem Bösen» schien Alain «eine Wahrheit auszudrücken»[41]. An dieser Unterscheidung wird Simone Weil mit kindlichem Starrsinn festhalten bis zuletzt; und sie kann sich darauf berufen, «daß die Dichtung» – wenn man auch die Märchen dazu zählt – «genauer, gerechter, wahrer ist als das Denken»[42].

MIT VIERZEHN JAHREN

> «Manche trauern schon ihrer Geniezeit nach. Ich habe sie freilich gewarnt: ‹Schlagt aus eurer Jugend Gewinn ... und seid jetzt intelligent. Über dreißig hat jeder die Weisheit mit Löffeln gefressen.›»[43]
>
> Alain

> «Traut keinem über dreißig!»
> Parole der APO

«An dem Tage, wo es gerade fünfzehn Jahre alt ward», stieg Dornröschen die Wendeltreppe in den Turm hinauf und traf oben eine alte Frau beim Spinnen. «‹Was ist das für ein Ding, das da so lustig herumspringt?› sprach das Mädchen, nahm die Spindel und wollte auch spinnen. Dabei stach sie sich in den Finger. In dem Augenblick aber, wo sie den Stich empfand, fiel sie auf das Bett nieder, das da stand, und lag in einem tiefen Schlaf.»[44]

Mit vierzehn Jahren verfiel ich einer jener grundlosen Verzweiflungen des Jugendalters, und ich wünschte ernstlich zu sterben, wegen der Mittelmäßigkeit meiner natürlichen Fähigkeiten. Simone Weil meinte, ihr sei der Eintritt in das *transzendente Reich der*

Dornröschen

Vor Zeiten war ein Kö-
nig und eine Königin,
die sprachen jeden Tag:
„Ach, wenn wir doch ein
Kind hätten!" und kriegten
immer keins. Da trug sich
zu, als die Königin ein-
mal im Bade saß, daß
ein Frosch aus dem Wasser
ans Land kroch und zu ihr
sprach: „Dein Wunsch wird
erfüllt werden, ehe ein Jahr
vergeht, wirst du eine Tochter zur Welt bringen." Nach
einem Jahr gebar die Kö-
nigin ein Mädchen. Der König labte nicht bloß seine
Verwandte, Freunde und
Bekannte, sondern auch die
weisen Frauen zur Taufe.
Deren waren dreizehn in seinem Reiche, weil er aber nur
zwölf goldene Teller hatte,
mußte eine daheim bleiben.

*Charakterbildung durch
Märchen*

*Wahrheit versperrt. Ich wollte lieber sterben, als ohne sie leben. Nach
Monaten innerer Verfinsterung* empfing sie dann plötzlich *für immer
die Gewißheit,* daß wer die Wahrheit ernstlich und unablässig sucht,
auch ohne große Talente sie schließlich findet, weil, wer *nach Brot
begehrt, keine Steine empfängt* [45].

In diesem vierten ihrer *Lettres d'Adieu* an Pater Perrin im Jahre
1942 verwendet Simone Weil das Gleichnis des Evangeliums; aber zu
der Zeit, die sie schildert, fast zwanzig Jahre früher, empfindet sie sich
selbst, genau wie Edith Stein, als *Atheistin.* Sie braucht das *Unglück,*
um sich der *Gottesliebe* zu vergewissern.

Ein persönliches, privates, rein körperliches Unglück hat sie bereits befallen: sie leidet zunehmend an unerträglichen Kopfschmerzen, derart, daß sie sich dieser Migränen (?) wegen geradezu als
Krüppel fühlt. Das Leiden – *auf der Ebene biologischer Mechanis-
men* – gibt ihr Grund, sich selbst zu mißtrauen. *Seit zwölf Jahren
bin ich heimgesucht von einem Schmerz, der um den Mittelpunkt des
Nervensystems angesiedelt ist, an dem Punkt, wo Seele und Leib
verbunden sind; er dauert auch im Schlaf fort und hört niemals eine
Sekunde auf.* [46] Sie beklagt, daß sie *dans les crises,* während ihrer

Kopfschmerzen den Drang verspüre, jemand anderen genau *auf die gleiche Stelle* zu *schlagen* oder *verletzende Worte* zu sagen. *Das heißt der Schwerkraft gehorchen. Die größte Sünde. Man verdirbt dadurch die Funktion der Sprache, die darin besteht, die sachlichen Verhältnisse der Dinge auszudrücken.*[47] Es bedeutet nichts anderes als *töten, um sich dafür zu rächen, daß man sterblich ist; répandre autour de soi son mal – das eigene Ungute um sich verbreiten, die eigene Krankheit.*[48] Um keinen Preis möchte sie auf solche Weise «ansteckend» wirken, lieber sterben.

Sie ist mit dieser Krankheit in wahrhaft alttestamentarischem Sinne «geschlagen»; aber nur wenn das Unmaß der Schmerzen weiteren Widerstand unmöglich macht, gibt sie nach und gönnt sich Bettruhe. Es liegt nahe, die Heftigkeit ihres Leidens mit der Heftigkeit ihrer Selbstentäußerung, mit ihrem intellektuellen und moralischen Rigorismus in Beziehung zu setzen. Thibon sagt: «Diese Härte der grünen Frucht – Reife macht weich und gelöst – war zweifellos bei ihr ein völkisches Erbe», und vergleicht ihre leidenschaftliche Ungeduld mit der Spinozas.[49] Noch mehr drängt sich ein anderer Vergleich auf: zumal die Schülerin und Studentin Simone Weil könnte den jungen Israelis von heute ähnlich gewesen sein, die ihren Spitznamen «Sabre» einer stacheligen Kaktusfrucht verdanken.

Als Simone Weil mit fünfzehn ihre Bakkalaureatsprüfung in Griechisch und Latein bestanden hatte und sich im Oktober 1924 als Externe am Lycée Victor Duruy in Paris in der Nähe des Invalidendoms einschreiben wollte, war sie zunächst unschlüssig, ob es sie mehr zur Mathematik oder zur Philosophie hinzog; sie ließ, sagt man, eine in die Luft geworfene Münze darüber entscheiden. Das Los fiel zugunsten der Philosophie. Doch hieß das keineswegs Verzicht. Mathematik blieb wie bisher ein Gegenstand vitalen Interesses und das unerschöpfliche Thema des – auch brieflichen – Gesprächs mit Bruder André, der heute als Mathematiker dem Institute for Advanced Study in Princeton/USA angehört. Aus der Geometrie wird sie immerfort Bilder und Vergleiche für philosophische, theologische und politische Untersuchungen nehmen.[50] Wie selbstverständlich und alltäglich ihr der Umgang mit mathematischen Kategorien von Kindesbeinen an gewesen sein muß, illustriert die folgende Anekdote: Bei einem Aufenthalt in der Schweiz – vermutlich 1936 nach dem Unfall in Spanien – trafen die Weils, Eltern und Tochter, die Familie F. Simone Weil strebte, da ihr die Zeit lang wurde, nach Hause. Um sie zu halten, fragte Madame Weil die F.s, ob sie nicht eine Beschäftigung für Simone wüßten. Die Dame, deren Tochter aus Prinzip niemals regelmäßigen oder überhaupt Schulunterricht genossen hatte, schlug vor, Simone Weil solle das Kind, damals neun Jahre alt, eine Zeitlang unterrichten, was auch geschah – bis eines Tages die junge Lehrerin das Mädchen zu den Eltern zurückbrachte: sie müsse den Unterricht wieder aufgeben, denn mit einem Kinde, das den pythagoreischen Lehrsatz nicht selber herleiten könne, wisse sie nichts anzufangen.[51] Simone Weil zählte nämlich den Gebrauch der

Mathematik zu den natürlichen Fähigkeiten des Menschen, im Gegensatz zu manueller Geschicklichkeit oder Sorgfalt in Sachen der Kleidung, vom sprichwörtlichen Pariser Chic ganz zu schweigen. Auf Lehrer und Mitschülerinnen wirkte sie durch ihren extremen Nonkonformismus meist befremdend, fast schockierend, weswegen Kontakte mit Gleichaltrigen nicht leicht zustande kamen. Nur wenige entdeckten unter der stacheligen Schale der Ungepflegtheit und eines provozierenden «Linksdralls» die «générosité de son cœur»[52] und ihr Verlangen nach Zärtlichkeit. Bei weitreichenden Kenntnissen und deutlichem Interesse an religiösen Fragen gab sie sich betont «antitala»[53]. In den *Cahiers d'Amérique* erinnert sie sich: *Um Gott zu gehorchen, muß man seine Befehle erhalten. Wie kommt es, daß ich sie in meiner Jugend erhalten habe, während ich mich zum Atheismus bekannte?*[54] War es Atheismus? Oder nur die Revolte des besessenen Wahrheitssuchers gegen die Institution der Rechtgläubigen und Pharisäer? Wir werden davon noch hören.

Der Begriff der Reinheit, mit allem, was dieses Wort für den Christen in sich enthalten kann, hat sich meiner mit sechzehn Jahren bemächtigt, nachdem ich während einiger Monate jene Beunruhigungen des Gefühls, die dem Jugendalter natürlich sind, erfahren hatte; und er hat sich mir nach und nach mit unwiderstehlicher Gewalt aufgedrängt...[55] Wieviel von der sechzehnjährigen Simone Weil mag noch in jenem Brief enthalten sein, den sie ein knappes Jahrzehnt später während ihres Fabrik-Jahres an eine Schülerin schrieb? Es geht da um *Gefühle: sensations*, eine von vielen mediterranen Vokabeln, die der Übersetzung ins Deutsche spotten: *Wollten Sie auf die Dauer dabei bleiben, daß Ihre Hauptbeschäftigung darin bestehe, alle nur möglichen Gefühle kennenzulernen – als vorübergehender Gemütszustand ist das nämlich ganz normal in Ihrem Alter –, dann werden Sie damit nicht weit kommen. Ich zöge es vielmehr vor, wenn Sie sagten, daß Sie den Kontakt mit den Realitäten des Lebens suchen. Vielleicht glauben Sie, das sei dasselbe; tatsächlich ist es das genaue Gegenteil. Es gibt Leute, die haben nur von Gefühlen gelebt – und für Gefühle; André Gide ist dafür ein Beispiel. In Wirklichkeit sind sie die vom Leben Betrogenen und fallen in tiefe Traurigkeit. So müssen sie sich betäuben, indem sie unglückselig sich selbst belügen. Denn die Wirklichkeit des Lebens besteht nicht aus Gefühl, sondern aus Tätigkeit (activité) ich meine: Aktivität sowohl im Denken wie im Handeln. Diejenigen, die von Gefühlen leben, sind, materiell und moralisch, nichts als Parasiten im Vergleich zu den arbeitenden und schöpferischen Menschen, die allein Menschen sind. Ich ergänze dazu, daß diese letzten, die nicht nach Gefühlen jagen, deren gleichwohl viel lebhafter und tiefer teilhaftig werden, weniger künstlich und viel wahrer als jene, welche danach suchen. Schließlich enthält die Sucht nach Gefühlen einen Egoismus, der mir Schrecken einjagt, soweit es mich selbst betrifft. Sie hindert uns augenscheinlich zwar nicht daran zu lieben, doch führt sie dazu, die geliebten Wesen einfach als Gelegenheiten zum Freuen oder zum Leiden anzusehen und*

völlig zu vergessen, daß sie aus und für sich selbst existieren. Man lebt inmitten von Phantomen. Man träumt, anstatt zu leben.[56]

Soll man sich die Frau, die mit fünfundzwanzig so empfand und dachte, nur ein paar Jahre früher als typischen Backfisch vorstellen, ihre Tage und ihre Gedanken erfüllt von Unarten und Albernheiten eines «teenagers»? Ihre Lehrer mögen zuweilen durchaus diesen Eindruck von ihr gehabt haben. Ob ihre Jugendfreundschaften den Maßstäben genügten, die sie später anlegte, wissen wir nicht – nur: daß sie nicht leicht Freundschaft schloß, aber mit Eifer und Zärtlichkeit, wenn sie die gleiche «Wellenlänge» spürte, so daß Gedankenaustausch möglich war. *... es gibt eine Form der persönlichen Liebe zwischen Menschen, die rein ist und die eine Vorahnung und einen Abglanz der göttlichen Liebe in sich trägt. Das ist die Freundschaft, vorausgesetzt, man verwende dies Wort nur in seinem strengsten Sinne.*[57] Simone Weil grenzt den Begriff der Freundschaft von jeder möglichen Form der Abhängigkeit, Unterordnung, Hörigkeit durch genaue Konturen ab. Zur Freundschaft bedarf es der Autonomie der Partner und der freien Zustimmung. *Eine Freundschaft ist besudelt, sobald die Notwendigkeit, und sei es nur auf einen Augenblick, die Oberhand gewinnt.* Auch das Verlangen, zu gefallen, scheidet als Motiv aus. *Die beiden Freunde willigen völlig darin ein, daß sie zwei und nicht einer sind; sie achten den Abstand, der zwischen ihnen gesetzt ist... Die Freundschaft ist das Wunder, durch welches ein menschliches Wesen einwilligt, das andere, das ihm wie eine Nahrung unentbehrlich ist, aus der Ferne zu betrachten, ohne sich ihm zu nähern. Dies ist die Seelenstärke, die Eva nicht besaß...* Freundschaft soll *unpersönlich, gleichgültig, unparteiisch* sein. *Wie ein Mathematiker eine besondere Figur betrachtet, um aus ihr die allgemeinen Eigenschaften des Dreiecks abzuleiten, ebenso richtet der, welcher zu lieben versteht, eine allgemeine und allumfassende Liebe auf ein besonderes menschliches Einzelwe-*

Leute, die nur «von Gefühlen» und «für Gefühle gelebt» haben: «André Gide ist dafür ein Beispiel»

Eva mit dem Apfel. Von Meister Gislebertus. Nordportal der Kirche
Saint-Lazare in Autun (12. Jahrhundert)

sen... *Wenn die beiden Liebenden, infolge eines unrechtmäßigen*
Gebrauchs der Zuneigung, nur ein Wesen zu sein glauben, dann ist
dies *sozusagen eine ehebrecherische Vereinigung, auch dann, wenn*
sie unter Gatten stattfindet. Um Freundschaft handelt es sich nur dort,
wo man den Abstand einhält und achtet.[58]

Konnte sich schon die Schülerin Simone Weil eines so herben Begriffs von Freundschaft vergewissert haben? Freilich wird man das,
was die Mitschülerinnen als Distanz und Fremdheit spürten, wohl
im Zusammenhang einer solchen Definition menschlicher Beziehungen eher begreifen. Bei ihr selbst allerdings wird das Übermaß körperlichen Leidens, dessen *Quantität* mehr und mehr in seelisch-gei-
stige *Qualität* umschlägt, weil es ausgerechnet *an der Wurzel jedes*
einzelnen Gedankens sitzt, mit der Zeit ein ebensolches Übermaß an
Selbsthaß erzeugen. Deshalb erscheint es ihr – 1942 in ihrem Brief an
Joë Bousquet[59] – schließlich unvorstellbar, irgend jemand könne für
sie Freundschaft empfinden.

Nach dem Bakkalaureat in Philosophie begegnet Simone Weil –
seit Oktober 1925 im Lycée Henri IV – dem Lehrmeister, der sie
ohne Zweifel am nachhaltigsten beeindruckt hat, dem Philosophen
Émile Chartier, genannt Alain. Unter dem Einfluß dieses Gymna-
sialprofessors reiften Generationen von Intellektuellen in Frankreich zu politischer, pädagogischer und künstlerischer Bedeutung
heran; und «oft genug», sagte er, habe er «das Genie in den
Fingern gehabt»[60]. In einer Sprache, deren Disziplin auf seine Schü-

Émile Chartier, gen. Alain

Das Lycée Henri IV

ler abfärbte, versuchte er die Religionen des Abendlandes, den Pantheismus und die «olympische Religion» im Christentum zu versöhnen. Man hat sogar behauptet, Teilhard de Chardin verdanke ihm seine postume Wirkung. Schon die Bibliographie seines Werkes erweist den Grad der geistigen Verwandtschaft zwischen Alain und der «petite Weil», die er um fast ein Jahrzehnt überlebt hat, gerade um jenes Nachkriegsjahrzehnt, in dem ihre Schriften zu erscheinen und ihre Wirkung zu tun begannen.

Alain ist es, der Simone Weil zum Schreiben ermutigt, indem er ihren Schulaufsatz *De la perception ou l'aventure de Protée* in seiner Zeitschrift «Libres Propos» abdruckt.[61] Viel später, 1935, nach der Lektüre ihrer Arbeit über *Die Ursachen von Freiheit und Unterdrückung*[62] schreibt er an seine ehemalige Schülerin: «Votre travail est de première grandeur – Ihre Arbeit ist ersten Ranges; sie verlangt eine Fortsetzung.» Er rät, sie müsse sich «vor dem Anschein der Polemik hüten», aber er ist überzeugt, «daß Arbeiten dieser Art ... ernsthaft und rigoros, mit Folgerichtigkeit und Fülle ausgestattet, die einzigen sind, welche die nächste Zukunft und die wahre Revolution eröffnen ...»[63] Mag ihn Simone Weil politisch später enttäuscht haben, so manifestiert sich doch hier mehr als nur temporäres Einvernehmen.

«Philosophieren heißt ... das Klare durch das Unklare erklären», sagt dieser selbe Alain, und – lapidar und überpointiert –: «Macht ist Mißbrauch». Das klingt revolutionär, und ist es auch. Spätestens hier beginnt die gründliche Imprägnierung der jungen Linksintellektuellen mit sozialistischen, marxistischen, gewerkschaftlichen Ideen; hier ist aber auch der Ursprung ihrer sublimen Deutung des Begriffes Atheismus. *Von zwei Menschen ohne Gotteserfahrung ist der, welcher ihn leugnet, ihm vielleicht am nächsten.*[64] Alain hat sie mit seinem Meister Lagneau bekannt gemacht und mit dessen Verständnis des Atheismus als einer Askese, eines Verzichtes auf Gott, als einer Phase des Glaubens selbst. *Es gibt zwei Arten des Atheismus, deren eine eine Läuterung unseres Begriffes von Gott ist*[65], Reinigung nämlich von *idolâtrie*, von Vergötzung geringerer Werte als das *summum bonum* – das höchste Gut. *Soweit die Religion ein Quell des Trostes ist, ist sie ein Hindernis für den wahren Glauben.* In diesem Sinne: Atheismus als Läuterung. *Ich soll Atheist sein mit dem Teil meiner selbst, der nicht für Gott gemacht ist.*[66] Dies sind Textstellen aus den Tagebüchern der letzten Jahre, doch ist ihr Ursprung in der Schule Alains deutlich. In jenem Brief von 1935 schließt er: «... all das ist schlecht erklärt; aber ich habe Ihnen ja auch nichts zu erklären. Nur ist es in meinen Augen sicher, daß einzig die Entrüstung imstande wäre, Sie Ihrer Berufung zu entfremden. Behalten Sie, was ich gesagt habe: was menschenfeindlich ist, das ist falsch. Brüderlich. Alain.»[67] Brüderlich – dabei war er mehr als alt genug, um ihr Vater zu sein. Vielleicht war aber gerade diese Spezialität der Brüderlichkeit das Geheimnis von Alains Wirkung. Auch bei Simone Weil, wie bei so vielen anderen, sehen wir ihn in der Schlüsselposition des Wegweisers. Sie wird versuchen, sich von dem mächtigen Einfluß wieder zu lösen, doch sind die Weichen einmal gestellt, das ist nicht rückgängig zu machen. Einen Teil ihres Begriffs-Vorrates wird Simone Weil künftig dem Vokabular Alains entnehmen.

NOTRE MÈRE WEIL

LERNEN UND LEHREN

> *Es gibt für jede Schulübung eine eigentümliche Art und Weise, die Wahrheit zu erwarten, indem man sie begehrt, und ohne daß man sich gestattet, sie zu suchen.*[68]

> *Herr Rektor, ich habe stets meine Entlassung als den angemessenen Höhepunkt meiner Karriere betrachtet.*[69]

Um wirklich aufmerksam zu sein, muß man wissen, wie dies zu bewerkstelligen ist. Meistens verwechselt man gewisse Muskelanstrengungen mit der Aufmerksamkeit. Wenn man den Schülern sagt: «Nun paßt einmal gut auf», sieht man sie die Stirn runzeln, den Atem anhalten, die Muskeln anspannen. Wenn man sie nach zwei Minuten fragt, auf was sie ihre Aufmerksamkeit richten, wissen sie keine Antwort . . . Sie haben gar nicht aufgepaßt. Sie haben ihre Muskeln angespannt.[70]

Als Schülerin sehen wir die «kleine Weil» mit gewöhnlichen Untugenden gewöhnlicher Backfische ausgestattet: «Sucht zu oft originell und exzentrisch zu wirken.» Sie äußert sich «sehr persönlich, ja zu persönlich, und ihr Betragen läßt viel zu wünschen übrig». «Ihre Anwesenheit in der Klasse ist bedauerlicherweise manchmal nur dann möglich, wenn man sie von den Mitschülern entfernt» hält. Sie zieht aus dem Englisch-Unterricht nur «minimalen Nutzen», ist zwar «ein intelligentes Mädchen, trägt aber deutlich zur Schau, daß sie sich über die Geschichte erhaben fühlt». Dieses und andere Unterrichtsfächer schwänzt sie zeitweise völlig. «Die Geschichte kann ihr aber einen bösen Streich spielen . . .»[71] Was denn auch geschah, als sie wegen mangelhafter Kenntnis in diesem Fach beim ersten Anlauf zur Aufnahmeprüfung für die École Normale durchfiel. Es war, wie sie selber zugab, die verdiente Quittung, nachdem sie rauchend und diskutierend in Cafés herumgesessen hatte, statt zu arbeiten. Der Ruf fehlender Geschichtskenntnisse, auch einer ahistorischen Interpretationsweise der Geschichte wird ihr weiter anhängen und gehört vielleicht zur Nachfolge Alains.

Im Sommer 1928 bestand Simone Weil die Aufnahmeprüfung für die École Normale, gab aber auch Gastspiele an der Universität.

Dort traf sie eine Namensschwester: Simone de Beauvoir, die ihr später in ihren «Memoiren einer Tochter aus gutem Hause»[72] einige Zeilen widmen wird: Simone Weil «interessierte mich wegen des großen Rufes der Gescheitheit, den sie genoß, und wegen ihrer bizarren Aufmachung; auf dem Hofe der Sorbonne zog sie immer, von einer Schar alter Alain-Schüler umgeben umher; in der einen Tasche ihres Kittels trug sie stets eine Nummer der ‹Libres Propos› und in der anderen ein Exemplar der ‹Humanité›.»[73]

An der Normale Supérieure gab es außer Simone Weil nur noch drei Mädchen, denen man – nach Millets Bild – pauschal den Spitznamen der «Ährenleserinnen» verliehen hatte. Simone Weil war die vierte, paßte aber kaum in das bukolische Genre. Sie war «excessivement garçonnière»[74] [äußerst burschikos], rauchte wie ein Schlot, die großen Taschen ihres Schneiderkostüms wie auch die Mundwinkel stets voller Tabak, da sie ihre Zigaretten selbst zu drehen pflegte. Nur 159 Zentimeter groß, mit flachen Kinderschuhen und dem ungeschickten Gang eines kleinen Mädchens kam sie in die Cafés, um zu diskutieren; lebhaft ihre Blicke und Bewegungen, aber betont langsam, ja eintönig die Sprechweise, fast wie mit ausländischem Akzent, zumal sie die im Französischen stummen h fast alle aussprach: «wie die Predigten einer Heilsarmee-Schwester», fanden ihre Freunde. «Frappierend war ihr Streben, wie alle anderen zu sein, und die Unmöglichkeit, das zu erreichen. Sie machte rührende

Jean-François Millet: «Die Ährenleserinnen», 1857. Paris, Louvre

Anstrengungen»[75] und trat in eine Rugby-Mannschaft ein, was schwerwiegende Folgen haben sollte: von einem Rugby-Spiel im Winter 1930 datiert, wenn nicht der Beginn, so doch eine drastische Verschlimmerung jener qualvollen Kopfschmerzen. Als Ursache wurde erst 1939 eine chronische Stirnhöhlenentzündung festgestellt, die sich aber nie mehr gänzlich beheben ließ.

Simone Weils Nachlässigkeit gegenüber den Anforderungen des Lehrplans, ihre deutlich zur Schau getragene Unabhängigkeit grenzen an Geringschätzung. Ohnedies gehört Impertinenz im Umgang mit Professoren zum Ehrencodex der «Normaliens». Sie wissen nur zu gut, daß sie die Elite-Jugend der «Grande Nation» sind, und lassen es ihre Lehrer fühlen.

Simone Weils Kritik am französischen Bildungssystem wird eher zu- als abnehmen, und von ihren Äußerungen könnte noch die Aktivität von Schülern und Studenten der sechziger Jahre profitieren. Die *Bildung* befinde sich in einem *erstickenden Dunstkreis* der *Abgeschlossenheit* und sei *von ihren Höhen bis in die Niederungen eine Sache für Spezialisten* geworden, *nur desto minderwertiger, je mehr man hinabsteigt.* Bruder André – nach fünfundzwanzigjähriger Auslandserfahrung – nennt die Universität in Frankreich «ein wasserköpfiges Ungeheuer», die «Sorbonne das unförmige Haupt, die Provinzuniversitäten die blutlosen Glieder»[76]. Die Geschwister sind sich offenbar einig. 1943 legt Simone Weil ihr Resümee vor: *Die Bildung ist ein Werkzeug in der Hand von Professoren zur Erzeugung von Professoren, die ihrerseits wieder Professoren erzeugen. Von allen gegenwärtigen Formen, unter denen die Krankheit der Entwurzelung auftritt, gehört die Entwurzelung der Bildung zu den besorgniserregendsten.*[77]

Von den Konsequenzen, welche dazumal die «Normalienne» aus dieser Erfahrung zog, konnten ihre geplagten Lehrer ein Lied singen. Bei Cabaud finden sich ein paar hübsche Anekdoten, die den Rigorismus der «Sainte Simone» in Sachen allgemeiner und zumal der politischen Moral illustrieren; sie kannte darin kaum Grenzen und keinerlei Rücksicht. Ihre Interessen lagen vielfach außerhalb von Lycée und Supérieure. Sie schloß erste Verbindungen mit den «syndicalistes», mit Gewerkschaftlern der Eisenbahn, des Bergbaus und des Baugewerbes und mit politischen Bewegungen vorwiegend pazifistischen Charakters. Zu dieser Zeit kam es auch zu ersten Kontakten mit dem Autorenkreis der «Nouvelle Revue Française».

Im Juli 1931 legte Simone Weil die äußerst strenge Staatsprüfung ab – von 107 Kandidaten bestanden nur elf –, womit sie als «agrégée» zum höheren Schuldienst zugelassen war. In ihrer Beurteilung heißt es: «Candidate brillante, offenbar sehr bewandert nicht nur in Philosophie, auch in Literatur und zeitgenössischer Kunst. Urteilt manchmal vorschnell, ohne Einwände oder Schwierigkeiten zu berücksichtigen.»[78] Die Sympathien für den Prüfling waren nicht ungeteilt; das Establishment der Supérieure hatte den politischen Eskapaden der Studentin mit gemischten Gefühlen zugesehen: blieb sie

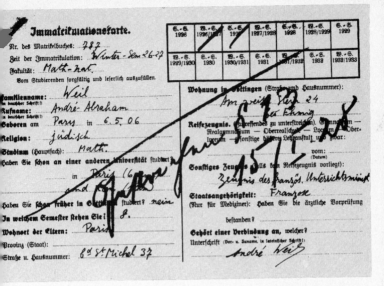

	6.-S. 1926	2.-S. 1926/1927	6.-S. 1927	2.-S. 1927/1928	6.-S. 1928	2.-S. 1928/1929	6.-S. 1929
	2.-S. 1929/1930	6.-S. 1930	2.-S. 1930/1931	6.-S. 1931	2.-S. 1931/1932	6.-S. 1932	2.-S. 1932/1933

Immatrikulationskarte.

Nr. des Matrikelbuches: 737

Zeit der Immatrikulation: Winter-Sem 26-27

Fakultät: Math.-nat.

Vom Studierenden sorgfältig und leserlich auszufüllen.

Familienname: Weil
(in deutscher Schrift!)

Zuname: André-Abraham
(in deutscher Schrift!)

Geboren am Paris in 6.5.06

Religion: jüdisch

Studium (Hauptfach): Math.

Haben Sie schon an einer anderen Universität studiert?

in Paris (6)

Haben Sie schon früher in Göttingen studiert? nein

In welchem Semester stehen Sie? 8.

Wohnort der Eltern: Paris

Provinz (Staat):

Straße u. Hausnummer: 6° St. Michel 37

Wohnung in Göttingen (Straße und Hausnummer):
Am zweit... 24
...bei Ehmig

Reifezeugnis. (Zutreffendes zu unterstreichen). Gymnasium — Realgymnasium — Oberrealschule — Lyceum — Oberlyceum — sonstige höhere Lehranstalt und Jahr:

vom: (Datum)

Sonstiges Zeugnis (falls ein Reifezeugnis vorliegt):
Zeugnis des französ. Unterrichtsminist...

Staatsangehörigkeit: Franzose

(Nur für Mediziner): Haben Sie die ärztliche Vorprüfung bestanden?

Gehört einer Verbindung an, welcher?

Unterschrift (Vor- u. Zuname, in lateinischer Schrift!):
André Weil

Bruder André für zwei Semester in Göttingen

in Paris, konnte man auf einiges gefaßt sein. Darum wollte man sie so weit wie möglich fortschicken.

Ihre erste Adresse hieß also Le Puy. Aber Professor Bouglé täuschte sich gründlich, wenn er hoffte, daß man auf diese Weise nie wieder von dieser Radikalistin hören werde; und indem er ihr den Spitznamen einer «Vierge rouge» (rote Jungfrau) mit auf den Weg gab, tat er ein Übriges zu ihrer politischen Karriere.

Was veranlaßte Simone Weil, die ihre eigene, amtlich vorgeschriebene Ausbildung nur unregelmäßig, mit deutlicher Nonchalance wahrgenommen hatte, nun doch ihrerseits in den Schuldienst zu gehen? Man wird nicht annehmen, daß es bürgerliche Familienrücksichten waren. Auch mag es ihr nicht als etwas Endgültiges vorgeschwebt haben, mehr oder weniger intelligenten Blaustrümpfchen auf einen ähnlichen Weg zu verhelfen; hatte sie doch schon als Studentin in Paris begonnen, in einer Art Volkshochschule zu unterrichten, wo Eisenbahner die Möglichkeit hatten, von praktischer auf Büro-Arbeit umzusatteln. Das war eine Aufgabe nach ihrem Herzen, denn sie glaubte, daß die *condition ouvrière*, die Lage des Industrie-Proletariats wesentlich, das heißt in der Tat von Grund auf geändert würde, wenn man es in den Stand setzte, an der *menschlichen Kultur*, an den Werken der Kunst und der Philosophie teilzuhaben.

Um Bildung, und zwar gerade ihre höchsten Inhalte, dem Arbeiterstand zugänglich zu machen, *bedarf es einer Anstrengung des*

In Le Puy, Département Haute-Loire, begann Simone Weil im Herbst 1931 ihre Laufbahn als Lehrerin

Übersetzens. Nicht der Vulgarisierung, sondern des Übersetzens, was etwas gänzlich anderes ist. Es geht hier nicht etwa darum, die in der Bildung der Intellektullen bereits enthaltenen und an sich schon allzu ärmlichen Wahrheiten herzunehmen, um sie herabzuwürdigen, zu verstümmeln und ihres Marks zu berauben, sondern darum, sie schlechthin in ihrer ganzen Fülle auszudrücken, vermittels einer Sprache, die, mit Pascal zu reden, diese Wahrheit dem Herzen nahebringt, und zwar für Menschen, deren Empfindungsvermögen seine Prägung durch den Arbeiterstand empfangen hat.[79] Und genau hier, wo gültige Inhalte in die Sprache des Herzens zu übersetzen sind, sah Simone Weil ihren Platz. Sie gab diesen Unterricht unentgeltlich, und Volksbildung, Arbeiterbildung wird von nun an eine Spezialität

ihres individuellen pädagogischen
Eros sein. Einen jungen Arbeiter
zu treffen, der sich auch noch
außerhalb des Unterrichts an seine Lehrer wandte, um mit ihnen
zu diskutieren, der Platon und
Descartes – wie sich herausstell-
te, mit Gewinn – gelesen hatte,
das bedeutete für sie eine Offenbarung, die sie entzückte und be-
stätigte.

«Ihre pädagogische Begabung
grenzte ans Märchenhafte: Wenn
sie auch die Bildungsmöglichkei-
ten bei jedermann gern über-
schätzte, so verstand sie doch, sich
jeder Bildungsstufe anzupassen
und ihrem Schüler was auch immer beizubringen», erzählt Gustave Thibon.[80]

*Obwohl man es heutzutage
nicht zu wissen scheint, ist die
Ausbildung unseres Vermögens
zur Aufmerksamkeit dennoch das
wahre Ziel des Studiums und beinah das Einzige, was den Unterricht sinnvoll macht. Die Mehrzahl der Schulübungen sind
zwar – immerhin – auch um ih-*
*rer selbst willen sinnvoll; aber diese Vorteile sind nur von zweit-
rangiger Bedeutung. Alle Übungen hingegen, die sich wirklich an
unser Vermögen zur Aufmerksamkeit wenden, können als gleich
wichtig und interessant gelten.[81] Die Lösung eines geometrischen
Problems ist, als kleines Fragment einer besonderen Wahrheit,
nur kostbar als Gleichnis jener anderen, die eines Tages mit Men-
schenstimme gesagt hat: «Ich bin die Wahrheit.»[82] So aufgefaßt,
ähnelt jede Schulübung einem Sakrament.[83] Ist man nach einer
Stunde nicht weiter als am Anfang, so hat man trotzdem und zwar
in jeder einzelnen Minute dieser Stunde, in einer anderen, geheim-
nisvolleren Dimension Fortschritte gemacht. Ohne daß man es merkt
und weiß, hat diese scheinbar vergebliche, fruchtlose Anstrengung
mehr Licht in die Seele gebracht. Irgendwann und -wo erntet man
gewiß die Früchte, als Dreingabe gewissermaßen, und wird vielleicht*

Blaise Pascal.
Gemälde von Philippe de Champaigne

eines Tages, eben auf Grund dieser Mühen, imstande sein, die Schönheit eines Verses von Racine unmittelbar zu erfassen [84].

Was sich hier ausspricht ist mehr als nur die Summe der Erfahrungen aus der eigenen Schulzeit und später mit den Schülern, es ist zugleich eine summa paedagogica, die Grundlage eines Bildungskonzeptes, das nach Simone Weils Idee vor allem den Kindern des Volkes zugute kommen sollte, weswegen sie sich erbittert gegen eine Begabten-Auslese wehrte. Sie wollte insgesamt die Lebensbedingungen derjenigen verbessern, die auf der sozialen Stufenleiter zuunterst standen. Auslese würde nur die arbeitende Klasse ihrer guten Elemente berauben. Simone Weil schlug statt dessen eine Verlängerung der allgemeinen Schulpflicht bis zum achtzehnten Lebensjahr vor [85] – eine Auffassung, die sich heute immer mehr durchsetzt, die in Rußland, wo ein «klassenloses» Schulsystem das Fundament der «klassenlosen Gesellschaft» bildet, selbstverständlich ist und die im Westen in den Waldorf-Schulen nach dem Entwurf Rudolf Steiners seit nunmehr fünfzig Jahren praktiziert wird. Hier und dort geht es wie bei Simone Weil um soziale Gerechtigkeit.

Getreu ihrer Vorliebe für die unterdrückte Klasse macht sich Simone Weil als Lehrerin aber der Ungerechtigkeit schuldig, indem sie die Arbeiterkinder gegenüber den «Reichen» deutlich bevorzugt. Sie ist überzeugt, daß dort ungemessene Reserven an Bildungsfähigkeit zu heben sind. Dazu erzählt Thibon: Simone Weil habe im Kriege allmonatlich die Hälfte ihrer Lebensmittelkarten an politische Häftlinge geschickt – «ihre geistigen Güter aber verschwendete sie noch großzügiger. Jeden Abend nach der Arbeit erklärte sie mir die großen Texte Platons ... mit einem pädagogischen Genie, das ihren Unterricht so lebendig machte wie eine Neuschöpfung ... So groß war ihr Verlangen nach Aussaat in den Geistern, daß ihr mitunter wohl auch das eine oder andere erheiternde Versehen unterlief. Eine Art höherer Gleichmacherei veranlaßte sie, ihre eigene geistige Höhe als allgemeines Richtmaß zu nehmen; und es gab für sie kaum einen Geist, den sie nicht für fähig hielt, die erhabensten Lehren zu empfangen.» [86] Diese Überzeugung von der Bildungsfähigkeit jedes Individuums, auch des scheinbar ärmsten im Geiste, zeigt eine auffallende

Verwandtschaft mit den Prinzipien der Waldorf-Pädagogik. Hat die Professorin Weil nie davon gehört?

Fragen, Diskutieren, Lehren waren für Simone Weil ein Lebenselement. Wie viele Menschen, die intensiv leben und aufnehmen, wünschte sie ihre Erfahrungen auch für andere nutzbar zu machen. Wenn sie mit ihrer Begeisterung an ein scheinbar ungeeignetes Objekt geriet, mußte es aber keineswegs ein Versehen sein. Vielmehr entsprach es ihrem Begriff von sozialer Gerechtigkeit und Nächstenliebe, die ein Abglanz zu sein hätten von der Gerechtigkeit Gottes, welcher Sonnenschein und Regen an Gerechte und Ungerechte, Böse und Gute ohne Unterschied austeilt. Also auch Bildung und Kultur gleichmäßig für Reiche und Arme. Oder für die Armen vor allem.

Bei ihren Schülerinnen hieß sie «la Simone» oder «notre Mère Weil», was nicht nur wegen ihrer fragilen Körperlichkeit und ihres gaminhaften Habitus verwunderlich ist; man fragt sich auch, inwieweit sie den Interessen der Schülerinnen diente und gar den Absichten der Eltern oder der Schule. «Was Sie vortragen, ist ja sehr gelehrt», sagte zum Beispiel der Schulrat eines Tages zu ihr, nachdem er dem Unterricht beigewohnt hatte, «aber die Schülerinnen scheinen es nicht zu verstehen» und daher «werden wohl nur zwei Ihrer Schülerinnen das Bakkalaureat bestehen.» Er bekam die verblüffende Antwort: *Monsieur l'Inspecteur, ça m'est bien égal* [87] [Das ist mir ziemlich gleichgültig].

Es wiederholt sich zunächst das Fiasko ihrer eigenen Schullaufbahn: von vierzehn Schülerinnen des Jahrgangs, den sie unterrichtet, werden nur sieben zur schriftlichen Prüfung, drei zur mündlichen zugelassen, und nur zwei bestehen sie schließlich. Doch haben sie inzwischen denken und – nach Alains Methode – einen Gegenstand erfassen gelernt. Der Unterrichtsstoff wird in allgemeinen Zusammenhängen gesehen, sozialen, philosophischen – auch politischen. Das ist der Punkt, wo Simone Weil sich das Mißfallen von Eltern und Vorgesetzten zuzieht und schließlich infolge öffentlich bekundeter und in der Presse öffentlich abgehandelter Solidarität mit demonstrierenden Arbeitern Skandal macht. Es wird über ihre Strafversetzung verhandelt. Ihre Gewerkschaftsfreunde stehen zu ihr. Auch die Eltern von Schülerinnen unterschreiben eine Petition; der wohlwollende Text spricht von «Zuneigung» und «Hochachtung» der Schülerinnen, und aus deren Heften gehe hervor: der Einfluß, den sie auf die ihr anvertrauten Mädchen ausübt, sei der «denkbar beste» [88] – doch gibt das eher die Auffassung der Schülerinnen als die der Eltern-Mehrheit wieder. Nicht Eifersucht allein ließ sie den Einfluß der «mère Weil» kritisieren und befehden, fanden sich doch in jenen Schulheften böse Zitate aus dem «Kommunistischen Manifest» und anderen Schriften von Karl Marx, zum Beispiel über die «Familie als vom Gesetz gebilligte Prostitution». Das war – als Unterrichtsstoff – wohl geeignet, die Erziehungsberechtigten, Eltern und Pfarrer, zu alarmieren. Auch sonst erregt Professor Weil Anstoß. Sie fraternisiert mit Arbeitern und Arbeitslosen, sie lädt diese zu den Schulmahlzeiten ein oder sitzt mit ihnen bei Rotwein und Kartenspiel. Sie wird beobachtet, wie sie Steinklopfern die Hand schüttelt und finstere Kneipen besucht. Aus bürgerlichen Kreisen und aus der Rechtspresse erhebt sich eine Welle von Klatsch und Feindseligkeit. Die «petite Weil» läßt sich dadurch nicht etwa einschüchtern, sondern beantwortet den Aufruhr mit einer Herausforderung. Im Bulletin der Lehrergewerkschaft der Sektion Haute-Loire erscheint Anfang 1932 ein Artikel: *Une Survivance du règime des castes* [89] [Ein Fortleben der Klassenherrschaft]. *Die Universitätsverwaltung ist um einige tausend Jahre hinter der menschlichen Zivilisation zurückgeblieben. Sie ist noch beim Kasten-System... Für sie gibt es Unberührbare ganz wie bei der rückständigen Bevölkerung Indiens. Es gibt Leute, die ein Gymnasiallehrer notfalls in der Verborgenheit eines gut verschlossenen Saales treffen kann, denen er aber auf gar keinen Fall auf der Place Michelet die Hand schütteln darf, wenn Eltern von Schülern es sehen könnten.* [90] Kein Wunder, daß sie bereits als Kommunistin verschrien ist. 1934, auf Urlaub zu persönlichen Studien, resümiert

Roanne. Neben Simone Weil die Direktorin des Lycée
des jeunes filles und vier Philosophie-Schülerinnen

Bei gutem Wetter unterrichtete Simone Weil manchmal unter dieser Zeder, die vor dem Fenster der Philosophie-Klasse in Roanne stand

sie im Brief an eine Schülerin: *Jedenfalls kannst Du sicher sein, wenn das Erziehungsministerium auf seiner gegenwärtigen Linie fortfährt, werde ich als Lehrerin nicht alt.*[91]

Es wird erzählt, daß Simone Weil auf ihrer Rückreise nach Paris – wie einst Don Camillo bei Guareschi – auf allen kleinen Bahnhöfen zwischen Le Puy und Saint-Étienne von Arbeiterdelegationen erwartet und gefeiert wurde; an der Strafversetzung ließ sich jedoch nichts ändern.

Simone Weil blieb bis 1934 im Schuldienst. Nach einjähriger Pause übte sie dann ab 1935 bis zum Kriege ihren Beruf nur noch zeitweise aus, weil ihr Gesundheitszustand wiederholte Unterbrechungen erzwang. Schließlich wurde sie infolge der von den deutschen Siegern nach Frankreich importierten «Arierbestimmungen» suspendiert. Nach einem Zwischenspiel am Lycée von Auxerre, das ihr wegen der größeren Nähe zu Paris, dem unbestrittenen Fokus des geistigen und politischen Interesses aller Franzosen, lieb gewesen sein dürfte, war sie 1933/34 noch einmal in die Gegend der Haute-Loire zwischen Cevennen und Puy de Dôme zurückgekehrt, zu den Fabriken und Bergwerken und den alten Gewerkschaftsgenossen, in die Nähe von Saint-Étienne, wo ihre Freunde Thévenon wohnten und das von Roanne aus, nicht so bequem wie von Le Puy, aber immer noch zum Wochenende erreichbar blieb, und zu den Bergen der Auvergne, wo sie allein oder in Gesellschaft wanderte.

Der Name Clermont-Ferrand, wohin Simone Weil mehrfach, meist

Camus über Saint-Étienne: «... kein Raum für das Sein, die Freude, die tätige Muße... Ein solches Schauspiel» – hier eine Straße mit Arbeiterwohnungen – «spricht der Zivilisation das Urteil, die es entstehen ließ»

wegen ihrer kommunistischen Umtriebe, zur Schulbehörde vorgeladen wurde, müßte jeden Franzosen aufhorchen lassen, denn hier wurde Blaise Pascal geboren, auf dem Puy de Dôme unternahm er seinen berühmten Versuch, der einen von anderen Forschern postulierten horror vacui in der Natur widerlegen und die Abhängigkeit des Luftdrucks von der Höhe beweisen sollte. Auch für Simone Weil hat das Problem *du vide* [der Leere] wie für jeden meditativen Geist zentrale Bedeutung gehabt; und gern verwendete sie Beispiele aus der Physik zur Deutung metaphysischer Zusammenhänge. Leere war für sie die Voraussetzung für das Einwirken der Gnade. Geistesverwandtschaft mit Pascal ist ihr wiederholt bescheinigt worden, und obwohl sie ihn kritisierte, lassen sich Ähnlichkeiten finden.

Oberhalb der Stadt Clermont-Ferrand, an den Hängen desselben Puy de Dôme, in Schloß Sarcenat wurde fast 250 Jahre nach Pascal Pierre Teilhard de Chardin geboren, ein Mann der Wissenschaft und des Glaubens wie Pascal. Und wie Simone Weil sah auch er eine der dringlichsten Aufgaben, zu deren Lösung er beitragen wollte, darin, die seit der Antike immer tiefer eingerissene Trennung zwischen Wissenschaft und Religion, zwischen Erkenntnis und Glauben mit dem ganzen Rüstzeug der Moderne, mit der Tüchtigkeit des neunzehnten und der Skepsis des zwanzigsten Jahrhunderts zu überbrükken, oder eigentlich die schon fast bodenlose Kluft auszufüllen und auf diese Weise gangbar zu machen. Enttäuschung, Trauer und Sehnsucht von Jahrhunderten warteten auf Antwort. Inzwischen war aus einem abendländischen ein globales Problem geworden. Teilhard de Chardin machte sich an die Danaidenarbeit; Simone Weil folgte ein gutes Vierteljahrhundert später. Die Schlucht scheint seitdem nicht mehr ganz so bodenlos wie vorher. Darum sei hier, ohne eine geographische Koinzidenz überzuinterpretieren, dem Genius loci der Auvergne und der Haute-Loire mit diesem Blick auf den Puy de Dôme Reverenz erwiesen, in dessen Umkreis Simone Weil wichtige Lebens- und Wirkensjahre verbracht hat.

EXPERIMENTALBEWEIS DER INKARNATION

DIE SCHÖNEN KÜNSTE

> Die S c h ö n h e i t verführt das Fleisch, um die Erlaubnis zu erhalten, in die Seele einzudringen.
> S c h ö n h e i t: eine Frucht, die man betrachtet, ohne die Hand danach auszustrekken.
> Der Abstand ist die Seele des S c h ö n e n.[92]

Von allen Eigenschaften Gottes ist eine einzige im Universum, im Leib des Logos inkarniert, und das ist die Schönheit. Die übrigen können sich nur in einem menschlichen Wesen verkörpern. Die Gegenwart der Schönheit in der Welt ist der Experimentalbeweis der möglichen Inkarnation. Die Freude, wenn sie eine vollkommene und reine Zustimmung ist zur Schönheit der Welt, ist ein Sakrament (das des heiligen Franziskus). (Ebenso die Schönheit der Mathematik.) Außer bei St. Franziskus hat das Christentum die Schönheit der Welt fast verloren.[93]

In der modernen Kunst-Interpretation nimmt der Begriff der Schönheit nicht mehr die Schlüsselposition ein wie bei Simone Weil. Wir müssen das berücksichtigen, indem wir vom heutigen Kunstverständnis Abstand nehmen und uns dem Schönheitsbegriff Schillers oder der Märchensprache wieder nähern, wo Schönheit mit Wahrheit, Kunstqualität mit moralischer Qualität zu tun hat oder, wie im Märchen, ohne Rest übereinstimmt. *Deine These, daß die Doktrin eines Künstlers keine Wirkung auf seine Kunst habe, scheint mir unhaltbar. Zugegeben, daß es Probleme des Auges und der Hand gibt, die seine ausschließliche Aufmerksamkeit verlangen. Aber ich glaube, daß seine Auffassung von der Welt und dem menschlichen Leben darüber entscheidet, welche diese Probleme des Auges und der Hand sein sollen. Dies betrifft, das ist richtig, nur die Künstler allerersten Ranges. Aber für mich sind die übrigen von keinem*

Stigmatisierung des hl. Franziskus von Assisi (Ausschnitt).
Veronesisch, 1432. Musée des Arts décoratifs, Paris

großen Interesse. Es hat für Simone Weil Bedeutung, daß Giotto von
franziskanischem Geist inspiriert, daß Galilei Platoniker war, wie sie
annimmt. *Das Geheimnis sehr großer Kunst ist genau dies, daß eines*
Künstlers Doktrin in das Werk seiner Hände eingeht; und es be-
deutet wenig, ob er sie auch in Worten ausdrücken kann.[94]

Simone Weil ist als Lernende für uns so wenig verständlich wie
als Lehrende, wenn wir das Gewicht nicht kennen, das sie – für die
Erziehung und überhaupt – den Künsten beimißt. Dieses Gewicht
enthält zugleich einen allerhöchsten Anspruch und erklärt, weshalb
ihr zweitrangiges verhaßt war. Kunst trägt in ihren Augen Offenbarungscharakter; von einem Kunstwerk ersten Ranges geht stets

der johanneische Anruf aus: μετανοεῖτε – ändert euren Sinn![95] Es ist genau das, was Rilke in seinem «Archaischen Torso Apolls» beschreibt: «... denn da ist keine Stelle, die dich nicht sieht. Du mußt dein Leben ändern.» Simone Weil glaubte nicht nur, daß ein inständig angeschautes, bis zum Grunde der eigenen Seele wahrgenommenes Kunstwerk das Leben eines Menschen zu verändern vermag – sie hatte es buchstäblich am eigenen Leibe erfahren.[96] *Schönheit* ist für sie – und das wollen wir nicht verharmlosen – ein *Sakrament* und verändert also seiner Natur nach den Menschen, der es empfängt, und die Welt, in der es ausgeteilt wird. Angesichts von Not und Arbeitslosigkeit der dreißiger Jahre schildert sie die hoffnungslose *condition ouvrière* und sagt: *Wir haben keine Auswahl an Heilmitteln, es gibt nur eins, ein einziges Mittel nur macht die Monotonie erträglich, und das ist ein Abglanz der Ewigkeit: die Schönheit. Für das Volk, fährt sie fort, sei die Schönheit geschaffen und das Volk für die Schönheit. Für andere soziale Schichten ist die Poesie Luxus. Das Volk braucht Poesie wie Brot. Nicht die Poesie, die in den Worten enthalten ist; die kann ihm, für sich allein, von*

Um der «geistigen Gesundheit» willen: «Freude» als «unentbehrlicher Bestandteil» des Lebens. 1922, Sommerferien in Knokke/Belgien

Der hl. Hieronymus. Gemälde von Leonardo da Vinci

keinerlei Nutzen sein. Es braucht vielmehr, daß sein täglicher Lebensinhalt selber Poesie wird. Nur ist es für die Arbeiter schwierig, *den Kopf zu heben* [97], und so sind sie in Gefahr, völlig in Freudlosigkeit unterzugehen. Simone Weil glaubte aber, *daß Freude ein unentbehrlicher Bestandteil des menschlichen Lebens ist, um der geistigen Gesundheit willen, so daß ein vollkommenes Fehlen der Freude gleichbedeutend mit Wahnsinn sein würde* [98].

Es ist ein zugleich strenger und naiver Kunstbegriff, mit dem wir es hier zu tun haben – keiner für fachsimpelnde Experten, sondern einer fürs Volk. Und für die Kinder. So ist auch Simone Weils Begeisterungsfähigkeit bereitwillig und atemlos wie die eines Kindes: *Warum habe ich nicht die n Existenzen, die ich brauche, um eine davon dem Theater zu widmen! Auch bedrängt mich die Idee zu einer Statue . . .* [99]

*Ein solches Gemälde, daß man es in der
Zelle eines zu lebenslanger Einzelhaft Ver-
urteilten aufhängen könnte, ohne daß dies
eine Marter wäre ...[100]*

Simone Weils Italien-Reise im Frühjahr 1937 dient gewiß der politischen Information; die Zeiten sind unruhig und, für eine militante Pazifistin, sorgenvoll – das faschistische Imperium des Duce interessant und auch gefährlich genug. Zugleich aber kennzeichnet die Route von Montana in der Schweiz – wo sich Simone Weil seit Anfang des Jahres gesundheitshalber aufgehalten hat – über Pallanza, Stresa, Mailand, Bologna, Ferrara, Ravenna, Florenz, Rom, Assisi, Florenz das Unternehmen als Inbegriff einer klassischen Bildungsreise.

In Mailand verbringt Simone Weil Stunden vor dem zerfallenden Fresko Leonardos, die Komposition des «Abendmahls» betrachtend.

Rom bewundert sie wegen seiner griechischen Skulpturen: jene aus der Zeit vor Phidias, die so beschaffen sind, *daß der Stein ein flüssiger Stoff zu sein scheint, der im Fluß zu vollendetem Ebenmaß geronnen ist*[101]. Und sie resümiert: *Dieser St. Hieronymus* (von Leonardo in Rom) *und Giorgiones Konzert im Pitti* (Florenz) *und der Christus in der Brera* (Mailand) *werden die drei wirklich intensiven Erinnerungen sein*[102], die sie aus Italien mitnimmt.

Was Florenz angeht, so ist es meine eigene Stadt. Unter seinen Ölbäumen muß ich ein früheres Leben verbracht haben. Sobald ich die schönen Brücken über den Arno sah, fragte ich mich, wie ich so lange hatte fortbleiben können. Und Florenz wunderte sich ohne Zweifel ebenfalls, weil Städte es lieben, geliebt zu werden ... Es gibt noch viele schöne Dinge hier, die ich nicht gesehen habe; es ist nämlich nicht meine Gewohnheit, Städte zu besichtigen, ich lasse sie in mich einsickern durch Osmose.[103]

Ein Frühlingsregen hält sie in der Medici-Kapelle bei Michelangelos Sarkophag-Figuren fest. Sie findet den «Morgen» traurig wie das Erwachen eines Sklaven, Vorspiel eines allzu harten Tages, und die «Nacht» macht ihr nicht den Eindruck erquickenden Schlummers, viel eher den einer Zuflucht vor Verzweiflung. Sie glaubt hier den künstlerischen Niederschlag politischer Zustände zu erkennen, gewissermaßen steingewordenes Stöhnen der Unterdrückten unter der Tyrannis der Medici.[104]

Im Jahr darauf entdeckt sie von Venedig aus in Asolo nahe Treviso eine kleine romanische Kapelle, Sant' Angelo, und in dieser unter dem abbröckelnden Putz eine zweite Bemalungsschicht, wo Figuren aus der Stadtgeschichte abgebildet sind. Sie setzt alle Hebel in Bewegung, um die drohende Zerstörung abzuwenden, und verfaßt zu diesem Zweck eine Schrift, die erst lange nach ihrem Tode (1951) erschienen ist. Dank dem späten Ruhm der Autorin wird aber nun

«Auch die Nacht ist der Schlaf eines Sklaven, der nicht entspannt, sondern nur schläft, um weniger zu leiden» (1937). Skulpturen von Michelangelo. Cappella Medici. San Lorenzo, Florenz

«Wie trauervoll der Morgen ist! ... das Erwachen Elektras» (1937)

*Freigelegte Fresken in der Kirche Sant' Angelo in Asolo.
Links: 13. Jh., rechts: 15. Jh.*

endlich die Fachwelt auf die bisher unbekannten Fresken aufmerksam, und man stellt sogar drei Bemalungen übereinander fest. Simone Weils Datierung wird bezweifelt, aber die Entdeckung ist fraglos ihrer Aufmerksamkeit zu danken.[105]

Allen anderen Orten Italiens zieht jedoch Simone Weil Assisi vor. Es ist ihre Seelenheimat. Freilich macht sie dort die gleiche Erfahrung wie der heutige Kunst-Tourist: *Alles ist franziskanisch in Assisi und ringsum, außer dem, was man dem heiligen Franz zu Ehren gemacht hat ... Man könnte glauben, die Vorsehung hätte diese lächelnden Felder und diese rührend demütigen kleinen Kapellen als Vorbereitung für sein Kommen erschaffen.*[106] *Und als ich dort in der kleinen romanischen Kapelle aus dem zwölften Jahrhundert, Santa Maria degli Angeli, diesem unvergleichlichen Wunder an Reinheit, wo der heilige Franz so oft gebetet hat, allein war, da zwang mich etwas, das stärker war als ich selbst, zum erstenmal in meinem Leben auf die Knie ...*[107] Hier kann nicht mehr getrennt werden zwischen künstlerischem und religiösem Erlebnis, soll es aber auch nicht, wie wir sahen.

Eine griechische Statue flößt durch ihre Schönheit eine Liebe ein,

45

die nicht den Stein zum Gegenstand haben kann. Ebenso flößt die Welt durch ihre Schönheit eine Liebe ein, welche nicht die Materie zum Gegenstand haben kann. Das läuft auf dasselbe hinaus: der Gottesbeweis durch die Liebe. Andere kann es gar nicht geben, denn Gott ist nichts anderes als das Gute, und es gibt kein anderes Organ, um mit dem Guten in Berührung zu kommen, als die Liebe. Wie man nicht durch den Gesichtssinn die Töne wahrnehmen kann, so kann auch keine andere Fähigkeit als die Liebe Gott wahrnehmen.[108]

Aus der seelenbewegenden Macht des Kunstwerkes ergibt sich schwere Verantwortung für den Künstler. Trennung zwischen Kunst und Religion in der Neuzeit beschwört dieselbe Gefahr, dieselbe Frustration, dieselbe *Entwurzelung* des heutigen Menschen wie die zwischen Wissenschaft und Glauben. Diese Trennung ist in den Augen Simone Weils ein Grundübel, dessen Diagnose ihre letzte große Schrift *Einwurzelung*[8] gelten wird.

Das Merkmal der Inkarnation Gottes in der Welt ist die Schönheit. *Deshalb ist jede Kunst höchsten Ranges ihrem Wesen nach religiöse Kunst.*[109] Gegenstand der Wissenschaft: das Schöne (Ord-

Florenz: «Es gibt noch viele schöne Dinge hier, die ich nicht gesehen habe; es ist nämlich nicht meine Gewohnheit, Städte zu besichtigen, ich lasse sie in mich einsickern durch Osmose.» Kupferstich (Ausschnitt), um 1480

Assisi: «Der heilige Franz wußte die allerköstlichsten Orte zu wählen, um dort in Armut zu leben; er war durchaus kein Asket.» (1937)

nung, Proportion, Harmonie), insoweit es überpersönlich und notwendig ist. Gegenstand der Kunst: *das sinnliche und bedingte Schöne, wahrgenommen durch das Netz des Zufalls und des Übels hindurch.* Und folgerichtig gehört auch dies noch zu Simone Weils Begriff der Kunst: *Ein Kunstwerk hat einen Urheber, und dennoch, wenn es vollkommen ist, eignet ihm etwas wesenhaft Anonymes. Es ahmt die Anonymität der göttlichen Kunst nach. So beweist die Schönheit der Welt einen zugleich persönlichen und unpersönlichen Gott, der doch weder das eine noch das andere ist.*[110]

> *Poesie: unmöglicher Schmerz, unmögliche*
> *Freude. Herzzerreißende Sehnsucht. So ist*
> *die provenzalische, die englische Poesie. Eine*
> *Schönheit, die kraft ihrer unvermischten*
> *Reinheit weh tut. Ein Schmerz, der kraft sei-*
> *ner unvermischten Reinheit besänftigt, Frie-*
> *den gibt.*[111]

Schreiben – wie übersetzen – negativ – die Worte ausmerzen, welche
den Gegenstand verschleiern, das stumme Ding, das ausgedrückt
werden soll.[112] Kommt hier die Schriftstellerin Simone Weil samt
ihren Phantomen Émile Novis und S. Galois[113] zu Wort, so ver-
nahmen wir in unserem Motto die Stimme der Zuschauerin, der
Hörerin, der Leserin, die in der Kunst allenthalben das μετανοεῖτε
vernommen, immer wieder, von Homer und dem Theater der Griechen über die gregorianische Messe bis hin zu Shakespeare die bestürzende Erfahrung der Katharsis und der Peripetie gemacht hat.
Und unlöslicher als anderswo in der Kunst erscheint auf diesem
ihrem eigensten Gebiet die Verknüpfung zwischen Schönheit und
Wahrheit; hier besonders ist für Simone Weil Schönheit a l s
Wahrheit, Wahrheit a l s Schönheit inkarniert. Denn *das Bedürfnis*
nach Wahrheit ist geheiligter als jedes andere[114]. Die Wahrheit wiederum ist im Sinne Augustinus' – ubi amor ibi oculus – mit Hilfe der
Liebe erfahrbar. *Eine Wahrheit ist immer eine Wahrheit von etwas*
... der offenbarende Glanz der Wirklichkeit ... Man begehrt die Er-
kenntnis der Wahrheit dessen, was man liebt ... Jede andere Art
von Liebe begehrt vor allem der Befriedigung und ist deshalb ein
Quell des Irrtums und der Lüge. Die wirkliche und reine Liebe ist
durch sich selbst Geist der Wahrheit. Dies ist der Heilige Geist. Das
griechische Wort, das mit Geist übersetzt wird, bedeutet wörtlich
Feueratem, Atem mit Feuer vermischt, und es bezeichnete in der
Antike den Begriff, den die Naturwissenschaft heute mit Energie be-
zeichnet. Was wir mit «Geist der Wahrheit» übersetzen, bedeutet
Energie der Wahrheit, die Wahrheit als wirkende Kraft. Die reine
Liebe ist diese wirkende Kraft, die Liebe, die um keinen Preis,
in keinem Fall weder Lüge noch Irrtum will.[115] Simone Weil
«war der festen Überzeugung», schreibt ihr Freund Thibon, «daß
die wahrhaft geniale Schöpfung eine höhere Stufe der Spiritualität fordere und daß es unmöglich sei, den vollkommenen Ausdruck zu erreichen, ohne sich strengen inneren Reinigungen unterworfen zu haben»[116]. Daher war sie unerbittlich gegen Autoren,
bei denen sie nur die geringste Beimischung von Eitelkeit, Effekt-
hascherei, Unredlichkeit, Schwulst spürte: Corneille, Vicor Hugo,
d'Annunzio ... *Wir sind weit davon entfernt*, schreibt sie im Frühjahr 1940 an ihren Bruder, *über Nietzsche einer Meinung zu sein.*
Nicht daß ich etwa geneigt wäre, ihn leicht zu nehmen; vielmehr
flößt er mir einen unbezwingbaren und fast körperlichen Wider-

willen ein; sogar dann, wenn er ausdrückt, was ich selbst fühle ...
Ich sehe nicht, wie man einen Liebhaber der Weisheit, der so endet,
für erfolgreich halten kann. Sie zeiht ihn ungezügelter Arroganz, wo
etwas Demut eher angebracht gewesen wäre. Bei wem Unglück Arroganz bewirke, der könne ein Gegenstand des Mitleids, nicht der Bewunderung sein.[117]

Man scheut sich, etwas Gedrucktes zu lesen, wenn man einmal
der Unmenge und Ungeheuerlichkeit des sachlich Falschen inne geworden ist, das sich, selbst in den Büchern der angesehensten Verfasser, allenthalben schamlos darbietet. Man liest dann, als tränke
man Wasser aus einem trüben Brunnen. Den Menschen gegenüber,
die täglich acht Stunden arbeiten, und die sich abends noch unter Mühen weiterbilden möchten, ist der Schriftsteller zur Wahrheit verpflichtet. Denn *jene glauben dem Buch aufs Wort. Man hat nicht das*
Recht, sie Falsches schlucken zu lassen, nicht einmal *guten Glaubens.*
Die *Gesellschaft ernährt* die Schriftsteller, damit sie genug *Muße* haben für die Mühe, *den Irrtum zu vermeiden. Ein fahrlässiger Weichensteller, der die Entgleisung eines Zuges verschuldet,* kann sich
auch nicht auf *guten Glauben* herausreden.[118]

Am härtesten verfährt Simone Weil mit ihren Kollegen, den Zeitungsschreibern. Sie findet es *schändlich, die Existenz von Zeitungen*
zu dulden, von denen alle Welt weiß, daß kein Mitarbeiter dort bleiben könnte, wenn er nicht bisweilen einwilligte, die Wahrheit bewußt zu entstellen. Das Publikum mißtraut den Zeitungen, aber sein
Mißtrauen ist noch keine Kontrolle. Der Leser urteilt über Wahrheit oder Unwahrheit nach Gefühl und Geschmack und ist also weiter *dem Irrtum ausgeliefert. Jeder weiß, daß der Journalismus, wenn*
er sich mit der organisierten Lüge gemein macht, verbrecherisch
wird. Aber man glaubt, dieses Verbrechen sei nicht strafbar. Simone
Weil fordert strenge Bestrafung, sogar mit Zuchthaus, für jede
Lüge oder Unredlichkeit. Propaganda jeglicher Tendenz sei in Rundfunk, Presse und überhaupt zu verbieten. Für ganz besonders schädlich hält sie Periodika wie «Confidences» oder «Marie-Claire»[119],
neben denen das Kokain ein harmloses Erzeugnis ist[120].

Unsere Epoche ist derart von Lügen vergiftet, daß sie alles, was
sie berührt, in Lüge verwandelt. Darin stimmt Simone Weil fast
wörtlich mit Max Picard[121] überein: Jedes Wort, das ursprünglich
einen bleibenden *Wert* oder ein legitimes *Bedürfnis* des Menschen
bezeichnete, wird, indem man es als *Parole* mißbraucht, dadurch erniedrigt und zur Lüge deformiert. Gegen diese Gefahr setzt Simone
Weil ihren eigenen Purismus, ihre Sucht nach intellektueller Redlichkeit, die präzise, eindeutige, unverhüllte, jeweils einzig angemessene
Formulierung. *Das Ringen um den Ausdruck erstreckt sich nicht allein auf die Form, sondern auf das Denken und das ganze innere*
Sein. Solange die Nacktheit des Ausdrucks nicht erreicht ist, hat sich
auch der Gedanke wahrer Größe noch nicht angenähert ... Die wahre Art zu schreiben ist, so zu schreiben, wie man übersetzt. Wenn
man einen in fremder Sprache geschriebenen Text übersetzt, sucht

man ihm nicht etwas hinzuzufügen; im Gegenteil verwendet man eine religiöse Gewissenhaftigkeit darauf, nichts hinzuzusetzen. Genauso muß man einen ungeschriebenen Text zu übersetzen versuchen.[122] Mit solchen Maßstäben gerüstet, sortiert sie auf das Empfindlichste die Größen ersten von denen minderen Ranges. Homer und Platon, Aischylos und Sophokles, Shakespeare und Racine gehören zu ihren Favoriten. Unter den Zeitgenossen war ihr Claudel des Zitierens wert, Bernanos und Camus gehörten zu ihrem geistigen Umkreis. Die Verwandtschaft mit Camus wird in vielen seiner Tagebuchnotizen deutlich. Und schrieben nicht Claudel und Bernanos unter gleicher Devise wie Simone Weil: *Man muß über ewige Dinge schreiben, um mit Sicherheit aktuell zu sein.*[123]

Die Kunst, die ewigen Wahrheiten zu übersetzen, ist freilich eine der wichtigsten und am wenigsten bekannten und deswegen *schwierig,* weil man sich dazu *in den Kernpunkt einer Wahrheit* versetzt haben muß. *Schließlich ist die Übersetzbarkeit ein Kriterium für eine Wahrheit. Was sich nicht übersetzen läßt, ist keine Wahrheit; ebenso wie das, was nicht je nach dem Blickpunkt seine Erscheinungsform ändert, kein fester Körper ist, sondern ein Augentrug. Auch im Denken gibt es einen dreidimensionalen Raum.*

Die Suche nach geeigneten Übersetzungsmethoden, um dem Volk die Kultur zu übermitteln, würde für die Kultur noch viel heilsamer sein als für das Volk, nämlich *ein unschätzbarer Ansporn für sie,* die aufhören würde, *eine Angelegenheit für Spezialisten zu sein.*[124] ... *von Ausnahmen abgesehen, sind die zweitrangigen und darunter liegenden Werke mehr für die sogenannte Elite geeignet und die Werke allerersten Ranges für das Volk ... Ein Arbeiter zum Beispiel, der bis ins innerste Mark von der Furcht der Arbeitslosigkeit durchdrungen wäre, hätte volles Verständnis für den Zustand des Philoktet, als man ihn seines Bogens beraubt, und für die Verzweiflung, mit der er seine ohnmächtigen Hände betrachtet. Er verstünde auch, daß Elektra Hunger hat, wofür einem Bürger, ausgenommen in unserer Zeit (1942/43, also mitten im Krieg), jedes Verständnis fehlt – mitinbegriffen die Herausgeber und Kommentatoren unserer Klassiker-Ausgaben.*[125]

Ernster konnte man die Aufgabe des *Übersetzens* nicht nehmen, als Simone Weil es tat. Bis ins Technische der vormals unordentlichen Handschrift hatte sie ihren Schreibstil in der anspruchsvollen Schule Alains geläutert: er duldete weder Änderungen noch Striche; ein korrekturbedürftiger Text wurde so lange ins reine geschrieben, bis er stand. Simone Weils Kunst der Formulierung genügte den eigenen strengen Maßstäben vollkommen. Ihre Übersetzer danken es ihr, oder sollten es wenigstens. Sie müssen sich freilich in dieser großräumigen und vieldimensionalen Geisteslandschaft erst eingelebt haben, um nicht die Idiome der verschiedenen Provinzen zu verwechseln, wie es gelegentlich geschieht. Dann aber sind ihre Texte von vollendeter Klarheit, nicht Konfekt für Genießer, sondern kräftiges, hartes Brot für Hungrige. Selbst wer sich des Französischen nur begrenzt mächtig findet, kann ein wahres Pfingstwunder spontanen Verständnisses erleben.

Auf Simone Weils Gedichte [126] kann aus Platzmangel nur andeutend hingewiesen werden. 1937 schickt sie *Prométhée* um ein Urteil bittend an Paul Valéry, der in seiner Antwort vom 20. September das Gedicht zunächst «ein wenig zerreißt», dann aber mit Komplimenten über die «Sorgfalt der Komposition» nicht spart.

Eine Schlüsselstellung nimmt gewiß das Gedicht *La Porte* [127] ein, welches das lange und scheinbar zwecklose Warten Verschmachtender vor dem verschlossenen Tor schildert. Zunächst wird man unweigerlich an die Legende vom «Gesetz» aus Kafkas «Prozeß» erinnert, wo der Mann vom Lande aus Angst vor dem Türhüter zeitlebens den nur für ihn bestimmten Eingang nicht zu betreten wagt. Doch ist das Warten von verschiedener Art und das Ende auch: bei Kafka der Schock der Verzweiflung vor dem unwiederbringlich Versäumten, bei Simone Weil das große Staunen des Transzendierens: Die Pforte öffnet sich schließlich, und nicht *Blumen* und *Obstgärten*, wie erwartet, kommen zum Vorschein; statt dessen wird die Seele von *Stille*, von *Leere*, von *Licht* überflutet. In Simone Weils Tagebüchern finden sich zwei Zeilen, die uns zur Erklärung des Gedichtes dienen können: *Diese Welt ist die verschlossene Pforte. Sie ist ein Hindernis, und zugleich ist sie der Durchgang.*[128]

Obwohl sie nur eine von *n* Existenzen für das Theater erübrigen wollte, hat Simone Weil sich auch an einem Drama versucht: *Venise sauvée* [Das gerettete Venedig], ein Gegenstand, bei dem sie bis hin zu Hofmannsthal viele Vorgänger gehabt hat. Sie schreibt daran unterwegs, auf der Flucht von Paris nach dem Süden, in Vichy, und Ort und Zeitpunkt – Sommer 1940 während der deutschen Okkupation Frankreichs – sind gleichermaßen ominös. Es geht in dem Stück um den Appell der Schönheit und um die Qualitäten des Verrats, wenn er auf Rettung dieser Schönheit abzielt. Textzitate müssen wir uns versagen, doch sei darauf hingewiesen, daß Simone Weils Behandlung des für sie hochaktuellen Themas dazu dienen kann, den vielschichtigen Komplex ihres «Pazifismus», ihres «Patriotismus» zu durchleuchten; man wird sehen, wie wenig brauchbar solche Etiketts ihrer banalen Eindeutigkeit wegen sind.

Mehr als Lyrik und Dramatik war aber wohl der kritische Essay, war schließlich die Notiz, der Aphorismus die Domäne Simone Weils. Hier war sie im Wortsinne brillant, nämlich glasklar, diamanthart, funkelnd von unzähligen Facetten des Lichts, das, wie sie selber glaubte, nicht ihr eigenes war.

MUSIK

«Keiner trete hier ein, er sei denn Mathematiker.» [129]

Die herabsteigende Bewegung, dieser Spiegel der Gnade, ist die Essenz aller Musik. Das übrige dient nur zu ihrer Einfassung. [130]

«*Du kannst aber nicht nur in den dämonischen und göttlichen Dingen die Natur der Zahl und ihre Kraft wirken sehen, sondern auch bei technischen Verrichtungen und auf dem Gebiete der Musik.*» [131] Dies Philolaos-Zitat erläutert Simone Weil auf ihre Weise: *Es ist, als sagte Philolaos: Töricht zu glauben, die Mathematik werde nur auf die Theologie angewendet. Sie wird obendrein durch die Wirkung einer wunderbaren Übereinstimmung ebenso auf die menschlichen Dinge, auf die Musik, die Technik angewandt.* [132]

Mathematisch-physikalisches Denken ist für Simone Weil nur die Erweiterung des konkreten Vorstellungsvermögens, der naturgegebenen Sinneswahrnehmung. Mit um so mehr Grund wird Mathematik auf musikalische Verhältnisse bezogen, und zwar unter dem Weilschen Lieblingsthema der *Harmonie* durch *Mittlerschaft,* der *mittleren Proportionalen.* Die Griechen, sagt sie, empfanden *diese Vermittelung als ... ein Siegel der höchsten Wahrheit,* und so auch *in der Musik. Die Tonleiter enthält das geometrische Mittel nicht als Ton, sondern sie ist um dasselbe symmetrisch angeordnet. Das gleiche geometrische Mittel gibt es zwischen einem Ton und seiner Oktave und zwischen der Quart und der Quint. Man sieht dies sofort ...* [133] *Das Schöne ist das Notwendige ... welches dem Guten gehorcht.* [134] In diesem Sinne ist Mathematik ein ebenso *schöner* Abglanz der Weltordnung, des Zusammenspiels der Hierarchien, wie die Musik, beide «*Geschenk des glücklichen Chores der Musen*» [135]. Einen prinzipiellen Unterschied gibt es nicht, nur verschiedene Übersetzungsarten, um ewige Wahrheit auf den irdischen Plan zu projizieren.

Haben wir keine Nachricht von irgendeiner Kunstausübung bei Simone Weil, so doch viele davon, wie stark ihre Beziehung besonders zu den frühen Formen der europäischen Musik, aber auch zu Bach und Mozart, selbst zu Wagner war. Die Pole – falls es Pole

*Die Benediktiner-Abtei Solesmes, wo Simone Weil
1938 mit ihrer Mutter die Karwoche verbrachte*

sind – oder die Koordinaten, zwischen denen ihr Musikverständnis
ausgespannt ist, heißen Mathematik und Mystik. Wir erinnern uns
an Claudels «Bekehrung» in der Christvesper 1886, als er während
des Magnifikat «plötzlich das durchbohrende Gefühl der Unschuld,
der ewigen Gotteskindschaft» hatte.[136] Simone Weil beschreibt die
Wirkung der Messen in der Benediktiner-Abtei Solesmes, wo auch
Claudel gelegentlich einkehrte und wo sie 1938 die Karwoche verbrachte, so: *Ich hatte bohrende Kopfschmerzen; jeder Ton tat mir
weh wie ein Schlag; und da erlaubte mir eine äußerste Anstrengung
der Aufmerksamkeit, aus diesem elenden Fleisch herauszutreten, es
in seinen Winkel hingekauert allein zu lassen und in der unerhörten
Schönheit der Gesänge und Worte eine reine und vollkommene Freude zu finden.*[137]

   Das eigentliche Erlebnis der Musik ist ihr die *zwiefache Bewegung
des Herabstiegs: aus Liebe wiederholen, was sonst die Schwerkraft
bewirkt. Ist die zwiefache Bewegung des Herabstiegs nicht der Schlüssel jeder Kunst? ... Spiegel der Gnade ... Essenz aller Musik. Alles
übrige Einfassung. Das Aufwärtssteigen der Noten ist ein bloß sinn-*

Kanon in römischer Notation mit quadratischen Noten.
13. oder 14. Jahrhundert

licher Aufstieg. Das Abwärtssteigen ist zugleich sinnlicher Abstieg
und geistlicher Aufstieg. Dies ist das Paradies, das jedes Wesen begehrt: daß der natürliche Hang es aufsteigen lasse zu dem Guten.
Ist das Schöne wirkliche Gegenwart Gottes im Stoff, ist die Berührung mit dem Schönen im vollen Sinn des Wortes ein Sakrament
– woher aber dann so viele perverse Ästheten? Es muß also eine
göttliche und eine dämonische Kunst geben. Ein großer Teil unserer
Kunst ist dämonisch. Ein leidenschaftlicher Liebhaber der Musik kann
sehr wohl ein perverser Mensch sein – aber es fiele mir schwer, dies
von jemandem zu glauben, der nach dem gregorianischen Gesang
dürstet. Eine gregorianische Messe ist ebenso sehr ein Zeugnis wie
der Tod eines Märtyrers [138]. Die Gregorianik ist für Simone Weil
das summum bonum in der Musik. Wie die Strenge des Ausdrucks
und die schöne Proportion bei der Mathematik, sagt sie, so mußte
die musikalische Technik beim gregorianischen Choral betteln gehn.
In ihm steckt für Simone Weil ein höherer Grad von musikalischer
Technik als selbst bei Bach und Mozart; der gregorianische Choral
ist, wie übrigens jede große Kunst, gleichermaßen reine Technik und
reine Liebe [139]. 1937 schreibt sie aus Rom über die Pfingstsonntags-
messe im Petersdom, wo sie göttliche Musik unter dieser göttlichen
Kuppel mitten unter dem knienden Volk erlebt. Und da es nichts
Schöneres gibt als die Texte der katholischen Liturgie, ist sie wirklich ein Beispiel für das Gesamtkunstwerk, das Wagner erstrebte. [140]
Auch hier und hier erst recht der absolute Qualitätsanspruch, denn
wenn man Tag für Tag und täglich viele Stunden lang die gleichen

54

Gesänge singt, dann wird selbst das, was nur wenig unterhalb der höchsten Vortrefflichkeit liegt, unerträglich, weil nur bei dem vollkommen Schönen *die Aufmerksamkeit verweilen kann*[141].

Lauschen können ist das spezielle Genie der Mystiker. Bei Claudel heißt es sogar, zur Betrachtung von Bildern: «L'Œil écoute»[142] [Das Auge lauscht]. Simone Weil hat einmal erwähnt, daß sie sich nach Venedig zurückziehen und nur noch Musik hören wolle.[143] Dieser Sehnsucht nach dem *Paradies, das jedes Wesen begehrt*, und an das sie sich sonst, für ihre Person, sogar zu denken verbot, hat sie nicht stattgegeben. Sie glaubte zu wissen, daß dort ihr Platz nicht war, daß ihre *vocation* [Berufung] sie an einen andern rief.

Die wahren Erdengüter sind metaxy[144] [Vermittler, Brücken], und so auch die Kunst im Ganzen. Darin ist für Simone Weil ihr Rang beschlossen, aber auch ihre Endlichkeit. In unserer Zeit jedoch könne die Kunst nun auch ihre Aufgabe als Brückenschlag zum *bien absolu* vorerst nicht mehr erfüllen, denn *die Kunst hat augenblicklich keine Zukunft, weil alle Kunst gemeinschaftlich ist und es kein gemeinschaftliches Leben mehr gibt (es gibt nur noch tote Kollektive), und auch deshalb, weil das wahre Bündnis zwischen Leib und Seele zerbrochen ist... Seit 1914 ist der Bruch vollständig ... Die Kunst kann nur noch aus dem Schoße der großen Anarchie wiedergeboren werden – sie wird vermutlich eine epische Kunst sein, denn das Unglück wird vieles vereinfacht haben.* Daher ist es müßig, Leonardo oder Bach zu beneiden. *Die Größe unserer Tage muß andere Bahnen einschlagen.* Sie kann *nur einsam im Dunkel verborgen und ohne Echo sein*...[145] Damit – denn *keine Kunst ohne Echo* – wird Kunst als Größe irrelevant. Bestürzend oder befreiend – das Prophetenwort von der *großen Anarchie* ist unterwegs, sich zu verwirklichen. Die Prophetin selbst machte sich auf ihren Weg in das *einsame Dunkel*, in die *Anonymität der Masse*.

KOSTBARER GEBRAUCH DER MATHEMATIK

GEOMETRIE UND ALGEBRA – WAHRNEHMUNG UND WISSENSCHAFTSBEGRIFF

> *Der Begriff des Gleichgewichts, welcher der Proportion eigentümlich ist – Seele der Geometrie.*[146]

> *Alle Geometrie geht aus vom Kreuz.*[147]

> *Die Algebra mogelt alle Schwierigkeiten fort... Algebra treiben, ist Zeitverschwendung.*[148]

Es gibt ein wirklich amüsantes Problem, das Simone Weil im Frühjahr 1940 ihrem Bruder schriftlich mitteilt, wahrscheinlich noch nach Straßburg, der Heimatstadt des Vaters, wo André Weil von 1933 bis 1940 an der Universität Mathematik lehrte. *Seltsames Volk, diese Babylonier! Ich persönlich mag ihren Sinn für Abstraktionen nicht sehr. Die Sumerer müssen viel sympathischer gewesen sein... Aber Du – Du mußt in direkter Linie von den Babyloniern abstammen. Ich selbst stimme den Pythagoreern zu, die sagen, daß Gott stets ein Geometer ist – aber nicht, daß er Algebra treibt. Immerhin bin ich froh, in Deinem letzten Brief zu finden, daß Du bestreitest, zur abstrakten Schule zu gehören.*[149] In einer für Frankreich und für sie selbst, besonders für André, so kritischen Phase des Krieges – am 10. Mai begann der deutsche Angriff im Westen und damit die Besetzung Frankreichs – fanden die Geschwister noch Muße, scheinbar so entlegene Probleme wie das Verhältnis zwischen babylonischer, ägyptischer und griechischer Mathematik ausführlich zu erörtern. Man müßte sich mit Richard Rees [150] darüber wundern, wüßte man nicht, wie zentral und zugleich universal die Bedeutung der Mathematik für die Philosophie und die Geschichtsauffassung Simone Weils gewesen ist. Die verschiedenen Möglichkeiten und noch mehr die Zeitpunkte für die Lösung einzelner mathematischer Probleme geben ihr Aufschluß über die Geistesgeschichte der Menschheit, ablesbar an der Geschichte der Mathematik von den Anfängen bis in die Moderne, von Thales und Pythagoras über Galilei bis zu Planck und Einstein. Diese Betrachtungsweise liefert ihr die Kriterien.[151]

Die Mehrzahl wird niemals innewerden... daß das Universum, in dem wir leben, ein Gewebe geometrischer Verhältnisse ist, und *die geometrische Notwendigkeit das, was alles Irdische unumschränkt beherrscht* [152]. Und wenn schon die Philosophie und die Musen dem Nichtmathematiker den Zutritt zu ihren Tempeln und Schulen verwehren, dann erst recht Prometheus und Hephästos: *la notion du travail* [der Begriff der Arbeit] bedeutet für Simone Weil nicht nur nebenbei, sondern bereits im Ansatz einen Gegenstand mathematisch-physikalischen Denkens, wie umgekehrt dieses aus manueller

Arbeit entspringt. Das gewissermaßen «Handgreifliche» von Simone Weils Definitionen bürgt für die Richtigkeit oder mindestens Nützlichkeit dieser Auffassung. Sie beruft sich wie immer auf die Griechen, von denen sie sagt, Leben und Denken, künstlerische und praktische Arbeit, jede Tätigkeit trage bei ihnen *als Kern im Innersten den Begriff des Gleichgewichts*. Dieser Begriff der *balance* war es, der bei den Griechen *jede wissenschaftliche Untersuchung auf das Gute hin orientierte*. Und das ist *du pur Platon* [der reine Platon], den sie zu den pythagoreischen Geistern zählte, bei denen *der Wille zur Loslösung über alle Vernunft ist*, im Gegensatz etwa zu *Aristoteles oder Hegel, ces constructeurs des systèmes* [153]. Daß sie Platon dem Aristoteles, die Geometrie der Algebra vorzog, ist viel mehr als die bloße Gefühlsentscheidung einer weiblichen Natur, es ist begründet in der geforderten und erstrebten Kongruenz von Wesen, Denken und Handeln; es ist dieselbe Kongruenz zwischen dem Schönen und dem Guten, Wahren, Richtigen, die im Märchen gilt. Tief verankerte, wenn auch vorerst kryptogame Religiosität heißt allerdings das Gefühl den blendenden Verstand – die ratio – kontrollieren, die nicht in sich selbst ein Wert ist, sondern nur als dienendes Werkzeug der höheren Ordnung. Vernunft hat die Wahrnehmung der Sinne vollständig und genau zu verzeichnen, zu ordnen. Mathematik geht aus dieser gewissenhaften Sinneswahrnehmung unmittelbar hervor und ist nur deren Verlängerung vom Anschauen ins Denken, das ebenfalls mehr eine Sache der *attente* [Aufmerksamkeit] ist als eine Aktion. Denkspiel, reine Spekulation, ohne realen, geometrisch erfahr- und erfaßbaren Sachverhalt scheint daher nutzlos und fast unmoralisch, Algebra nur als Bestandteil der Geometrie «denkwürdig». Dagegen führt die aufmerksame Betrachtung der Phänomene, das handgreifliche Denken über die Grenzen der Dingwelt schließlich hinaus: Mathematik als die, selbst bis ins Übersinnliche, verlängerte Funktion der Sinnesorgane, um der Phänomene dieser u n d jener Welt habhaft zu werden.

Es sind die gnostischen, kabbalistischen, theosophischen Anklänge im Weilschen Denken, die auch ihre erklärten Verehrer unter den Marxisten wie unter den Theologen kopfscheu machen; auf diesen unsicheren Boden möchten ihr die einen nicht weiter folgen als die anderen, und auch der Mathematik-Fachmann André Weil wird es kaum getan haben. Wir können aber nicht umhin, gerade diesen Aspekt der Mathematik bei Simone Weil im Auge zu behalten, denn wo immer sie Werte und Formeln, Schlüssel und Gleichungen aus Mathematik und Physik verwendet, schwingen metaphysische Oktaven, untere und obere, mehr oder weniger hörbar mit. Mathematik als Mittel der *Wahrnehmung* beschränkt sich nicht auf die Erfassung von diesseitigen Fakten, sie drückt die Gesetze der *Notwendigkeit* aus, welche hier die göttliche Weltordnung vertritt, und ist daher imstande, *Wahrheit* zu symbolisieren und somit *übernatürliche Erkenntnis* in Richtung auf das *bien absolu*. Leider *wird die Geometrie auf den höheren Lehranstalten als etwas dargestellt, das keinerlei Bezie-*

hung zur Welt besitzt, so daß sie den Schülern als ein Spiel, als etwas Willkürliches erscheint. Was wäre wohl sinnwidriger als eine willkürliche Notwendigkeit? [154] Sie ist vielmehr ihrer Definition nach unausweichlich. Mit diesem Begriff der Notwendigkeit und seinen mathematisch-physikalischen, seinen philosophischen, seinen politisch-sozialen Konsequenzen, werden wir es bei Simone Weil immerfort zu tun haben.

Wenn man auf der Schule die Geometrie gemeinverständlich darstellen und der Erfahrung annähern will, übergeht man die Beweisführungen, so daß nichts mehr übrig bleibt als einige völlig gleichgültige Rezepte. Die Geometrie hat ihren Saft, ihr Mark, ihr Wesen eingebüßt. Dabei brauchte man keineswegs zwischen Beweisführung und Erfahrung zu wählen. Die Beweisführung mit Holz oder Eisen ist ebenso leicht wie die mit Kreide. Die Einbeziehung der geometrischen Notwendigkeit in den Unterricht der Berufsschulen ließe sich sehr einfach bewerkstelligen, wenn man Schulzimmer und Werkstätte vereinigte. So könnte die gesamte Geometrie in die Arbeit Eingang finden [155].

Nach Simone Weil beruht die *Entwurzelung* des heutigen Menschen westlicher Zivilisation nicht zuletzt auf seiner katastrophalen Unfähigkeit, ein sinnvolles Verhältnis, sei es praktisch oder erkenntnistheoretisch, zur Handarbeit herzustellen. Die tiefe Kluft zwischen Schule, zumal der höheren Schule, und Arbeitswelt ist Ursache und Wirkung zugleich. Man hat das schon vor Simone Weil gesehen und arbeitet seit mindestens einem halben Jahrhundert daran, diese Kluft zu überbrücken. In den meisten sozialistischen Ländern sind Ernte- und Fabrikdienst für Oberschüler und Studenten unerläßlich. Eine bloß zerebrale Kultur wäre geradezu ein Widerspruch in sich selbst und auf die Dauer kaum lebensfähig.

Auch die übrigen Naturwissenschaften könnten auf viel mehr praktische Art unterrichtet werden, indem man die Verhältnisse, welche die menschliche Arbeit bestimmen, auf die Natur überträgt. Woraus folgt, daß dies alles den Arbeitern, wenn man es ihnen darzustellen versteht, sehr viel natürlicher zukommt als den Gymnasiasten. [156]

Simone Weil verweist darauf, daß die Geometrie der Griechen kultischen Ursprungs sei und zu den Mysterienweisheiten zähle. Dafür spricht in ihren Augen *die sehr geheimnisvolle Tatsache, daß die Griechen bis zu Diophantos, einem Autor der Verfallszeit, keine Algebra gehabt haben. Die Babylonier hatten etwa um 2000 vor Christus eine Algebra mit Gleichungen mit Zahlenkoeffizienten des zweiten, ja selbst des dritten und vierten Grades. Kaum zu bezweifeln, daß die Griechen diese Algebra gekannt haben. Sie wollten sie nicht. Ihre sehr fortgeschrittenen algebraischen Kenntnisse sind alle in ihrer Geometrie enthalten. Andererseits waren ihnen nicht die Resultate, die Menge oder die Wichtigkeit der entdeckten Theoreme, sondern nur die Genauigkeit der Demonstration von Bedeutung. Die diese Einstellung nicht hatten, wurden verachtet.* [157]

Der Begriff der *Vermittelung – médiation*, mittlere Proportionale –

«...die Erklärungen von Planck haben wirklich nur noch historisches Interesse...» (an André aus Marseille)

und der durch sie ermittelten wirklichen Zahl *zwingt die Intelligenz, Beziehungen sicher zu erfassen, zu deren Vorstellung sie unfähig ist. So ist die Mathematik zwiefach Vermittelung.* Durch sie kann man von den *ungewissen und leicht faßbaren* Gedanken über die Sinnenwelt zu den *gänzlich gewissen* und *gänzlich unfaßbaren* Gedanken über die göttliche Welt fortschreiten; denn sie umfaßt *den Hauptinhalt der die Sinnesdinge beherrschenden Notwendigkeit und die Bilder der göttlichen Wahrheiten.* Kein Wunder, *daß die Griechen nach der Entdeckung dieser Poesie davon berauscht waren; sie sahen mit Recht eine Offenbarung darin – für uns unbegreiflich, denn unsere Intelligenz ist so grob geworden, daß sie sich anzunehmen weigert, es könne eine echte, harte Gewißheit über die unbegreiflichen Geheimnisse geben. Hier wäre nun ein unendlich kostbarer Gebrauch von der Mathematik zu machen. Sie ist in dieser Hinsicht unersetzbar. Die Forderung nach völliger Strenge, die die griechischen Mathematiker beherrschte, ist mit ihnen entschwunden, und erst seit fünfzig Jahren kommen die Mathematiker wieder dahin...*[158]

Im Dezember 1942 erschien anläßlich einer französischen Neuauflage in den «Cahiers du Sud» eine Rezension: *Réflexions à propos de la théorie des quantas* [Betrachtungen zur Planckschen Quantentheorie]. Ein gewisser Émile Novis bezog sich da zuerst auf Einstein und wies ihm Unstimmigkeiten in seiner Relativitäts-Formel nach. Bei Planck habe der Schöpfer einer Hypothese dann unbegrenzte Möglichkeiten zur Verfügung, nichts binde ihn, weder die Informationen seiner eigenen Sinne noch die seiner Instrumente; er könne sich eine seiner Willkür entsprechende Geometrie schaffen; seine Beobachtungsweise, sogar seine biographische Bedingtheit beeinflussen die Ergebnisse. Einsteins Meinung, daß Gott nicht würfele, entsprach ganz der Überzeugung des Rezensenten; darum mußten Diskontinuität und Quantensprünge bei Planck erst recht seinen Widerspruch erregen, nur konnte er aus politischen Gründen seinen Protest nicht unter seinem wahren Namen anmelden; *Émile Novis* war das Anagramm Simone Weils. Was sie vor allem gegen

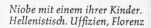
*Niobe mit einem ihrer Kinder.
Hellenistisch. Uffizien, Florenz*

Planck, mit beißendem Humor übrigens, verteidigen zu müssen glaubt, ist ihr Wissenschaftsbegriff. Für sie ist Wissenschaft einerseits an die treue Beobachtung und Anerkennung von *Notwendigkeit,* andererseits an die absolute Wahrheit gebunden. Willkürliche Wissenschaft, dem Gutdünken einzelner Gelehrter und ihrer Einbildungskraft anheimgegeben, verliere an Realität und damit die Verbindlichkeit. Simone Weil will keine esoterische Wissenschaft, sondern eine gemeinverständliche und dadurch kontrollierbare. *Es ist einfach nicht wahr, daß die Wissenschaft eine Art übernatürliches Orakel wäre, Ursprung von Lehrsätzen, die sich — gewiß — von Jahr zu Jahr ändern, aber mit Notwendigkeit immer weiser werden. Denn so stellt man sie sich heute im allgemeinen vor, und der Rauschzustand, in dem wir uns offenbar befinden, wenn wir schreien: «Die Wissenschaft sagt, daß . . .», wird nicht einmal durch die Erwartung abgekühlt, daß sie es in fünf Jahren ganz sicher nicht mehr sagen wird. Man könnte glauben . . . die bloße Aktualität hätte für uns Ewigkeitswert. Sogar Valéry hat mehrmals von der Wissenschaft im Sinne eines solchen allgemeingültigen Aberglaubens gesprochen. Was die Wissenschaftler angeht, so sind sie, wohlverstanden, die ersten, die ihre persönlichen Ansichten als Lehrsätze ausgeben, für die sie weder Verantwortung tragen noch Rechenschaft schuldig sind, weil sie einem Orakel entstammen. Dieser Anspruch ist untragbar, weil unrechtmäßig. Es gibt kein Orakel, es gibt nur die Ansichten einzelner Gelehrter, und sie sind Menschen . . .*[159] Warum erwähnt Planck in seinen Schriften über die Quantentheorie *nicht den leisesten Versuch, mit der Wahrscheinlichkeit zu arbeiten, ohne die Kontinuität zu opfern?* [160] Simone Weil bittet ihren Bruder, ihr durch einen Physiker Auskunft zu verschaffen über diese Frage, die ihr keine Ruhe läßt. Die Einführung der Diskontinuität in die Atomphysik stört sie vor allem deshalb, weil sie nur der mathematischen Vereinfachung diene, ohne dem eigentlichen Wesen der Energie gerecht zu werden. Aber *bekanntlich ist Papier geduldig* [161].

Die zornige junge Frau bietet hier gewiß dem Naturwissenschaftler Angriffsflächen. An diesem neuralgischen Punkt sieht sie allerdings ihr gesamtes Weltbild in Frage gestellt: für Diskontinuität ist zumal in ihrer Theologie kein Platz, und in dem politisch-philosophischen Entwurf der *Einwurzelung* schon gar nicht; wenigstens nicht, solange sie im bruchlosen Gewebe der *Notwendigkeit* keine regelrechte Funktion erfüllt. Die Anwendung des Diskontinuitätsbegriffs ist ihr ebenso wie die der Algebra eine Art Vertrauensbruch, als ob die Gelehrten nicht wüßten, daß Buchstaben zur Darstellung von Begriffen völlig ungeeignet seien. *Wenn ein tiefsinniger Gedanke nicht ausgedrückt werden kann, dann deshalb, weil er gleichzeitig mehrere vertikal übereinanderliegende Beziehungen einschließt, und weil die Alltagssprache Niveauunterschiede schlecht wiedergibt; aber die Algebra ist dazu noch ungeeigneter, sie bringt alles auf ein und dieselbe Plattform ... sie ist vollkommen platt; ihr fehlt die dritte Dimension des Denkens.* [162] Simone Weil sieht daraus unermeßlichen Schaden entstehen. *Der Zusammenhang zwischen dem Zeichen und dem Bezeichneten verfällt; der fortwährende Austausch der Zeichen untereinander vervielfältigt sich durch sich selbst und um seiner selbst willen. Und die wachsende Komplikation fordert wiederum Zeichen für Zeichen.* Daraus entsteht jene *Spezialisierung,* die sich der Kontrolle widersetzt. *Man erbt nicht nur Resultate, sondern auch Methoden, die man nicht versteht. Und die Resultate der Algebra liefern den übrigen Wissenschaften die Methoden* [163].

Die Sünde der Niobe bestand in ihrem Verkennen dessen, daß die Quantität ohne Beziehung zum Guten ist, und sie wurde dafür durch den Tod ihrer Kinder bestraft. Wir begehen täglich die gleiche Sünde und werden dafür auf die gleiche Weise bestraft. [164] Damit kommt ein moralischer, um nicht zu sagen polemischer Akzent ins Spiel. *Geld, Mechanik, Algebra,* die drei *Ungeheuer* der modernen Zivilisation, völlige *Analogie... Algebra und Geld nivellieren,* jene *intellektuell,* dieses *tatsächlich* [165]. Die Algebra zerstört *die reinigende Kraft der Mathematik... Λόγοι ἄλογοι, das ist die Reinigung; die* unveränderlichen Unbekannten (*invariants innommés*) nötigen zur Annahme einer *vertikalen inneren Hierarchie.* Die Nivellierung des hierarchischen Ordnungsprinzips durch quantitatives Denken, durch Algebra, ist ein Drehpunkt in Simone Weils Geschichtsbetrachtung, so daß ihre Kulturkritik gewissermaßen auf einer Kritik der Algebra und des Gebrauchs basiert, der in Wissenschaft, Technik und sozialer Praxis von ihr gemacht wird.

Dem algebraischen, statistisch-quantitativen Mißbrauch und daraus folgenden Verfall des Menschlichen stellt Simone Weil die auf *Gleichgewicht* beruhende *Proportion,* die *Seele der Geometrie* gegenüber, hier wie allenthalben «das Land der Griechen mit der Seele suchend». Sie weist auf die Rolle des Prometheus in der griechischen Sage und auf dem Theater hin [166], der die Menschheit durch seine Lehren, durch die den Menschen *übermittelten* Kenntnisse in Wissenschaft, Kunst, Handwerk aus dem dumpfen, kreatürlichen Harren erlöst habe, und vergleicht ihn mit *Christus, dem Logos, der göttlichen Weisheit. Obwohl auch die Bibel, glaubt sie, irgendwo sagt, die Weisheit habe die Menschen Ackerbau und alle Berufe gelehrt, sind uns heute solche Gedanken gänzlich fern. Trotzdem − betrachtete man die gesamte Technik als Geschenk Christi, wie sehr wäre nicht das Leben dadurch verwandelt?* [167]

Einem Techniker heute mag dies reichlich gefühlvoll in den Ohren klingen, einem Verfechter wertfreier Wissenschaft vollends absurd. Doch sagte zum Beispiel Carl Friedrich Freiherr von Weizsäcker bei Gelegenheit eines Vortrags [168], man müsse den Gedanken ins Auge fassen, daß die modernen Naturwissenschaften überhaupt erst in einer Epoche nach Christus möglich geworden seien, und also auch die Kernphysik ohne die spezifisch christliche Bewußtseinsentwicklung nicht denkbar. Man mag das als Skandalon empfinden oder als plausibel − oder beides; auch Simone Weil kommt zu dem Schluß: *Historisch gesehen entspringt unsere Zivilisation einer Religions-Offenbarung.* [169] Daß diese Offenbarung, wo auch immer ihr Ursprung sei, eine substantiell christliche ist, sucht sie vielerorts zu beweisen, bis hin zu dem verblüffenden Schluß, daß *griechische Geometrie und Christenglaube derselben Quelle entstammen* [170]. Solche Einsicht dem Menschen des 20. Jahrhunderts zugänglich zu machen, ist ihr erklärtes Ziel, sie möchte deshalb den *übernatürlichen Gebrauch* der *Mathematik* wieder einzuführen, *die Stufenfolge vom weniger zum mehr Gewissen und vom mehr zum weniger Vorstellbaren. Mathematik als Vermittelung... Man hat das Bedürfnis nach Sicherheit, die göttlichen Dinge betreffend, verloren. Seit kurzem findet man das Bedürfnis nach Genauigkeit in der Mathematik wieder. Das könnte ein Weg sein. Denn in der Mathematik hat es kein Objekt. Gebrauch der Mathematik, um eine Gewißheit in bezug auf das Unbegreifliche als möglich erscheinen zu lassen. Die Mathematik auf dies Ziel hin gestalten... c'est l'opaque qui seul est vu* [171] [man sieht nur das Undurchsichtige].

LA CONDITION OUVRIÈRE

BEGRIFF DER ARBEIT

> Die Arbeit ist menschlich dadurch, daß sie
> das Denken voraussetzt.[172]

> In den dunklen Morgen- und Abendstunden
> des Winters, wenn nur das elektrische Licht
> scheint, nehmen alle Sinne an einer Welt
> teil, wo nichts der Natur ähnelt, wo es
> nichts umsonst gibt, wo ... alles auf die
> Verwandlung des Menschen in den Arbeiter
> hinzielt.[173]

*Eine Monographie über den Begriff der Arbeit zu machen, wäre in-
teressant.*[174] So steht es in eckigen Klammern und durch Kursiv-
druck hervorgehoben in Simone Weils Tagebuch: einer von vielen
Plänen, die sich in nur 34 Jahren nicht ausführen ließen. Doch hat
Simone Weil einzelne bedeutende Kapitel dazu geliefert, und es wäre denkbar, den Gesamtplan nachträglich zu verwirklichen, indem
man nicht nur die Aufsätze zu diesem Thema sammelt, wie es in *La
Condition ouvrière* geschehen ist, sondern auch im übrigen Werk die
Spuren dieser Begriffsbestimmung verfolgt. Nachdem das Phänomen
einmal ihre Aufmerksamkeit erregt hatte – spätestens in den letzten
Schuljahren –, hörte es nicht mehr auf, sie zu beschäftigen.

Man hat Simone Weil unter vielem anderen einen allergischen Wi-
derwillen gegen körperliche Arbeit vorgeworfen und ihr von daher
die Kompetenz des Urteils bestritten; und wenn sie im Ton der
Selbstanklage von ihrer *lâcheté* spricht, so kann das außer Feigheit
auch Müdigkeit, Lässigkeit oder Trägheit bedeuten. Sie findet in der
Arbeit einen *heroischen* Zug: *... im Augenblick, wo der Mensch sich
von der Materie und von seinem eigenen Körper löst, betrachtet er
sich selbst als einen fremden Gegenstand, mit dem er das ausrichten
muß, was er vorhat ...*[175] Dies steht in den Notizheften von Schülerinnen der Professorin, aber schon vorher, 1929, hat die «petite
Weil» Gedanken zum gleichen Thema zusammenhängend formuliert
in jenem ersten ihrer Aufsätze, die Alain damals in seiner Zeitschrift
«Libres Propos» veröffentlichte: Über die Wahrnehmung oder das
Abenteuer des Proteus. Unter der Chiffre des homerischen Mythos
von Proteus, dem Wandelbaren, Vielgesichtigen wird hier – «aussi
poétique que métaphysique»[176] – über die Bedingungen von Wahrnehmung, Raum und Arbeit philosophiert; Simone Weil ist noch nicht
zwanzig Jahre alt. Das Problem der *Wahrnehmung* sei verquickt mit
dem der *Arbeit*, sagt sie. Was ist nun aber Arbeit? *Arbeit, im Gegensatz
zur Reflexion, zur Überredung, zur Magie, ist eine Folge von Handlungen, die eine direkte Beziehung weder zur anfänglichen Gefühls-
regung noch zum angestrebten Ziele hat ... Farben, Töne, Maße können sich ändern, ohne daß sich das Gesetz der Arbeit ändert, das dar-*

in besteht, indifferent zu bleiben gegen das, was voraufging, wie gegen das, was folgen soll. *Proteus kann diese oder jene Form annehmen, der Geist aber in seiner Tätigkeit nicht davon befreit werden, daß er demselben Gesetz unterworfen ist und folglich auf dieselbe Materie trifft. Dieses Gesetz der Arbeit nun, das beim Wechsel von Eigenschaften, Formen, Entfernungen gleichbleibt und mit dem verglichen Eigenschaften, Formen, Entfernungen nur als Zeichen dienen – es ist genau das Gesetz der äußeren Beziehung, welches den Raum definiert.*[177] Denn den Raum betrachten, heißt den Rohstoff (*matière*) *der Arbeit erfassen, der immer passiv ist, immer außerhalb von einem selbst; sobald der Raum geformt ist, ist Proteus besiegt.* Der Essay gipfelte zur Freude der «Normaliens», der Mitstudenten, in dem Satz: *La géométrie, comme peut-être toute pensée, est fille du courage ouvrier*[178] [die Geometrie, wie vielleicht alles Denken, ist die Tochter, das Ergebnis manuellen Arbeits-Eifers, praktischer Arbeits-Leistung]. Darüber hinaus ist *die Arbeit das einzige, was uns dazu bringt, die Idee der Notwendigkeit zu fassen*[179], und die Notwendigkeit ihrerseits ist das Gesetz des Universums ebenso wie der Mathematik, genauer: der Geometrie. Allerdings sagt Simone Weil an anderer Stelle, das menschliche Leben beginne nicht mit der *Arbeit*, sondern mit der *Kultur*[180]; fast anderthalb Jahrzehnte später aber bestimmt sie den Platz der körperlichen Arbeit innerhalb der Gesellschaft als deren *geistige Mitte*[181].

Arbeit – soziologisch, politisch oder auch theologisch verstanden – ist ein drei- oder vieldimensionaler Begriff bei Simone Weil; immer schließt er den technischen Arbeits-Begriff ein, der sich in Maß und Zahl, bzw. in Proportionen von Maßen und Zahlen, ausdrücken läßt. Hebelgesetze, Gravitation, Goldener Schnitt, die pythagoreischen Dreiecks-Formeln, astronomische Zusammenhänge ebenso wie kernphysikalische gehören gewissermaßen zu ihrem täglichen Arbeitsgerät. Optik, Akustik, Mechanik, physikalische Chemie, Zoologie, Botanik, Biochemie – das sind die wohlaufgeräumten Schränke ihres geistigen Haushaltes, in denen sie mit sicherem Griff findet, was sie braucht. Ihren Ein-Personen-Haushalt auch nur zeitweise dem Zustand des kompletten Chaos zu entreißen, soll ihr indessen kaum je gelungen sein; so fragt man sich zunächst, wie man sie als Arbeitskraft und als Ratgeberin in industriellen und gewerkschaftlichen Zusammenhängen hat ernst nehmen können, da ihr theoretischer Scharfsinn kein Äquivalent in praktischer Tüchtigkeit fand und man ihr dies auf den ersten Blick ansehen konnte. Dabei weiß und sagt es immer wieder, daß man sie *an den einzigen Platz stellen muß, wo, für einen Geist wie meinen, die Ideen entspringen: auch contact de l'objet*[182] [in Berührung mit dem Gegenstand].

Aber schon ehe sie diese höchst schmerzhafte Berührung am eigenen Leibe erfährt, hat sie sich 1933/34 in einem umfangreichen Essay[183] philosophisch auseinandergesetzt mit der utopischen Hoffnung aller Weltverbesserungssysteme auf ein «goldenes Zeitalter» der Freiheit ohne oder mit einem Minimum an Arbeit. Arbeit als Hindernis der

Freiheit? Simone Weil meint, es genüge, *sich von der menschlichen Schwäche Rechenschaft zu geben, damit man begreift, daß ein Leben, aus dem selbst der Begriff der Arbeit verschwunden wäre, den Leidenschaften ausgeliefert sein würde und vielleicht dem Wahnsinn* [184]. Denn Herrschaft über sich selbst gebe es nur durch Disziplin und diese nur durch Anstrengung beim Überwinden von Hindernissen. *Die einzige Freiheit, die man dem goldenen Zeitalter zuschreiben könnte, ist diejenige, deren sich kleine Kinder erfreuen, wenn ihnen die Eltern keine Anweisungen geben; sie ist in Wirklichkeit nichts als die Erlaubnis, sich ungehindert seinen Launen zu überlassen.* Wo also nicht Menschen und Dingen, da wären wir desto mehr unseren eigenen Leidenschaften ausgeliefert, *wenn uns vor ihnen keine regelmäßige Tätigkeit schützt. Müßte man unter Freiheit lediglich das Abhandensein jeder Notwendigkeit verstehen, so wäre das Wort aller Bedeutung bar und hätte für uns nicht die Gültigkeit – die Geltung – von etwas, dessen Verlust das Leben seines Wertes beraubt. Man kann unter Freiheit anderes verstehen als die Möglichkeit, sich ohne Mühe zu beschaffen, was einem gefällt.* Es gibt eine «erwachsenere» Auffassung: *Die wahre Freiheit wird nicht durch das Verhältnis zwischen Wunsch und Befriedigung definiert, sondern durch das Verhältnis zwischen Denken und Handeln. Dabei bedeutet es wenig, ob die Handlungen selbst angenehm oder schmerzvoll sind,* und nicht mal der Erfolg zählt. [185]

ERFAHRUNG DER ARBEIT

> *Le travail est la seule manière de nous faire passer du rêve à la réalité.* [186] [Arbeit ist für uns der einzige Weg vom Traum zur Wirklichkeit.]

Arbeit bedeutet also für Simone Weil schließlich auch den Griff nach der unbequemen, schmerzvollen *Realität*, bedeutet *conformer le corps au vrais rapports des choses* [den Körper in Übereinstimmung bringen mit den wahren Verhältnissen der Dinge]; das heißt: es muß eine *transposition morale* [eine sittliche Umwandlung] stattfinden, und diese *violence*, dieser Kraftakt ist es, *durch den uns die Arbeit zwingt, die Einbildung zu verlassen, und uns mit der Wirklichkeit in Kontakt bringt ... Gewohnheit, zweite Natur; besser als die erste. Eine gewohnte Arbeit (l'habitude d'un travail) läßt uns von der Welt Besitz ergreifen.* [187]

In einem weiteren Aufsatz: *Du Temps* [Über die Zeit], den Alain ebenfalls in seinen «Libres Propos» veröffentlichte [188], hat Simone Weil den Begriff der Arbeit zu dem Kantschen Zeitbegriff in Beziehung gesetzt. Sie preist *la vue géniale de Kant* und fährt emphatisch fort: *Éveillons nous donc de nouveau au monde* [erwachen wir doch von neuem zur Welt], *das heißt, kehren wir zurück zur Arbeit und zur Wahrnehmung und lassen wir es nicht an Eifer fehlen, diese Regel zu*

An einer solchen Maschine arbeitete Simone Weil
während des Winters 1934/35 in den Alsthom-Werken, Paris

beachten, nach der nur das, was wir tun, Arbeit, nur das, was wir
empfinden, Wahrnehmung sein kann: erniedrigen wir unseren eige-
nen Körper auf die Stufe des Werkzeugs, unsere Gefühle auf die Stu-
fe von Zeichen.[189]

Als Intellektuelle par excellence ist sich Simone Weil der ständi-
gen Versuchung luziferischer Weltflucht, wie sie das theoretische Denken mit sich bringt, wohl bewußt. Sie weiß auch, daß ihre Beziehung
zu den Gewerkschaften, zu den Arbeitern und der *condition ouvrière*
trotz aller Kontakte während des Studiums und der ersten Jahre als
Lehrerin platonisch bleiben muß und blasse Theorie, solange sie die
Arbeitswelt nur unverbindlich, gleichsam besuchsweise kennt. Selbst
ihre Teilnahme an den Demonstrationen der Arbeiter von Le Puy
machte sie noch nicht zu einem «ordentlichen Mitglied» der *condi-*
tion ouvrière. Dazu gibt es nur eine gültige Eintrittskarte, nämlich
jenes Stückchen Pappe, das jeden Morgen vor Arbeitsbeginn, und

nach Feierabend wieder, in die Stechuhr am Fabriktor geschoben werden muß, um dann als Ausweis zu gelten für die Lohnabrechnung. Das ist der *contact de l'objet*, das sind die harten Tatsachen, die schließlich für Simone Weil unausweichlich werden. *La notion du travail* – um sich der Wirklichkeit dieses Begriffs zu bemächtigen, schien kein anderes Mittel probat, als das Dasein einer *manœuvre*, einer ungelernten Arbeiterin am eigenen Leib auszuprobieren. Es war der Experimentalbeweis zu liefern, ob – wie nämlich der Fabrikant Auguste Detœuf, behauptet hatte – der Einzelne unter den Bedingungen der modernen Arbeitswelt seine Menschenwürde zu behaupten vermag, oder ob die Maschine ihn zum allenfalls funktionierenden Teilchen der Apparatur, zum Sklaven, zum Räderwerk, also unter menschliches Niveau erniedrigt.

Simone Weil nimmt unbezahlten Urlaub zu *persönlichen Studien* und geht auf ein Jahr in die Fabrik, soweit wie möglich emanzipiert von zu Hause, von allen sachfremden Hilfsmitteln, die ihr durch Familie, Ausbildung und bisherige Position zur Verfügung stünden, entschlossen, die *condition ouvrière* [190], die Bedingungen der proletarischen Existenz im Industriezeitalter bis zur Neige auszukosten; fast möchte man sagen: bis zum letzten Blutstropfen. Es ist ein Prozeß der Selbstverwirklichung und -entäußerung zugleich und das Gelingen durchaus fraglich. Sobald sich die junge Lehrerin daran festhielte, eine Intellektuelle zu sein, die nur Arbeiterin spielt, wäre das Experiment wertlos. Andererseits wird der Test durch ihre zarte Konstitution, die mangelnde Gewöhnung an körperliche Arbeit, die manuelle Ungeschicklichkeit, die übergroße Sensibilität gegenüber menschlichen und technischen Zumutungen grausam, ja lebensbedrohend verschärft. Es ist ein Selbstversuch unter den denkbar härtesten Bedingungen, dessen einzelne Phasen möglichst genau und objektiv aufgezeichnet werden; und das *Journal d'usine* [191] ist der Labor-Bericht dieses Experiments, das – außer der Fürsorge für Kinder, für eine eigene Familie – sämtliche Bestandteile eines französischen Proletarierdaseins der dreißiger Jahre umfaßt.

Nicht nur, daß der Mensch wissen sollte, was er tut; er sollte nach Möglichkeit auch erkennen, wie es sich auswirkt [192]*, daß nämlich die Natur durch ihn verändert wird. Die eigene Arbeit sollte für jeden ein Gegenstand der Kontemplation sein.* [193] Simone Weil macht vor, was sie hier fordert; mit dem Tage ihres Eintritts in den elektromechanischen Betrieb von Alsthom am Dienstag, den 4. Dezember 1934, beginnt auch das Fabriktagebuch der Hilfsarbeiterin Weil. Anfangs der dritten Woche, Montag, den 17. Dezember, heißt es: ... *müde und entmutigt. Empfindung, 24 Stunden lang ein freier Mensch gewesen zu sein* (über Sonntag) *und mich nun wieder an ein Sklavendasein gewöhnen zu müssen ... Widerwille wegen dieser 56 Centimes* (Stücklohn im Akkord)*, der Zwang sich anzustrengen und zu verausgaben mit der gewissen Aussicht auf einen Anschnauzer, wegen Langsamkeit oder wegen Ausschuß ... Gefühl der Sklaverei ... Und* zwei Tage später, Mittwoch, den 19. Dezember: *Sehr starkes Kopfweh,*

Arbeit getan, indem ich fast unaufhörlich weinte. *(Beim Nachhause-kommen endloser Weinkrampf.) Dabei kein Ärger außer 3 oder 4 Stücken Ausschuß.* Samstag, das Wochenende vor Augen, ist die Stimmung besser: *Travail assez agréable* [recht angenehme Arbeit] ... *Arbeitsbon ohne Verlust,* das heißt ohne Ausschuß oder Verzögerung, was mit unüberhörbarem Stolz vermerkt wird, *aber indem ich das Letzte an Tempo hergab. Dauernde Anstrengung, nicht ohne ein gewisses Vergnügen, weil ich Erfolg hatte.*[194] Und: *An jenen Abenden fühlte ich die Freude, ein Brot zu essen, das man verdient hat.*[195] Um dies Gefühl zu genießen, hatte die Tätigkeit der Lehrerin offenbar nicht ausgereicht, obwohl sie dort ihr Brot nicht nur verdiente, sondern mit Arbeitslosen und anderen Hungrigen zu teilen pflegte. Weshalb war dies Gefühl an die Erfahrung der Fabrikarbeit gebunden?

Simone Weil gibt zu, daß diese Erfahrung ihre Kräfte überstieg. *Die Berührung mit dem Unglück hat meine Jugend getötet.* Sie fühlt sich davon unauslöschlich gezeichnet und schreibt acht Jahre später an Perrin: *... daß ich mich noch heutigen Tages; wenn ein Mensch ... ohne Brutalität mit mir spricht, des Eindrucks nicht erwehren kann, hier müsse ein Mißverständnis vorliegen.*[196] Ihr Mut, das Gefühl ihrer Würde wurden fast zerschlagen. Die Erinnerung daran würde sie demütigen, wäre es ihr nicht gelungen, sie zu verdrängen. *Ich stand mit Angst auf, ich ging in die Fabrik mit Furcht: ich arbeitete wie eine Sklavin; die Mittagspause war ein einziger Jammer; gegen*

Laborbericht eines Experiments: Skizze Simone Weils aus dem «Journal d'usine»

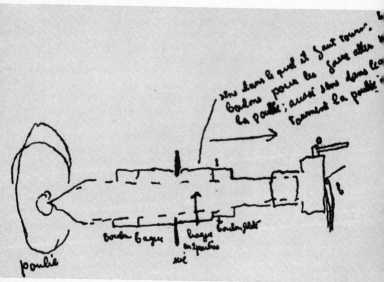

6 Uhr zu Hause, dachte sie nur daran, *genug zu schlafen (was ich nicht tat) und früh genug aufzuwachen. Die Zeit war ein unerträgliches Gewicht.*[197] Die zerschlagene Menschenwürde ist nur auf ganz anderer Ebene wiederzugewinnen, aber die Erschöpfung stellt die eigene Denkfähigkeit in Frage. Schwerwiegender ist das Selbstbewußtsein einer Simone Weil kaum zu beschädigen, und sie ist *nicht mehr weit von dem Schluß, das Seelenheil eines Arbeiters hänge zuallererst von seiner körperlichen Kondition ab. Ich sehe nicht, wie jemand, der nicht gerade ein Kraftprotz ist, anders kann, als auf irgendeine verzweifelte Ausflucht zu verfallen – Trunksucht oder Landstreicherei oder Verbrechen oder Laster oder einfach, und am häufigsten, Stumpfsinn ... Auflehnung ist unmöglich ... Man verliert sogar das Bewußtsein von dieser Situation, man erträgt sie, das ist alles. Jedes Wiedererwachen des Denkens ist jetzt qualvoll.*[198] Gerade dies ist die Versuchung, die bei einem solchen Leben fast unwiderstehlich wird: *völlig auf das Denken zu verzichten;* denn *man weiß so gut, daß es die einzige Möglichkeit ist, nicht mehr leiden zu müssen*[199].

Doch gibt es auch Trost: *niemals diese Beobachtung vergessen: ich habe bei diesen ungebildeten Menschen immer Großmut des Herzens gefunden und Aufnahmefähigkeit für die wichtigsten Ideen*[200]. Ein freundschaftliches Gespräch mit zwei Monteuren ist *temps divin* durch das Erlebnis *vollkommener Kameradschaft. Zum erstenmal in meinem ganzen Leben. Keinerlei Schranke, weder durch den Klassenunterschied (weil nicht bekannt) noch durch den der Geschlechter. Ein Wunder.*[201] Dies Wunder an Einverständnis, nach dem sie seit Jahren sucht, versetzt sie beinah in Euphorie. Die Strapazen des Arbeitsalltags, zumal der Lärm, und die Folgen nach Feierabend: Kopfweh, Erbrechen, Appetit- und Schlaflosigkeit – *verursachen* ihr *gleichzeitig körperlichen Schmerz und tiefe moralische Befriedigung. Impression fort curieuse*[202] [höchst seltsames Gefühl] ... «Qui ne souffre pas» heißt der Titel zu Paul Claudels «Réflexions sur le problème social»[203], und Simone Weil schreibt in einer Art Zwischenbilanz des *Journal d'usine: Naivität eines Menschen, der niemals gelitten hat ...*[204] Sie selbst ist nicht, oder nicht mehr, naiv. Sie registriert die Leiden der anderen und ihre eigenen mit der gleichen Distanz des Beobachters, für künftigen Gebrauch.

Inzwischen ist ihr *für immer der Stempel der Sklaverei aufgeprägt worden*[205]. Sie rechnet sich zur *Klasse derer, die nicht zählen – in keiner Situation – in niemandes Augen* – und *niemals mitzählen werden, was auch passiert – dem letzten Vers der ersten Strophe aus der «Internationale» zum Trotz*[206]. Auch in ihr, der geborenen Revolutionärin, erlahmt der Impuls zur Auflehnung; statt dessen ertappt sie sich bei einem Verhalten, das sie *am allerwenigsten auf der Welt* von sich *erwartet hätte: la docilité* [die Fügsamkeit]. *Die Fügsamkeit eines resignierten Lasttieres.*[207] Wir wissen: es ging so weit, daß sie unterwegs zu oder von der Arbeit, durch Müdigkeit am klaren Denken gehindert, auf einen Platz im Bus keinen Anspruch mehr zu haben meinte; so tief saß ihr das *Brandmal der Sklaverei* schon in der

Seele. Bei Alsthom habe sie *allenfalls noch sonntags* revoltiert, *bei Renault war ich zu einer mehr stoischen Haltung gelangt* [208]. Aber vorher, nach drei Wochen Arbeitslosigkeit, hatte sie am 31. Mai 1935 in einem Brief an das Unterrichtsministerium um ihre Wiedereinstellung als Lehrerin gebeten; das neue Schuljahr wird sie im Herbst am Lycée in Bourges antreten.

Die Erfahrung dieses Fabrikjahres sollte jedoch lange nachwirken. Nachdem sie einmal *mit der anonymen Masse verschmolzen* gewesen, war ihr auch *das Unglück der anderen in Fleisch und Blut eingedrungen. Nichts trennte mich mehr davon, denn ich hatte meine Vergangenheit wirklich vergessen, und ich erwartete keine Zukunft mehr.* [209] Gewiß sah die *condition ouvrière* im Frankreich der dreißiger Jahre anders aus – grauer, ärmer – und fühlte sich anders an – härter, kälter – als heute, über ein Menschenalter später, und erst recht anders als im Westdeutschland des Wirtschaftswunders. Manche Bedingungen der industriellen Arbeit haben sich inzwischen bei vermehrten sozialen Errungenschaften erheblich verbessert, andere eher noch verschärft. Die Frage nach der *Proportion,* die Simone Weil im Anschluß an Hegel–Marx stellt, ist wahrscheinlich heute so aktuell wie je. Sie zitiert Hegels berühmten Satz, von dem nicht nur Marxisten so unermüdlichen Gebrauch machten und machen, daß die *Quantität in Qualität umschlagen* könne, und fährt fort: *Serien u n d Reihen haben ihren Platz in jedem Menschenleben, das ist klar, aber es ist eine Frage der Proportion, und man kann jedenfalls sagen, daß es eine Grenze gibt für den Platz, den die Serie im Leben eines Menschen einnehmen kann, ohne ihn zu erniedrigen.* [210] In der Fabrik äußert sie *Empörung über die eigene Unwissenheit hinsichtlich dessen, was sie macht.* Eine Arbeitskollegin meint dazu: «*Man nimmt uns für Maschinen . . . andere sind da, um für uns zu denken . . .*» Und Simone Weil kommentiert: *. . . genau dasselbe, was Taylor sagt, aber mit Bitterkeit.* [211]

Jahrelang korrespondiert sie mit Gewerkschaftlern, Fabrikdirektoren und Managern über diese Probleme, verfaßt Zeitungsartikel, Appelle und Untersuchungen wie eben jene über die *Condition ouvrière* [212] von 1937 oder die Schrift über *Prinzipien eines Planes für eine neue innere Führung in den Industrieunternehmen* [213]. Manches, was sie hier und andernorts über die *notion du travail* sagt, vor allem auch in ihrem politischen Testament *Die Einwurzelung,* ist später beim Wiederaufbau Frankreichs nach dem Krieg beherzigt worden, anderes bleibt nach wie vor akut, trotz aller inzwischen erreichten Verbesserungen der *condition ouvrière. Die Arbeitsdisziplin darf nicht einseitig sein, sondern gegründet auf den Begriff d'obligations réciproques* [214] [der gegenseitigen Verpflichtungen]. Heute mag man sich versucht fühlen, diesen ohne Zweifel gegen die Arbeitgeber gerichteten Spieß auch gelegentlich umzudrehen, aber die Frage, wie es denn in Phasen der Überbeschäftigung mit den *obligations réciproques* zu halten wäre, stand für Simone Weil kaum zur Debatte.

1937 hält sie einen Vortrag über *Die Rationalisierung* [215], worin sie sich mit dem Vater des REFA-Systems, dem oben erwähnten Taylor [216], und mit dem nach ihm benannten «Taylorismus» auseinandersetzt – eine Polemik, von der sich vermutlich heute selbst streitbare Gewerkschaftler distanzieren würden. Simone Weil, die Klassenkämpferin honoris causa, prangert darin die in der Entwicklung begriffenen Rationalisierungsmethoden als Kontrollsystem, als Mittel des Zwanges an, so auch den mit und seit Taylor neu entstandenen Zweig der Wissenschaft, den man Psychotechnik nannte.[217] Mit beißender Ironie stellt Simone Weil fest: *Nun können die Industriellen dank der Psychotechnik sagen, daß sie ihre Arbeiter nicht leiden lassen. Für sie genügt es, die Autorität der Wissenschaftler anzurufen. Aber nichts ist leichter für einen Industriellen, als einen Wissenschaftler zu kaufen, und wenn der Staat der Arbeitgeber ist, nichts leichter für ihn, als diese oder jene wissenschaftliche Regel aufzustellen. Man sieht es augenblicklich in Deutschland, wo man plötzlich entdeckt, daß Fett für die menschliche Ernährung gar nicht so wichtig ist, wie man dachte...*[218] Hitler, der zu diesem Zeitpunkt bereits mit Krieg rechnete und ihn vorbereitete, führte bekanntlich damals die erste Fettrationierung ein unter der Parole «Kanonen statt Butter» – für Simone Weil Anlaß zu dem guten Rat: *Die Arbeiter dürfen nicht den Wissenschaftlern, den Intellektuellen und Technikern vertrauensvoll das zu regeln überlassen, was für sie selbst von vitaler Bedeutung ist. Wohlverstanden, sie dürfen ihre Ratschläge annehmen, aber zählen dürfen sie nur auf sich selbst, und wenn sie sich der Wissenschaft bedienen, dann nur, indem sie sich diese selber aneignen.*[219] Angesichts eines gewissen Prozesses und der zunehmenden Neigung zum Drogen-Mißbrauch scheint diese Warnung hochaktuell, und der Eindruck: die moderne Wissenschaft – ihre Anwendung in der Industrie und erst recht ihre Popularisierung in Presse und Werbung – bedürfe durchaus einer strengeren und allgemeineren Kontrolle, hat sich noch verstärkt.

Gegen Simone Weil kann man einwenden, daß sie damals die Erfordernisse der modernen Massengesellschaft noch nicht genügend durchschaute: das komplizierte Geflecht national-ökonomischer und internationaler Abhängigkeiten und die dadurch verursachte Labilität des wirtschaftlichen Gleichgewichts. Diese Problematik war in den dreißiger Jahren, trotz des eben erst genossenen peinlichen Anschauungsunterrichts der Weltwirtschaftskrise, bei weitem noch nicht so scharf umrissen wie heute. Angesichts der wirtschaftlichen und menschlichen Misere, die Simone Weil in der Fabrik, zumal bei den Frauen, täglich erlebte, war es nur zu natürlich, daß sich die gelassene Beobachtung mit Gefühlen des Mitleids und des Zornes aufladen und im Reden und Schreiben wieder entladen mußte, wozu sich in der Terminologie der «syndicalistes» der geeignete Wort- und Begriffsvorrat angeboten haben mag. Es gab spektakuläre Auftritte der «Vierge rouge». Vergessen wir aber nicht, welchem Bezirk ihres Wesens letztlich all diese Aktivität entsprang. Von Kindheit an hatte sie stets für den sozial Schwächsten Partei ergriffen und sich eingesetzt.

Im Ersten Weltkrieg sparten Brüderchen und Schwesterchen ihre Zuk-
ker- und Schokoladerationen und schickten sie den Soldaten an die
Front; im Zweiten Weltkrieg hungerte «la Sainte Simone» – Pazifistin oder Patriotin – aus Solidarität mit dem besetzten Frankreich. Ihr
Spitzname spielt ebenso witzig wie treffend auf ihren Landsmann und
Vorgänger Claude-Henri, Comte de Saint-Simon [220], einen der frü-
hesten Sozialisten und christlichen Utopisten, an. Die Brille, durch
die sie schon als Schülerin «rot zu sehen» gelernt hatte, stammte freilich von Marx, aber was sie immer wieder an die Seite und in die
Quartiere der Armut, in die Fabriken, auf Versammlungen und De-
monstrationszüge trieb, hatte tiefere Gründe in dem, was sie mehr
und mehr als ihre *prima causa* zu erkennen, anzuerkennen und dann
auch zu bekennen sich gedrängt fand. So kann es nicht überraschen,
daß sie bald von der *notion du travail*, wie von der Mathematik, jenen *kostbaren Gebrauch* zu machen anfängt: auch die *condition
ouvrière* und die mehr stoische Haltung, die sie ihr gegenüber schließlich zurückgewinnt, dienen als Sprungbrett für den Aufschwung zur
connaissance surnaturelle.

THEOLOGIE DER ARBEIT

*Die Arbeit als Loskauf von der Erbsünde;
Teilhabe an der Erlösung.[221]*

*Die Institution der Sklaverei verbirgt den Menschen (Herren und
Sklaven) die Wahrheit, daß der Mensch als solcher Sklave ist. Die
besten Institutionen sind diejenigen, welche am wenigsten lügen.[222]*
Wer in der Sphäre des *Seelischen* nach *Notwendigkeit* sucht, ist gewöhnlich *Materialist, Atheist im wahren Sinne des Wortes; es ver-
fälscht alles. Was ist Notwendigkeit ohne Arbeit? Notwendigkeit ist
das, was die Bedingungen stellt. Wer sich erniedrigt, wird erhöht
werden... Akzeptieren, daß man anonym ist, daß man aus Men-
schenstoff (de la matière humaine) ist (Eucharistie). Verzichten auf
Prestige, auf Geltung. Das heißt, für die Wahrheit Zeugnis ablegen,
zu wissen, daß man Masse Mensch ist, daß man keine Rechte hat.
Sich von Schmuck entblößen, die Nacktheit ertragen... Sich inkarnieren. Der Mensch muß den Akt der Inkarnation vollbringen, denn
er ist desinkarniert durch die Einbildung. Das, was in uns vom Satan
stammt, ist die Einbildung.[223] Hier wird die luziferische Gefahr direkt beim Namen genannt: Weltflucht, Desinkarnation, Hindernis
der Einwurzelung. Das Gegenmittel ist die körperliche Arbeit. Gewohnheit in der Arbeit. Die Herauslösung des Ich. Bild der vollkommenen Tugend... Gefühl der Erniedrigung, untrennbar von der
Arbeit... Die Zeit als dessen Ursache. Die Arbeit als Loskauf von
der Erbsünde; Teilhabe an der Erlösung.[224]*
Dies könnte der Entwurf zu einer Theologie der Arbeit sein, zu
der sich auch anderswo Materialien finden, so etwa in dem Essay
Condition première d'un travail non servile [225] [Vorbedingung einer

Auf dem Weg in die Sklaverei: Gefesselte Kriegsgefangene.
Mesopotamien, 2. Hälfte des 3. Jahrtausends v. Chr.
Bagdad, Irak-Museum

Arbeit, die nicht Sklavenarbeit wäre]. Dort geht Simone Weil von der, vielleicht anfechtbaren, Prämisse aus, daß es in körperlicher, zumal der bloß ausführenden Arbeit, welche *die eigentliche Arbeit ist,* *ein unerläßliches Element der Knechtschaft gibt, das nicht einmal* *durch völlige soziale Gleichstellung getilgt würde,* und zwar deshalb, weil die Arbeit *von der Notwendigkeit beherrscht wird und nicht von* *der Zielrichtung. Man führt sie aus wegen eines Bedürfnisses, nicht* *mit Hinblick auf ein Gut;* sondern «*weil man von irgend etwas leben* *muß*». Aber *existieren ist für den Menschen kein Ziel, es ist nur die* *Voraussetzung, alles Guten, aller Güter, der wahren und der fal-* *schen* [226]. Was diese, die fiktiven, bloß eingebildeten Güter betrifft, so gibt es *zum Glück für uns eine reflektierende Eigenschaft der Ma-* *terie, so wie sie sich der menschlichen Arbeit als Rohstoff darbietet;*

73

sie ist ein Spiegel, der durch unseren Anhauch getrübt ist. Man muß nur den Spiegel reinigen und die Bildzeichen lesen, die der Materie von Ewigkeit her eingeschrieben sind...[227]

Bei der Entzifferung der Zeichen, während Simone Weil metaphysische Qualitäten der physischen Arbeit und mögliche Zielsetzungen ins Auge faßt, entstehen Klartexte von eindringlicher Kraft. *Die Erde muß nur ausreichend bearbeitet sein durch unsere Mühe; dann wird durch das Chlorophyll aus der Sonnenenergie fester Stoff und tritt in uns ein als Brot, als Wein, als Öl, als Frucht. Die ganze Arbeit des Bauern besteht darin, diese Fähigkeit der Pflanzen zu pflegen und ihr zu dienen, die ein vollkommenes Abbild des Christus ist.*[228] Dem Chlorophyll, einer ihrer Lieblingsmetaphern, begegnen wir immer wieder. Ebenso eindrucksvoll ist ihre Interpretation der *Karfreitagshymne* des Meßbuches, wo das *Kreuz* als *Waage* besungen und für Simone Weil zum Inbegriff der Hebelwirkung wird, jener Gesetzmäßigkeit, die jeden mechanischen Vorgang, alle menschliche Arbeit überhaupt erst ermöglicht.[229]

Nirgends – seit der gesundheitsbedrohenden Erfahrung der Fabrikarbeit – philosophiert Simone Weil im leeren Raum der bloßen *Einbildung, wo es nur eingebildete Fülle und eingebildetes Gleichgewicht* gibt, solange nur ein *einziger Standpunkt* bezogen wird. Simone Weil wechselt die Standpunkte, indem sie fast alle Formen körperlicher Arbeit leibhaftig ausprobiert, mit Ausnahme – so viel man weiß – der Hausarbeit, derjenigen Arbeit, welcher nach heutigen Begriffen am wenigsten Prestige, am meisten Erniedrigung eigen ist. «Die kleine Weil» versucht es – dickköpfig, immer wieder, denn erst einmal schickte man sie nach Hause – mit der Landarbeit; sie pflügt und lädt Heu auf, sie füttert die Tiere und scheuert sich in Holzpantinen die Füße wund, sie erntet Kartoffeln, Getreide und Wein, sie fährt ins Bergwerk ein und geht sogar auf Fischfang. Sie schenkt sich nichts von der großen Anstrengung, sich zu inkarnieren, und so weiß sie, wovon sie redet; sie ist imstande, wie sie es fordert, von verschiedenen Punkten aus über den Begriff der Arbeit dreidimensional zu denken. Der Preis, den sie dafür bezahlte, war hoch, die Erfahrung bitter und ging bis an die Grenze des Selbstverlustes.

Das *Journal d'usine* ist, gerade wegen seiner Sachlichkeit und Präzision im Detail, ein erschütterndes und ein unersetzliches Dokument. Es ist ein Beweis für die Redlichkeit der Erkenntnismethode nach dem Gesetz der Arbeit: ... *indifferent zu bleiben gegen das, was voraufging, wie gegen das, was folgen soll.*[230] Was für den Vorgang der Arbeit, gilt auch für den begleitenden Denkprozeß; er untersteht dem Gesetz der Wahrnehmung, der selbstlosen Beobachtung. *Mauvaise manière de chercher* [schlechte Untersuchungsmethode]. *Die Aufmerksamkeit auf ein Problem gerichtet. Wieder ein Phänomen von horror vacui. Man will seine Mühe nicht verschwendet haben. Jagdeifer. Man muß nicht finden wollen... Nur die wunschlose Bemühung (nicht an ein Objekt gebunden) ist es, die unfehlbar eine*

Entschädigung einschließt... Vom Gegenstand zurücktreten, den
man verfolgt. Nur das Indirekte ist wirksam.[231] *Man richtet nichts*
aus, wenn man nicht vorher zurückgetreten ist. Hebel. Weberschiff-
chen. Jede Arbeit. Erst pflückt man sie aus der Ähre, dann läßt man
die Körner zur Erde fallen...[232]

Dies, auf Simone Weils eigene Methodik angewandt, würde bedeuten, daß hinsichtlich des Begriffs Arbeit die «théologie weilienne»
nicht aus vorgefaßter Absicht entstanden wäre, sondern als unwill-
kürliches Resultat. Wir wissen, daß ihre Gewerkschaftsgenossen
Simone Weil nur bis «an die Schwelle ihres mystischen Lebens», das
ihnen «fremd war», begleiten, ihr weiter nicht folgen konnten. Deswegen bleiben aber «die Gründe, die uns veranlaßten, sie zu schät-
zen und zu lieben, ungeschmälert» und «wir bewahren ihr unsere
ganze Freundschaft und ein treues Andenken»[233]. Die Thévenons
und all die anderen Gewerkschaftsfreunde würden das kaum getan
haben, hätte nicht der Weg Simone Weils bis zu dieser Schwelle unter den Augen der Kameraden seine irdisch-praktische Richtigkeit gehabt: Schritt vor Schritt mit beiden Beinen auf der Erde, so schwer
es auch fiel.

«Toujours Antigone»

In finsterer Zeit blutiger Verwirrung
Verordneter Unordnung
Planmäßiger Willkür
Entmenschter Menschheit . . .
Damit nicht rohe Gewalt des kurzsichtigen
    Volkes
Zertrample den eigenen Brotkorb
Wollen wir wieder einführen
Gott.
Wenig berühmt nur mehr
Fast schon berüchtigt
Nicht mehr zugelassen
An den Stätten des wirklichen Lebens:
Aber der Untersten einzige Rettung!
Drum haben wir uns entschlossen
Für ihn die Trommel zu rühren
Auf daß er Fuß fasse in den Quartieren des
    Elends
Und seine Stimme erschalle auf den Schlacht-
    höfen.
Und dies Unternehmen ist sicher
Das letzte seiner Art.[234]

Bertolt Brecht

Die Wahrheit ist zu gefährlich zum Anfassen. Sie ist ein Sprengstoff. [235]

Marx war ein Götzendiener.[236]

In dem Spitznamen einer «Vierge rouge», den der Direktor der École Normale seiner unbequemen Schülerin Simone Weil mit auf den Weg gab, ist durchaus die ehrenvolle Anspielung auf Frankreichs Nationalheilige Jeanne d'Arc enthalten, die, wie wir heute wissen, mit der rührenden Gipsheldin Schillers kaum mehr gemein hat als den Titel der «Jungfrau von Orléans», während die «Heilige Johanna» Shaws, den Prozeßakten folgend, Porträtähnlichkeit beanspruchen kann. Man hat Simone Weil ferner mit Blaise Pascal verglichen und mit Rosa Luxemburg. Bereits zwei deutsche Publikationen sind ihr und Edith Stein zusammen gewidmet. «Platon und . . .», «D. H. Lawrence und . . .», sogar «Simone Weil und wir» gibt es schon, und wenn ihr Ruhm mit angemessener Beschleunigung zunähme, würden wir bald in einer Schwemme von «Simone-Weil-und»-Titeln ertrinken. Dabei wäre dem Thema «Simone Weil und Karl Marx» eine bevorzugte Rubrik einzuräumen.

Wo es um Ähnlichkeit geht, kommen jedoch die zeitgenössischen und abgeschiedenen Zelebritäten weniger in Betracht; auch nicht die heilige Johanna Shaws und der Prozeßakten, mit der Simone Weil

«Die Popularität der Jungfrau von Orléans während des letzten Vierteljahrhunderts war nicht in jedem Betracht etwas Gesundes.»
Miniatur, 15. Jh. Musée Dobrée, Nantes

Edith Stein

Rosa Luxemburg

wohl die kecke Unvoreingenommenheit, nicht aber die «sancta simplicitas» teilte. Die Jungbäuerin Jeanne d'Arc war eine von den naiven Heiligen; die Jungintellektuelle Simone Weil nicht, oder wenn, dann auf andere Weise.

Am allermeisten scheint sie freilich einer Bühnenfigur zu gleichen: dem weiblichen Heilsarmeeleutnant Dark in Bertolt Brechts Stück «Die heilige Johanna der Schlachthöfe». Auf den ersten Blick ist die Ähnlichkeit so frappant, daß man unwillkürlich nach den «missing links» – biographischen, literarischen, politischen – zwischen dem «armen B. B.» und Frankreichs «roter Jungfrau» zu suchen beginnt. Doch fanden sich bisher keine Anhaltspunkte für eine – durchaus mögliche – Begegnung, die «la Sainte Simone» als lebendes Vorbild für Brechts Johanna Dark ausweisen könnten. Wie weit die Ähnlichkeit tatsächlich reicht, werden wir noch sehen. Die Simone Weil «telle que nous l'avons connue» ließe sich kaum anders als mit Gewalt auf die Handlichkeit einer Bühnenfigur vereinfachen; Stückeschreiber seien daher gewarnt, es mit ihr zu versuchen. Immerhin soll Trotzki, den die Eltern Weil gegen Ende 1933 für ein paar Tage bei sich aufgenommen hatten, entnervt durch ein Interview, das er der Tochter seiner Gastgeber nicht gut abschlagen konnte, schließlich erbittert ausgerufen haben: «Sie gehören ja zur Heilsarmee!»[237]

Es gab auf den Schauplätzen

der europäischen Linken tatsächlich immer wieder Situationen von erheblicher Bühnenwirksamkeit und Brisanz, in welche Simone Weil verwickelt war. Den Namen einer «Vierge rouge» trug sie, mindestens zeitweise, zu Recht. «Alles, was humanitär, anarchistisch, gewerkschaftlich und revolutionär war, zog sie unwiderstehlich an»[238], und darin unterschied sie sich kaum von der heutigen akademischen Jugend bürgerlicher Herkunft. Schon auf der Schule und als «Normalienne» – «kategorischer Imperativ in Unterröcken», wie sie von ihren Kameraden genannt wurde [239] – suchte sie Kontakt mit der französischen Liga für Menschenrechte und der Bewegung «Volonté de Paix» – aber auch mit dem Mitarbeiterkreis der Zeitschrift «Révolution Prolétarienne», welcher am meisten ihre eigenen Ideale zu vertreten schien. Von Le Puy aus nahm sie Verbindung mit den Gewerkschaften auf, und führende Persönlichkeiten wurden ihre Freunde. Aus dieser Zeit stammt folgendes Porträt einer Kollegin: Simone Weil gehörte nicht zu denen, «die man vergißt». Man bewunderte ihre Intelligenz, doch blieb sie «zwischen uns stets eine Fremde... selbst während der gemeinsamen Mahlzeiten schien sie nicht anwesend zu sein», denn dann «las sie Karl Marx im Urtext (‹Das Kapital›) und hob nur von Zeit zu Zeit den Blick, der – versteckt hinter dicken Brillengläsern – uns nicht zu sehen schien». M. M. Davy, die Biographin, fährt dann fort: «Man hält sie für eine Kommunistin. In Wirklichkeit ist Simone Weil das kein bißchen...» Im Sinne von Parteibuch und Mitgliedsausweis freilich nicht, denn im Gegensatz zum jungen Albert Camus brauchte Simone Weil es nicht erst auszuprobieren, daß sie in keine Parteilinie paßte; aber daß sie «kein bißchen» kommunistisch gewesen wäre, wollen wir wenigstens mit einem Fragezeichen versehen. «... sie lehnte sich nur auf gegen das bürgerliche Pharisäertum, das undurchlässig blieb für das Elend der Arbeiter. Ihre Schülerinnen bewundern sie, und unter den Kolleginnen sind drei ausnahmsweise mutige Frauen, welche sie unterstützen.»[240] Mit einer stadtbekannten Kommunistin zu verkehren, dazu gehörte damals in einer französischen Kleinstadt immerhin besonderer Mut. Was tat denn aber die rote Jungfrau in Le Puy, das der Unterstützung bedurfte und das andererseits das Bürgertum gegen sie mobilisierte? Sie schrieb, wie wir wissen, zu verschiedenen Anlässen Zeitungsartikel, sie war Mitarbeiterin an Alains «Libres Propos», an der Lehrer-Zeitschrift «L'École Émancipée» und an der «Révolution Prolétarienne». Sie verbreitete aber auch marxistische Ideen im Unterricht und schmückte ihn mit Marx-Zitaten, welche die Eltern schockierten, weil diese, ebenso wie bürgerliche Eltern bei uns heute noch, Marx zu lesen bisher versäumt hatten. Sie bevorzugte angeblich Arbeiterkinder gegenüber den «Reichen». Sie lud Arbeitslose zum Mittagessen in den Schulspeisesaal ein oder traf sie in Kneipen. Schon bald nach ihrer Ankunft in Le Puy arbeitete sie an den Wochenenden in der Arbeiterstudiengemeinschaft von Saint-Étienne mit und stiftete ihre Examensprämie – ohnehin in ihren Augen ein unerträgliches Privileg – zum Ankauf von

Büchern, die den Grundstock einer Bibliothek bilden sollten. Alles dies unter der Devise: *Machen wir uns endlich auf und helfen wir zu einer wirksamen und dauerhaften Verbesserung der industriellen Arbeitsbedingungen? Die Zukunft wird es lehren; aber diese Zukunft muß man nicht abwarten, man muß sie machen.*[241]

Simone Weil tut noch mehr; und dies geht nun durch alle Zeitungen der Umgegend: am 16. Dezember 1931 begleitet sie eine Arbeitslosen-Delegation zum Bürgermeister von Le Puy. Am 17. Dezember erscheint sie in der Stadtratsitzung mit einer Abordnung von 80 Arbeitern, um deren Forderung zu unterstützen, daß man behördlicherseits etwas gegen die katastrophale Lage der Arbeitslosen unternehme. Die Verwirrung über ihren Auftritt ist so groß, daß der Bürgermeister die Sitzung schließen und den Saal räumen läßt. Er ordnet die Überwachung der jungen Lehrerin an. Auf der Schulbehörde in Clermont-Ferrand erhält sie, nur Wochen nach ihrem Dienstantritt, die erste Verwarnung. Am 12. Januar 1932 wird in Le Puy gestreikt. Nachmittags säubert die Polizei die Place Michelet von den dort versammelten Arbeitslosen, die sich in die «Bourse de Travail»[242] zurückziehen, wo Simone Weil sie trifft. Beim Verlassen des Gebäudes wird sie festgenommen, aber gleich wieder freigelassen. Die Zeitungen schreiben darüber, und sie wird wieder zur vorgesetzten Behörde nach Clermont-Ferrand beordert, wo man sie veranlassen will, um ihre Versetzung nachzusuchen. Offenbar sieht man in ihr die Energiequelle gewerkschaftlicher Aktivität, und die Behörden arbeiten Hand in Hand, um sie loszuwerden. Man droht mit Zwangsversetzung, und sogleich gibt es von Freundesseite Proteste zugunsten Simone Weils: Aufrufe, die Meinungsfreiheit der Lehrer, der Beamten, der Frauen zu verteidigen. Am 3. Februar findet eine große Demonstration statt mit Aufmärschen unter Absingen der «Internationale» und der «Carmagnole». Die Zeitungen berichten, eine Frau habe die rote Fahne vorangetragen. Die Rechtspresse meldet erregt, Moskau habe eine Agentin in Le Puy, welche die Arbeiter aufhetze... Dies alles endet schließlich mit der Strafversetzung nach Auxerre.

Vorher macht Simone Weil Urlaub in Deutschland, das sie mit großer Sympathie als potentielles Vaterland der Revolution betrachtet. Die Nachkriegspolitik Frankreichs und der anderen Siegermächte hat sie stets abgelehnt. Ihre Informationen über das Nachbarland bezieht sie aus vergleichender Lektüre der linken und rechten Presse Deutschlands: «Die Rote Fahne» und «Der Völkische Beobachter». In diesem Sommer stehen die Dinge auf Messers Schneide: 6 Millionen Arbeitslose, die NSDAP hat seit der Wahl vom 31. Juli fast 38 % der Sitze im Reichstag. *Die jungen Berliner Arbeiter sind inmitten einer verzweifelten Situation so brüderlich, so tapfer, so hellsichtig, wie Sie es sich kaum vorstellen können. Unglaublich hoch ist auch der kulturelle Stand der deutschen Arbeiter... Im Vergleich kommt es einem vor, als ob alle Franzosen schliefen...*[243] Sie erlebt die deutschen Kommunisten in einer Art Frontstimmung und hofft, daß

*Die Place Michelet in Le Puy; hier lag auch die Mädchenoberschule,
an der Simone Weil unterrichtete*

die *prächtige deutsche Arbeiterjugend* das Land vor Hitler retten
wird; am liebsten wäre sie dabei. Es kommt anders. Wieder, wie
1914, findet der Generalstreik nicht statt. Simone Weil ist empört
über die Passivität und Gleichgültigkeit der kommunistischen Parteien. Die internationale Solidarität der Arbeiterklasse hat sich wiederum als Illusion erwiesen.

L'Allemagne en attente [244] – schon seit August 1932, während jenseits des Rheins die Dinge ihren schlimmen Lauf nehmen und schließlich der Reichstagsbrand mit seinen Folgen eine neue Welle politischer Flüchtlinge von drüben nach Frankreich treibt, erscheinen in
den «Libres Propos», der «Révolution Prolétarienne», der «École
Émancipée» einzeln oder in Fortsetzungen Simone Weils Berichte
über die Ereignisse und die *Situation in Deutschland* [245]. Sie stoßen
auf heftige Kritik in den eigenen Reihen, denn Simone Weil macht
für die Machtergreifung Hitlers das Fehlen einer Zusammenarbeit
der sozialistischen Parteien und auch das Bestehen auf Ideologien ver-
antwortlich. *Wie viele Male, wenn 1932 in Deutschland ein Kommu-
nist und ein Nazi auf der Straße diskutierten, packte sie Schwindel,
wenn sie feststellten, daß sie sich in allen Punkten einig waren!* [246]
Die *rituellen Redewendungen* der Propaganda hatten sich auf beiden
Seiten *mehr und mehr* einem *religiösen Mythos* angenähert. Das
verwischte die Unterschiede.

Auch die Gewerkschaftsbewegung hatte in Simone Weils Augen

versagt, und mit dieser Ansicht hielt sie keineswegs zurück. Im Juli 1933 konnte man in einem von ihr mitunterschriebenen Aufruf lesen, daß in der (kommunistischen) C.G.T.U.[247] die Demokratie *offen und zynisch* mit Füßen getreten und an ihrer Stelle ein *Regime büro-kratischer Diktatur errichtet* werde. Hart kritisiert sie die russische Deutschland-Politik und wirbt um Hilfe für die Familien verhafteter Deutscher, auch wenn sie keine Kommunisten sind. Auf einem Ge-werkschaftskongreß (23.–27. September 1933) verteilt sie entsprechen-de Flugblätter; man will sie daran hindern. Ihre Wortmeldung wird abschlägig beschieden, sie spricht unter großem Tumult trotzdem. Schon auf dem Kongreß der Vereinigten Lehrerverbände[248] in Reims (5.–7. August) hat sie sich mißliebig gemacht. Jetzt versucht man, ihr das Wort zu verbieten; zehn Jahre später wird sie mit Resignation vom *toten Ballast der Gewerkschaftsbewegung spre-chen*[249].

Ab Herbst 1933 treffen wir Simone Weil am Lycée von Roanne (Loire); von dort sind zum Wochenende die Freunde Thévenon in Saint-Étienne wieder erreichbar, und davon wird ausgiebig Gebrauch gemacht. Im Oktober kommt Staatspräsident Lebrun zur Einweihung eines Kriegerdenkmals nach Saint-Étienne. Mitglieder der C.G.T.U., Kriegsgegner, demonstrieren am Vortag, und Simone Weil, Fahnen-trägerin der Bergarbeiter, hält von einem Fenstersims herab eine An-sprache; der Erfolg ist jedoch umstritten. Trotz aller politischen Kon-troversen läßt sie es sich nicht nehmen, ihre Solidarität mit der arbei-tenden Klasse wieder und wieder zu bekunden, und so trägt sie auch beim berühmten Aufmarsch der Bergarbeiter am 3. Dezember 1933 während des Umzugs die rote Fahne der «Bourse de Travail» von Saint-Étienne. Schließlich geht es hier nicht um die verdächtigen Ziele der kommunistischen Internationale oder um den nebulosen Mythos der Weltrevolution; die Bergarbeiter demonstrieren vielmehr gegen die Herabsetzung ihrer Löhne um 40 % (!), gegen eine akute Notlage also. Wer Not leidet oder zu fürchten hat, wird immer die «Vierge rouge» an seiner Seite finden, bis an ihr Lebensende, ohne und sogar gegen jede Parteidisziplin oder sonstige Kollektivabsprache.

Ihre Anteilnahme galt unter den fremden Nationen nächst Deutschland wohl am meisten dem Geburtsland ihrer Mutter. «Das Paradies der Arbeiter», wo Sozialismus, wo die «klassenlose Gesell-schaft» seit fünfzehn Jahren praktiziert wurde, wollte sie mit eigenen Augen sehen. Sie beantragte ein Visum. Aber das Land, in dessen Sprache es für «schön» und «rot» dasselbe Wort gibt und wo «Welt» und «Friede», wenigstens für fremde Ohren, gleich lauten, dieses rätselhafte Land, das einer ganzen Generation von Klassenkämpfern als Wiege des Marxismus vorschwebte, obwohl der von Marx im katholischen Trier gestanden hatte, dieses Räte-Rußland verweigerte ihr, die sich schon durch Sprachstudien auf den Besuch vorbereitete, die Einreise. Die «rote Jungfrau» war nicht orthodox genug; das konnte den Genossen, den Lesern ihrer Artikel, den Zuschauern ihrer Auftritte bei den Gewerkschaftskongressen kaum entgangen sein.

Niemals würde man bei dieser jungen Lehrerin auf Linientreue rechnen können; sie war ein viel zu selbständiger, viel zu kritischer Geist, dermaßen kritisch, daß sie sich gegen Ende ihres Lebens sogar fragen wird: *Y a-t-il une doctrine marxiste?* [250] – gibt es sie überhaupt, diese marxistische Doktrin?

Freilich haben Marx und Lenin kaum je eine aufmerksamere Schülerin gehabt als Simone Weil, und sie ließ Marx mehr Gerechtigkeit angedeihen als manch andere seiner Interpreten. *Marx, das ist wahr, hat niemals ein anderes Motiv gehabt als ein großherziges Streben nach Freiheit und Gleichheit; allein dies Streben, wenn man es von der materialistischen Religion trennt, mit welcher es in seinem Kopf vermischt war, gehört nur mehr zu dem, was Marx geringschätzig als utopischen Sozialismus bezeichnete. Enthielte das Werk von Marx nichts Wertvolleres, so könnte man es ohne Schaden vergessen, mit Ausnahme von ganz wenigen ökonomischen Analysen. Aber ... man findet bei Marx noch eine andere Konzeption als diesen Hegelianismus gegen den Strich, nämlich einen Materialismus, der nichts Religiöses mehr an sich hat und keine Lehre aufstellt, sondern eine Methode der Erkenntnis und des Handelns.* Simone Weil wehrt sich gegen die Praxis des Marx-Biographen Rühle und anderer, welche die *petitesses*, die *Kleinheiten eines Menschen beleuchten* und also *nicht das Leben eines großen*, sondern *eines ganz kleinen Mannes erzählen, der – man weiß nicht, durch welches Wunder – große Dinge vollbracht hat* [251].

Simone Weil macht diesen Fehler einer kleinlichen Betrachtungsweise gewiß nicht; sie anerkennt die Größe. Aus jeder Seite, und es sind viele, die sie über Marx schreibt, spricht Respekt. Doch wenn zum Ehrenkodex der «Normalienne» einst Respektlosigkeit gehört hat, dann wird sie später allerdings selbst mit und durch Respekt an kritischer Stellungnahme sich nie gehindert, nur erst recht dazu aufgerufen finden; und so sehen wir sie denn in der Rolle eines übergewissenhaften Aschenputtels Stück für Stück die guten aus den schlechten Erbsen heraussammeln. Dabei gibt es kein Pardon. *Wenige Begriffe sind so unbestimmt wie der der gesellschaftlichen Klasse. Marx, dessen ganzes System auf diesem Begriff ruht, hat niemals versucht, ihn zu definieren oder auch nur zu untersuchen.* [252]

Die schon zitierte Schrift *Causes de la liberté et de l'oppression sociale* zieht 1934 die erste Summe dieser Auseinandersetzung mit Marx; eben das erklärt auch die Bedeutung, die Simone Weil selbst dieser Schrift – im Gegensatz zu anderen ihrer Arbeiten – beimaß, weswegen sie sie unbedingt erhalten und auch gedruckt wissen wollte. [253] Am Anfang stand, neben Marc Aurel, ein Motto von Spinoza: «Was die menschlichen Dinge angeht, nicht lachen, nicht weinen, sich nicht entrüsten, aber begreifen.» [254] Soweit es Marx betrifft, wird sich Simone Weil an dieses Prinzip halten. *Die große Idee von Marx ist die, daß in der Gesellschaft ebenso wie in der Natur nichts wirklich geschieht als durch materielle Veränderungen. «Die Menschen machen ihre eigene Geschichte, aber*

unter bestimmten Bedingungen.» *Wünschen ist nichts, man muß die materiellen Bedingungen kennen, welche die Möglichkeiten unseres Handelns bestimmen.*[255] Materialismus und Atheismus sind in Simone Weils Augen Mittel einer Art Askese, welche die menschliche Vernunft von Illusionen und Verschwommenheiten reinigen sollte, Mittel, von denen sie viel hält, da sie ihrer Vorstellung von intellektueller Redlichkeit entsprechen. Darum liegt für sie das große Verdienst von Marx nicht in der Weltanschauung, sondern in der *Methode des Materialismus.* Aber *die materialistische Methode, dies Instrument, das Marx uns hinterlassen hat,* ist ein immer noch *jungfräuliches;* kein Marxist hat sich seiner bisher *wirklich bedient, angefangen bei Marx selber. Die einzige wahrhaft kostbare Idee, die sich im Werk von Marx findet, ist auch als einzige vollkommen unbeachtet geblieben. So ist es nicht verwunderlich, daß die gesellschaftlichen Bewegungen, die von Marx ausgegangen sind, bankrott gemacht haben.*[256] Doch auch Marx ist Erbe von Traditionen, was ihn, wo nicht entschuldigt, doch erklärt. *Der Aufschwung der Großindustrie hat die Mächte der Produktion zur Gottheit einer Quasi-Religion gemacht, deren Einfluß Marx gegen seinen Willen unterworfen war, als er seine Konzeption der Geschichte ausarbeitete. Der Ausdruck Religion mag überraschen, wenn es sich dabei um Marx handelt,* aber Simone Weil weist hier wie an anderen Stellen nach, daß der von Darwin herkommende Fortschrittsglaube bei Marx und im ganzen 19. Jahrhundert kein Ergebnis exakten Denkens, sondern eben der Bodensatz des Glaubens ist. *Übrigens bezeugt das sogar das Vokabular von Marx, da es quasi-mystische Ausdrücke enthält wie «die geschichtliche Mission des Proletariats». Diese Religion der Produktionskräfte, in deren Namen Generationen von Unternehmern die arbeitenden Massen ohne die geringsten Gewissensbisse ausgesogen haben, begründet gleichermaßen einen Faktor der Unterdrückung innerhalb der sozialistischen Bewegung; alle Religionen machen aus dem Menschen ein bloßes Werkzeug der Vorsehung, und auch der Sozialismus unterstellt den Menschen dem Dienst am historischen Fortschritt, das heißt, am Fortschritt der Produktion. Deshalb – wie sehr auch das Andenken Marx' durch den Kult beleidigt wird, den die Unterdrücker im heutigen Rußland ihm widmen, so ist doch diese Schmach nicht gänzlich unverdient.*[257]

Jahre später und lange nachdem sie die *necessité du travail* [die Notwendigkeit der Arbeit] am eigenen Leib erfahren, hat das leibhaftige Unglück wie ein Scheidewasser auch auf Simone Weils eigene gesellschaftliche Vorstellungen gewirkt. Aus der genauen Kenntnis der *condition ouvrière* kann sie nun das Unheil benennen, das der Marxismus gerade für die Arbeiter mit sich bringen muß. *Die revolutionären Gefühle entspringen in der Mehrzahl der Auflehnung gegen die Ungerechtigkeit,* und *als Aufstand gegen die soziale Ungerechtigkeit ist auch die Idee der Revolution gut und gesund. Als Auflehnung gegen das Unglück, welches gerade den Lebensbedingungen der Arbeiter eigentümlich ist, ist sie,* die Revolution, *ein Betrug. Denn keine Revolution wird dieses Unglück abschaffen. Aber dieser Betrug hat die nachhaltigste Wirkung, denn dies wesensbedingte Unglück wird lebhafter, tiefer, schmerzlicher empfunden als die Ungerechtigkeit selbst. Für gewöhnlich wird übrigens beides vermengt. Der Name Opium des Volkes, den Marx der Religion anhängt, konnte auf diese passen in einer Zeit, als sie sich selbst verleugnete, aber dem Wesen nach paßt er auf die Revolution. Die Hoffnung auf die Revolution ist immer ein Rauschmittel. Denn die Revolution befriedigt zugleich das Bedürfnis nach Abenteuer als demjenigen, was der Notwendigkeit – dem Gesetz der Arbeit, wie wir uns erinnern – am meisten entgegengesetzt und eben auch nur eine Reaktion auf dasselbe Unglück ist*[258].

So weit ging Aschenbrödel 1941. In der schon erwähnten Schrift *Y a-t-il une doctrine marxiste?*, die 1943 bei ihrem Tode unvollendet liegenblieb, tut sie noch einen Schritt weiter. *Viele Leute erklären sich entweder als Gegner oder als Verfechter oder als gemäßigte Anhänger der marxistischen Lehre. Man denkt überhaupt nicht daran, sich zu fragen: hatte Marx denn eine Lehre? Man ist außerstande, sich vorzustellen, eine Sache, die so viel Widerspruch erregt hat, könne gar nicht existieren. Dennoch ist das häufig der Fall. Die Frage ist der Mühe wert, gestellt und untersucht zu werden. Nach aufmerksamer Prüfung wird vielleicht Anlaß sein, sie negativ zu be-antworten.*[259] Und kein Zweifel, daß dies Simone Weils Absicht war. Marx werde fälschlich für einen Materialisten gehalten, sagt sie; er sei es jedenfalls nicht immer gewesen. Anfangs sei es ihm, in Geistesverwandtschaft zu Proudhon, um *eine Philosophie der Arbeit gegangen, und eine Philosophie der Arbeit ist nicht materialistisch.* Aber der junge Marx habe *nicht einmal den Entwurf eines Entwurfs begonnen,* und also bleibe eine solche Philosophie erst noch zu schaffen. *Vielleicht ist sie unentbehrlich. Sie ist vielleicht ganz besonders eine Aufgabe dieser Epoche jetzt. Verschiedene Zeichen weisen darauf hin, daß sich im vergangenen Jahrhundert ein Embryo dazu vorbereitete. Aber aus ihm ist nichts geworden. Vielleicht blieb diese Schöpfung unserem Jahrhundert vorbehalten.*

Marx wurde bereits in seiner Jugend durch einen Zwischenfall aufgehalten, der im 19. Jahrhundert sehr häufig war; er hat sich selbst ernst genommen. Er wurde von einer Art messianischer Wunschvorstellung ergriffen, die ihn glauben machte, ihm sei eine entscheidende Rolle für das Heil der menschlichen Gattung zugeteilt. Von da an konnte er seine Denkfähigkeit im vollen Umfange nicht mehr aufrechterhalten.[260] So kommt sie dazu, Marx allen Ernstes der Götzendienerei zu beschuldigen. *Sein Götzendienst hatte die Gesellschaft der Zukunft zum Gegenstand; aber wie jeder Götzendiener ein gegenwärtiges Objekt braucht, so übertrug er seine Verehrung auf die Gruppe der Gesellschaft, von der er glaubte, sie sei im Begriff, die erwartete Umwandlung herbeizuführen, nämlich auf das Proletariat.*[261] Mag die Sainte Simone der Fabrikhöfe diesen Glauben auch zeitweise geteilt haben – in London, als sie dies schrieb, tat sie es offenbar nicht mehr. So scharfsinnig sie aber auch auseinandernahm, was allgemein als marxistische Lehre galt, ließ sie doch stets erkennen, daß Marx selbst da, wo der Respekt endete, immer noch ihre Sympathie besaß. *Wohlverstanden, es ist nicht so, daß Marx je die Absicht gehabt hätte, das Publikum zu betrügen. Das Publikum, das betrogen zu werden verlangte, damit es leben konnte, war er selbst.*[262] Unter der Hand zerpflückte Aschenputtel den «utopischen Sozialismus», den marxistischen Wissenschaftsbegriff und die *Zwangsvorstellung des Fortschritts.* Dieser *atheistische Gedanke par excellence* erregte ernstlich ihren Zorn, da er voraussetzte, *das Mittelmäßige könne aus sich selbst das Vortreffliche erzeugen*[263]. Dennoch, sagt sie, war Marx *genialer Ideen fähig. In seinem Werk gibt es haltbare, unabänderliche Bruchstücke von Wahrheit,* und diese sind *nicht allein vereinbar mit dem Christentum, sondern ihm unendlich kostbar. Sie müssen Marx angerechnet werden. Das ist um so leichter, weil das, was heute Marxismus genannt wird, das heißt das geläufige Denken, das sich auf Marx beruft, nicht den mindesten Gebrauch davon macht. Die Wahrheit anzurühren, ist zu gefährlich. Sie ist ein Sprengstoff.*[264]

Marx habe als *erster* und *wahrscheinlich einziger – denn man hat seine Untersuchungen nicht fortgesetzt – den zwiefachen Gedanken*

Lenin, dessen Buch über «Materialismus und Empiriokritizismus» Simone Weil in der «Critique sociale» vom November 1933 rezensiert hat

Die Bolschewisten, «Trotzki eingeschlossen, behandeln die demokratischen Ideen mit souveräner Verachtung»

gehabt, die Gesellschaft als einen fundamentalen menschlichen Tatbestand anzunehmen und in ihr – wie der Physiker in der Materie – die Kräfteverhältnisse zu studieren. Hier haben wir die Idee eines Genies... Es ist keine Doktrin. Es ist ein Instrument des Studiums, der Untersuchung, der Erforschung und vielleicht des Aufbaus für jede Doktrin, die nicht riskieren will, bei der Berührung mit der Wahrheit in Staub zu zerfallen.[265]

Das Fragment steht am Schluß des Bandes *Oppression et liberté*, worin Simone Weils Schriften der Auseinandersetzung mit dem Marxismus-Leninismus gesammelt worden sind und dem man als nächstem, nach der *Einwurzelung*, eine deutsche Ausgabe dringend wünscht. Das Manuskript brach mit dem Satz ab: *Marx hat eine Wahrheit gefühlt, eine essentielle Wahrheit, als er begriff, daß der Mensch die Gerechtigkeit nur wahrnimmt, wenn er sie hat...*[266]

Gerechtigkeit – δικαιοσύνη – auch Simone Weils Auseinandersetzung mit dem Marxismus geschieht unter diesem Zeichen, und erst recht ihre Anwaltschaft, ihre Stellvertretung für die Ausgebeuteten und Unterdrückten. Die Stimme der Unmündigen will sie sein, und auch die Unmündigen selber sollen die Stimme hören und verstehen. *On ne vous demande que des pièces, on ne vous donne que des sous* – man braucht euch nur stückweise, man gibt euch nur Pfennige. So ähnlich steht es im kommunistischen Manifest. *Diese Situation*

87

lastet euch manchmal auf der Seele, nicht wahr? Sie gibt euch manchmal das Gefühl, eine bloße Maschine zu sein, die produzieren muß.
Das sind eben die Bedingungen der Fabrikarbeit. Daran ist niemand
schuld...[267] Dieser Appell, der die, an welche er gerichtet war,
nicht erreichte, klingt anders, resignierter als 1931 ihr Artikel in
«L'Effort», wo sie noch die Arbeiter mit Enthusiasmus dazu auffor-
derte, *das ganze Erbe der früheren Generationen, vor allem das Erbe
der menschlichen Kultur in Besitz zu nehmen. Denn diese Besitzergreifung, das ist die wahre Revolution* [268]. Dies war eine Kampfan-
sage an den «Machiavellismus» Pascals oder des zeitgenössischen
Bildungsbürgertums. Fünf Jahre später, unter der bedrückenden Erfahrung des Fabriklebens, will es fast scheinen, als glaube sie nicht
mehr an eine solche, ihre eigenste Konzeption von der *révolution
prolétarienne* als einer Eroberung der menschlichen Kultur durch den
vierten Stand. Der Gerechtigkeit halber gibt sie zu, daß *die Arbeiter*
bis zu einem Grade *ihr Los verdienen*, denn wer habe *in der Zeit
der hohen Löhne den Mut gehabt*, ihre Sache mit Nachdruck zu vertreten? *Man wahrt seine Rechte nur dann, wenn man imstande ist,
sie auszuüben, wie es sich gehört.*[269] *Nur die Verantwortung ist
kollektiv*, meint sie, aber *das Leiden individuell*[270]. *Nur wenn ich
daran denke, daß die großen Bolschewistenführer (les grands chefs
bolchéviks) vorgaben, sie wollten eine freie Arbeiterklasse schaffen,
und daß zweifellos keiner von ihnen – Trotzki gewiß nicht und Lenin,
glaube ich, ebensowenig – jemals seinen Fuß in eine Fabrik gesetzt
hat und folglich auch nicht die leiseste Idee hatte von den realen
Bedingungen, die für die Arbeiter über Knechtschaft oder Freiheit
entscheiden – dann kommt mir die Politik wie eine finstere Posse
vor.*[271] Ist dieser Brief wirklich in demselben Jahr 1934 geschrieben
wie der große Essay über die *Ursachen von Freiheit und Unterdrük-
kung*? Und wie steht es nun mit Spinoza: nicht lachen, nicht weinen,
sich nicht entrüsten?

Brechts Heilsarmeesoldatin Johanna wäre gewiß außerstande, sich
nach Spinoza zu richten. Aber hat Simone Weil jemals im Sinne der
«schwarzen Strohhüte» für Gott «die Trommel» gerührt, um ihn
«wiedereinzuführen zu der untersten Rettung»[272] als *übernatürliches Heilmittel* gewissermaßen *gegen das Leiden*[273]? Zu einer Johanna Dark fehlte ihr die Einfalt und die mit Einfalt gelegentlich
verbundene Anmaßung: Wenn die letzten Worte der von Enttäuschung erschöpften Johanna Dark, bevor sie auf offener Bühne stirbt,
ein Aufruf zur Gewalt sind und eine erbitterte Absage an Gott und
alle, die sich noch weiter an ihn halten wollen – «Darum, wer unten
sagt, daß es einen Gott gibt / Und kann sein unsichtbar und hülfe
ihnen doch / Den soll man mit dem Kopf auf das Pflaster schlagen /
Bis er verreckt ist...»[274] – so erweist sich, daß der innere Weg, den
Simone Weil in den 34 Jahren ihres Lebens zurückgelegt hat, in um-
gekehrter Richtung verlief, nämlich, auf eine kurze Formel gebracht,
vom *Atheismus* durch *Unglück* zur *Gottesliebe*. Das ist komplizierter
und weniger bühnenwirksam.

Antigone (links). Ampulische Amphora.
Mitte des 4. Jahrhunderts v. Chr. Slg. Jatta, Ruvo

Indessen gibt es eine Bühnenfigur, mit der man die «rote Jung-frau» Rechtens vergleichen würde, nachdem sie es in halbem Scherz zuweilen selber tat: auch sie eine jugendliche Rebellin gegen die Un-terdrückung und für die Gerechtigkeit, hat sie von Sophokles über Hölderlin und die modernen Franzosen bis hin zu Brecht und dem «Living Theatre» den Dichtern wie dem Publikum ans Herz gerührt; Simone Weil beruft sich mehrfach auf sie und verfaßt 1936 für die Fabrikzeitung der Hüttenwerke von Rosières eigens eine kleine Schrift über diese ihre Lieblingsgestalt: *Antigone*[275]. Der Aufsatz ist in der Absicht geschrieben, er solle *jedermann eingehen*, an die Seele *rühren, vom Direktor bis zum letzten Hilfsarbeiter*[276]. Zwar hat Antigone nichts von einer moralischen Fabel für kluge Kinder. Sie ist *ein menschliches Wesen, das ganz allein, ohne Hilfe, Wider-stand leistet gegen sein eigenes Land, gegen die Gesetze seines Lan-des, gegen das Staatsoberhaupt*[277], *ein vollkommen reines, völlig unschuldiges Wesen, das sich freiwillig dem Tod ausliefert, um einen schuldverstrickten Bruder vor einem unglücklichen Schicksal in der anderen Welt zu bewahren*[278]. Simone Weil *hofft*, man werde *nicht so weit gehen, Sophokles subversiv zu finden*; aber natürlich hat man Antigone seit je zur Patronin des Aufruhrs gegen die Staatsge-walt erklärt. Freilich konnte nur *Verwirrung das ungeschriebene Ge-setz Antigones mit dem Naturrecht gleichsetzen*. Kreon sah in ihrem Tun nichts Natürliches. *Er hielt sie für verrückt.*[279] War es die glei-che *folie d'amour*, die Simone Weil selbst beseelte? Auch sie ver-

tritt der Gesellschaft oder der Gewalt gegenüber nicht ein «Naturrecht» des Menschen, sondern seine Verpflichtung gegen die übernatürliche *Gerechtigkeit* des *bien absolu*. Das *Gleichgewicht* ist für sie das Mittel, der Gewalt zu begegnen, sie zu *vernichten* und *aufzuheben*: *weiß man, wodurch das Gleichgewicht in der Gesellschaft gestört ist, so muß man sein möglichstes tun, um der zu leichten Schale ein Gewicht hinzuzufügen. Auch wenn das Gewicht das Böse ist, so mag es, wenn man es in dieser Absicht handhabt, dennoch vielleicht gelingen, sich nicht zu beflecken. Aber man muß das Gleichgewicht erfaßt haben und immer bereit sein, sich auf die Gegenseite zu schlagen, wie die Gerechtigkeit, «diese Flüchtlingin aus dem Lager des Siegers».*[280]

Von hier aus läßt sich verstehen, daß die erklärte Pazifistin Simone Weil im Sommer 1936 nach Spanien ausrückt, um – unter dem Gelächter der ehemaligen «Normaliens» – mit der Waffe in der Hand auf seiten der Republikaner zu kämpfen, in deren Lager sich Russen und Franzosen, deutsche Emigranten und amerikanische Intellektuelle treffen, die junge Linke Europas und Amerikas. Es ist nicht «*das Lager des Siegers*», und trotzdem zweifelt Antigone sehr bald, daß es der Aufenthalt der Gerechtigkeit sei. Nach knapp zwei Monaten setzt ein Unfall – Verbrühung durch siedendes Öl – sie außer Gefecht. Aber sie hat bereits genug gelernt, zum Beispiel, daß man *der Angst zu töten* und

Wiedersehen in Sitges bei Barcelona nach Simones Verletzung durch siedendes Öl: Mutter und Tochter

der Lust zu töten gleichermaßen widerstehen muß. Sie hatte gesehen, daß *die Verbrechen in Spanien tatsächlich begangen wurden* und dennoch *gewöhnlichen Prahlereien glichen. Wirklichkeiten, die nicht mehr Dimensionen haben als der Traum. Flach.*[281] Aus einer gerechten Revolution, aus einem Bürgerkrieg *der hungernden Bauern gegen die Grundbesitzer und einen Klerus, der mit diesen gemeinsame Sache macht*[281], war ein Tauziehen zwischen Deutschland und Rußland, zwischen Faschismus und Bolschewismus geworden, eine Art von blutigem Manöver auf Kosten des spanischen Volkes, um Kräfteverhältnisse und Gewinnchancen eines zukünftigen Krieges auszuprobieren. *Eine solche Atmosphäre macht das Ziel des Kampfes augenblicklich zunichte.* Denn eine Zielsetzung ist nur *möglich*, wo das *öffentliche* oder das *individuelle Wohl in Frage steht* – aber hier hat der Mensch keinen Wert[282].

Nach sorgenvollem Warten auf Nachricht holen endlich die Eltern Weil ihr Kind aus dem spanischen Lazarett nach Hause. Erst im Oktober 1937 ist die Bürgerkriegerin so weit genesen, daß sie in Saint-Quentin den Unterricht wieder aufnehmen kann. Wäre sie sonst an die spanische Front zurückgekehrt? Wohl nicht, denn *freiwillig* war sie in diesen Krieg gegangen, *voll Opferbereitschaft* wie viele ihresgleichen, um dann in *einen Söldnerkrieg, grausamer als andere,* zu geraten. Sie empfand nun *keine innere Notwendigkeit mehr,* nach Spanien zurückzukehren.[282] Später gesteht sie der Freundin Simone Deitz: *Mein Unfall in Spanien war mein Glück.*[283]

Aber immer wieder wird Simone Weil sich vor solche Entscheidungen gestellt finden und immer wieder der Partei der Schwächeren beitreten: der deutschen Flüchtlinge gegen die Gewerkschaftskameraden, der leidenden Heimat gegen den Sieger, sogar der Kollaborateure gegen die triumphierende Résistance – wenn sie das Kriegsende erlebt hätte. Denn keineswegs war sie, wie Richard Rees meint, eine glühende Patriotin, sondern *aus Mitleid mit der geschlagenen Heimat* wollte sie im Untergrund gegen Unterdrückung und Gewalt kämpfen; aus Mitleid und um der *Gerechtigkeit* willen hungerte sie in London mit den hungernden Franzosen. Immer ging es dabei um das *Gleichgewicht,* die Bereitschaft, *sich auf die Gegenseite zu schlagen.* Das ist der Grund, weshalb keine weltanschauliche Richtung, keine politische Gruppe, keine Partei Simone Weil für sich in Anspruch nehmen kann. Sie wird immer ihr volles Gewicht *der leichteren Waagschale* beisteuern, um mit ihrer zerbrechlichen Person die Ungerechtigkeit der Welt aufzuwiegen.

Wo auch immer, wird die «Vierge rouge» der Gewalt die Stirn bieten, und wenn sich herausstellen sollte, daß «Gott» irgendwann tatsächlich «bei den stärkeren Bataillonen» wäre, dann würde sie – *toujours Antigone*[284] – auch noch gegen diesen Gott zum Widerstand aufrufen, und zwar mit der Begründung, daß dieser Gott nicht der wahre sein könne, sondern allenfalls ein Götze.

Contrepoids de l'univers – Flucht *aus dem Lager des Siegers*: die Spannung bleibt ein Leben lang auszuhalten und muß sich proportional zum Gewicht der Ereignisse verstärken. Was für eine Vitalität hätte das sein müssen, die nach einem Menschenalter unter solcher Spannung nicht aufgezehrt gewesen wäre?

ALLEIN GEGEN THEBEN

«DAS GROSSE TIER»

> «Faulheit und Feigheit sind die Ursachen,
> warum ein so großer Teil der Menschen –
> naturaliter maiorennes – dennoch gerne
> zeitlebens unmündig bleiben; und warum
> es anderen so leicht wird, sich zu deren
> Vormündern aufzuwerfen. Es ist so bequem,
> unmündig zu sein ... Ich habe nicht nötig
> zu denken ... andere werden das verdrieß-
> liche Geschäft schon für mich übernehmen.»
>
> Kant

> «Der Mensch denkt in Einsamkeit und
> Stille. Sobald die Menschen in Gesellschaft
> denken, wird alles mittelmäßig.»
>
> Alain

> *Es gibt kein kollektives Denken ...*[285]

> *Le diable est chez lui dans la matière so-
> ciale.*[286] [Der Teufel ist bei der Masse
> Mensch zu Hause.]

Wir erinnern uns, daß Alain Macht mit ihrem Mißbrauch gleichsetzte. Simone Weil ist vorsichtiger, wenn sie von einer *natürlichen Neigung des Kollektivs* zum Machtmißbrauch spricht.[287] Allerdings wird auch nach ihrer Erfahrung diese Neigung fast unweigerlich in Praxis umgesetzt. Schon zu Anfang des Jahrhunderts machte Rosa Luxemburg Lenin den Vorwurf, daß er nicht die «Diktatur des Proletariats» vorbereite, sondern die Diktatur ü b e r das Proletariat. In *Condition première d'un travail non servile*[288] (Marseille 1941) schreibt Simone Weil, daß zwar *das revolutionäre Gefühl bei der Mehrzahl die Auflehnung gegen die Ungerechtigkeit* sei, doch *wird es schnell bei den meisten, wie auch im historischen Fortgang, zu einem Imperialismus der Arbeiterschaft, der dem nationalen Imperialismus vollkommen gleicht. Denn er hat die völlig unumschränkte Herrschaft einer bestimmten Gruppe über die ganze Menschheit und über alle Bereiche des menschlichen Lebens zum Ziel*[289].

Der *impérialisme ouvrier* als Ziel der Revolution ist nach Simone Weil nicht nur ein illusorischer Wunschtraum, sondern geradezu ein Mittel des Betrugs an den Arbeitern und der Herrschaft über sie. In Wirklichkeit ist, *ob Kaste oder Klasse, die Bürokratie der neue und beherrschende Faktor im sozialen Kampf;* sie hat, *in der UdSSR, die Diktatur des Proletariats umgemodelt in eine durch sie,* die Bürokratie *selbst, ausgeübte Diktatur und dirigiert seitdem die revolutionären Arbeiter der ganzen Welt. Aber* – fragt Simone Weil – *ist es überhaupt möglich, die Arbeiter irgendeines Landes zu organisieren, ohne*

Immanuel Kant. Kupferstich von F. S. Bause nach V. H. Schnorr von Carolsfeld, 1791

daß diese Organisation wieder eine Bürokratie absondert? [290] In diesem speziellen Fall 1932/33 ging es um das vergebliche Streben nach einer Einheitsfront der Linken (SPD und KPD) im Kampf gegen Hitler. Als die kommunistische Internationale schließlich das Angebot der Sozialdemokraten annahm, war es für Deutschland zu spät; Hitlers Machtergreifung hatte bereits stattgefunden.

Den Gewerkschaften galt einmal Simone Weils Hoffnung, ihre Sympathie. Doch nicht allein die staatliche Macht ist *mehr und mehr in einem bürokratischen Apparat konzentriert. Auch die Arbeiterbewegung ist schließlich in der Gewalt einer Gewerkschaftsbürokratie,* welche denen des Staates und der Industrie zum Verwechseln gleicht. Das Ende ist dann die autarke *Planwirtschaft, die von dieser dreifachen, in einem einzigen Apparat zusammengefaßten Bürokratie dirigiert wird – genau das Programm des Faschismus, mit dem Unterschied, daß der Faschismus den Gewerkschaftsapparat zerschlägt...*[291] *Aber eben der Exzeß der Zentralisierung selbst schwächt die zentrale Gewalt. Eines schönen Tages... wird alles in Anarchie zusammenbrechen, und es wird eine Rückkehr zu fast primitiven Formen des Existenzkampfes geben...*[292] Dann, glaubt sie, sei der Augenblick gekommen, eine neue und humanere Ordnung zu begründen, die man einstweilen vorbereiten müsse, zumal auch der Kapitalismus an dem Punkt angelangt sei, wo er *seine Entwicklung durch unüberschreitbare Grenzen aufgehalten sieht;* man befinde sich jedenfalls *in einer Periode des Übergangs; aber Übergang wohin?*[293]

Der Feind des Menschen und eines menschenwürdigen Lebens ist weder der westliche Kapitalismus noch der zunehmende Imperialismus des Landes, das den Titel eines Arbeiterparadieses für sich beansprucht, es sind weder die Gruppen der rechten oder linken Parteiführungen noch jene des Industriemanagements, für sich genommen. Was dahintersteckt ist der unselige Zwangscharakter, den jedes Kollektiv notwendig in sich trägt oder mit der Zeit erzeugt und aufrechterhält. Marx war nicht der erste, der eine *matière sociale* als Realität angenommen hat. *Einen Mechanismus der sozialen Beziehungen herauszuarbeiten, war höchstwahrscheinlich auch die eigentliche Ab-*

94

sicht Machiavells, der ein großer Geist war. Aber sehr viel früher er-
kannte Platon die Realität der sozialen Notwendigkeit. Er wußte, daß
die matière sociale, der Stoff Gesellschaft, zwischen der Seele und dem
Guten (le bien) ein Hindernis bildet, welches unendlich viel schwerer
zu überwinden ist als das Fleisch im eigentlichen Sinne. Platon verglich
die Gesellschaft mit einem riesenhaften Tier, dem zu dienen die Men-
schen gezwungen sind und dessen Reflexe sie studieren, um daraus ihre
Überzeugungen, das Gute und das Böse betreffend, zu gewinnen [294].

Mit der Sonde dieser platonischen Definition prüft Simone Weil
ganz besonders jene Kollektive, von deren Zielen und Ideen sie sich
speziell angezogen findet. Die linken Parteien, auch die kommunistische, halten der Prüfung nicht stand, wie wir sahen; aber erst recht
die anderen nicht. *Eine politische Partei ist eine Maschine, mit der man*
kollektive Leidenschaft herstellt (fabriquer), eine Organisation, die
dazu geschaffen ist, einen kollektiven Druck auf das Denken jedes
einzelnen Menschen auszuüben, der Mitglied dieser Partei ist. Das
erste und, wenn man auf den Grund geht, einzige Ziel jeder politi-
schen Partei ist ihr eigenes Wachstum, und zwar ohne jede Ein-
schränkung. Also ist jede Partei in Ansatz und Zielsetzung totali-
tär . . .[295]

Fast wörtlich stimmt Simone Weil mit Kant überein: *nichts ist be-*
quemer als nicht zu denken [296]; die Parteidisziplin nimmt uns das
«verdrießliche Geschäft schon ab» (Kant), *Parteien werden sogar of-*
fiziell zu dem Zweck gegründet, in ihren Mitgliedern den Sinn für die
Wahrheit und die Gerechtigkeit abzutöten. Dazu dient vor allem die
Propaganda, die überreden soll, statt *Licht in eine Sache zu bringen*
(*communiquer de la lumière*), ein Mittel mehr, *die Geister zu un-*
terjochen [297]. *Wenn man dem Teufel die Organisation des öffentli-*
chen Lebens anvertraute, so könnte er sich nichts Genialeres einfal-
len lassen [298] als eben – politische Parteien.

Fast überall, selbst in der reinen Technik, hat die Gewohnheit,
Partei zu ergreifen, die Verpflichtung zum Denken ersetzt; und es ist
zweifelhaft, ob dieser, von der Politik aus sich überallhin verbreiten-
de *Aussatz* überhaupt *geheilt* werden kann, wenn man nicht mit der
Unterdrückung der politischen Parteien den Anfang macht [299]. Am
besten schafft man sie gänzlich ab! Was allerdings an ihre Stelle treten soll, bleibt fraglich. Das Rätesystem wird als Alternative nicht
einmal erwähnt; die Entwicklung in Rußland seit 1917, die lokalen
Zwischenakte während Deutschlands sogenannter Revolution, der
Anschauungsunterricht in Spanien scheinen es Simone Weil nicht
empfohlen zu haben. Sie fordert eine strikte Trennung von Wirtschaft
und Geistesleben; das eine soll nicht vom andern, beide sollen aber
von Staats wegen, und zwar streng, kontrolliert werden. Die Schärfe
der von Simone Weil dazu vorgeschlagenen Richtlinien und Verbote,
die Härte der Strafen würden einem autoritären Regime Ehre machen. Trotzdem bleiben Staat und Regierung ohne deutliche Kontur,
und die Frage, wie Macht erlangt, ausgeübt und begrenzt werden
soll, ohne detaillierte Antwort.

Schwebte der Sainte Simone eine Herrschaft der Philosophen nach Senecas Muster vor? Sein Risiko zu teilen, hätte sie keinen Augenblick gezögert; sie hielt es für obligatorisch. Fest stand für sie jedenfalls, daß die Demokratie – *unfähig, die Bildung einer Partei zu verhindern*, welche eben *die Demokratie zu beseitigen strebt* – außer in angelsächsischen Ländern unmöglich ist. *Erläßt sie Ausnahmegesetze, so beraubt sie sich selber ihrer Lebensluft. Erläßt sie keine, ist ihre Sicherheit so groß wie die eines Vogels vor einer Schlange* [300].

Wir haben den prinzipiell anarchischen Zug bei Simone Weil und seine Begründung im Auge zu behalten, sei es als allgemeines Kennzeichen kompromißabgeneigter Jugend, sei es als ein besonderes ihres Wesenstyps. Simone Weil ist Anarchistin, insofern sie die kollektiven Zwänge ablehnt und durch indivuelle Freiheit und individuelle Verantwortung abgelöst sehen möchte; daher der große Nachdruck auf die *prise de possession de la culture humaine*, die Besitzergreifung der menschlichen Kultur durch das Proletariat; daher ihr Einsatz in der Arbeiterbildung, die den vierten Stand für jene Doppelbestimmung zu Freiheit und Verantwortung erst heranziehen soll.

Descartes sagte, daß eine falschgehende Uhr keine Ausnahme von der Gesetzmäßigkeit der Uhr, sondern eine andere Sorte von Mechanismus darstelle, der seinen eigenen Gesetzen gehorche; ebenso muß man das stalinistische Regime betrachten, nicht als einen falschgehenden Arbeiterstaat, sondern als einen sozialen Mechanismus anderer Sorte. [301] Damit weist Simone Weil Trotzkis – auch in Deutschland aus dem Dritten Reich sattsam bekannte – Ausrede zurück, es handle sich bei Stalins (oder Hitlers) Regime nur um «déformations burocratiques»: um bürokratische Entgleisungen des «Arbeiterstaates», der «Diktatur des Proletariats».

Kritik und Ablehnung Simone Weils treffen nun aber keineswegs nur die Parteien, den staatlichen Imperialismus, die totalitären Diktaturen, sondern alle Erscheinungen des öffentlichen Lebens, sofern sie überindividuell und mit kollektiven Pressionen oder nur kollektiver Meinungsbildung einhergehen. So ist etwa *das Vaterland als ein Absolutum ... das durch das Böse nicht befleckt wird*, in ihren Augen *Unsinn*. *Vaterland* ist gleich *Nation*, und die *Nation ist ein Faktum*, aber *kein Absolutum*; ein Faktum neben mehreren, von denen jedes so einzigartig oder «heilig» ist wie die anderen. Vom *«Ewigen Frankreich» zu sprechen* ist daher *eine Art Gotteslästerung*. Richelieu bewies mehr Realismus. *Die Vorstellung einer von Gott als solche berufenen Nation gehört nur dem Alten Bunde an.* [302] Heroischer Patriotismus nach der Art Corneilles ist nur möglich, wenn mit dem Vaterland zugleich das Gute, die Wahrheit auf dem Spiele steht. Nie darf Patriotismus als Entschuldigung von Greuel und Grausamkeit herhalten.

Unser größeres und im letzten Grunde *einziges Vaterland ist das Universum.* In diesem Gedanken sieht Simone Weil den Inbegriff stoischer Weisheit. *Wir haben ein himmlisches Vaterland. Aber es ist gewissermaßen zu schwierig zu lieben, denn wir kennen es nicht. Da-*

her schmücken wir es mit *unserer Einbildung. Das macht jede Tugend leicht, aber auch ohne sonderlichen Wert. Laßt uns darum das hiesige Vaterland lieben! Es ist wirklich, es widersetzt sich der Liebe. Aber eben dieses hat Gott uns gegeben, damit wir es lieben. Es war sein Wille, daß diese Liebe schwierig und dennoch möglich sei.*[303] Vaterlandsliebe als eine Form der Nächstenliebe, eine Liebe trotz allem. *Aber eine Nation als solche kann nicht ein Gegenstand der übernatürlichen Liebe sein. Sie hat keine Seele. Sie ist ein Großes Tier* [304], und als Gegenstand falscher Verehrung ein Götze, der schließlich Menschenopfer fordert. Zu Opfern werden die Minderheiten im Land, die Sklaven, die Besiegten, die Kolonien. Wo es nicht zur Ausrottung des besiegten Volkes kommt, da wird wenigstens seine Kultur vernichtet. Selbst Platon, der so hoch Verehrte, erscheint in diesem Zusammenhang nur in der Rolle eines Vorläufers, da sein Staatskonzept noch den Stand von Sklaven voraussetzt, welche die niedere Arbeit tun.

Man hat das Altertum oft beschuldigt, daß es keine anderen Werte als die kollektiven anzuerkennen vermocht habe. In Wirklichkeit ist dieser Fehler nur von den Römern, die Atheisten waren, und von den Hebräern begangen worden; und von diesen nur bis zur babylonischen Gefangenschaft. Wenn wir aber Unrecht haben, diesen Irrtum dem vorchristlichen Altertum zuzuschreiben, so haben wir nicht minder Unrecht, uns der Erkenntnis zu verschließen, daß wir ihn, diesen Irrtum, fortwährend begehen, verdorben wie wir sind durch die doppelte römische und hebräische Überlieferung, die in uns nur allzu oft mächtiger ist als der reine Geist des Christentums.[305]

Hier ist zu fragen, ob nicht Simone Weil die Akzente verschiebt oder mißversteht, welche durch den historischen Fortgang gesetzt werden. Warum wirkt in *einer christlichen Seele die heidnische Tugend des Patriotismus zersetzend? Weil sie ungetauft von Rom in unsere Hände überging* [306]? Können Kollektive als solche die Taufe empfangen? Und gar Kollektiv-Gefühle, stets bereit, in Kollektiv-Zwänge auszuarten? Das «unauslöschliche Siegel» der Taufe im Namen Christi gilt der Person, dem Einzelnen, und verlangt immerfort individuelle Entscheidung. Müßte also nach christlicher Geschichtsauffassung Patriotismus nicht als Relikt der Vergangenheit, als entbehrlich, als unmodern abgebaut werden? Vergessen wir nicht, daß auch Simone Weil selbst, trotz ihrer leidenschaftlichen Hinwendung zum Kreuz, ungetauft blieb; das hatte Konsequenzen.

Simone Weil unterscheidet den römischen Rechtsbegriff von der Gerechtigkeit (δικαιοσύνη) der griechischen Denker. Diese ist christlich, jener nicht: *Daß Franz von Assisi vom Recht spräche, ist nicht vorstellbar.*[307] Freilich nimmt jedes herrschende Kollektiv für sich Gerechtigkeit in Anspruch, und *da jeder sich der Gerechtigkeit hinreichend fähig glaubt, so glaubt er auch, daß ein System, worin er die Macht hätte, gerecht genug wäre. Das ist die Versuchung, in die der Teufel Christus führte. Die Menschen erliegen ihr fortwährend.*[308]

Es fällt auf, daß trotz solch gelegentlicher Zitierung des Satans der kafkaesk irrationale, der gespenstische oder dämonische Aspekt der

Hitler. München 1938. Die politischen Zustände Deutschlands sowie «Der Ursprung des Hitlerismus» haben Simone Weil mehrfach beschäftigt: «Die Analogie zwischen Hitlers System und dem antiken Rom ist so frappant, daß man meinen könnte, seit zweitausend Jahren sei allein Hitler imstande gewesen, die Römer genau nachzuahmen»

totalen Bürokratie, bewußt oder unbewußt, ausgespart bleibt; und fast mutet es als Lücke an, daß Simone Weil sich in diesem Zusammenhang nicht auf Kafka beruft.

Das Fleisch treibt uns, «ich» zu sagen, und der Teufel treibt uns, «wir» zu sagen; oder auch, wie Diktatoren, «ich» mit einer kollektiven Bedeutung. Seiner Sendung gemäß erfindet der Teufel eine schlechte Nachahmung, einen «ersatz»[309] des Göttlichen[310]. Freilich ist das Abrücken vom «ich», der Verzicht auf Egoismus das Ziel, geradezu das «Handwerk» des Heiligen. Die Vollkommenheit ist unpersönlich. Die Person ist dasjenige, was in uns am Irrtum und an der Sünde teilhat. Die große Anstrengung der Mystiker war immer darauf gerichtet, zu erreichen, daß es in ihrer Seele keinen Teil mehr gebe, der «ich» sagte. Aber der Teil der Seele, der «wir» sagt, ist noch unendlich viel gefährlicher.[311] Denn die Menschen sind schwach, nur im Kollektiv fühlen sie sich sicher und mächtig, wenngleich auf Borg, und fügen sich darum ohne Widerstand der Herrschaft des *großen Tieres: Heutzutage (1943) kann höchstens die bedingungslose Anhängerschaft an ein braunes,* rotes oder andersartiges totalitäres System dem Menschen noch eine sogenannt solide Illusion seiner inneren Einheit verleihen. Darum stellt auch solche Gefolgschaft eine so starke Versuchung für so viele verwirrte Seelen dar [312]. Die Konsequenzen einer «bedingungslosen Gefolgschaft» kennen wir nur zu gut.

Das Tier der Apokalypse ist die Schwester des großen Tiers bei Platon [313]. Was wir Recht und Sitte nennen, ist nur wenig oberhalb der nackten Gewalt und bezieht sich auf die Gebräuche des kollektiven Tiers ... solange dieses noch Spuren einer Dressur bewahrt, welche ihm durch die übernatürliche Einwirkung der Gnade auferlegt worden ist. Ohne die weitere Einwirkung der Gnade werden diese Sitten zu bloßen Überbleibseln und sind den Launen des Tiers unterworfen ... Der Begriff des Rechts, eines von diesen Überbleibseln, ist heidnisch und kann nicht getauft werden, ist non baptisable. Den Römern diente er zur Propaganda, denn sie hatten wie Hitler begriffen, daß die Gewalt nur dann voll wirksam wird, wenn sie sich mit irgendwelchen Ideen kostümiert [314]. Obgleich das römische Reich das Christentum zur Staatsreligion erhob, hat eine Verschmelzung zwischen dem Geist Roms und dem Geiste Christi niemals stattgefunden. Die Barbaren schienen für das Christentum viel eher prädestiniert: ihr spirituelles Erbe hat sich mit dem Geiste des Christentums vermischt, um dieses einzigartige, unwiederholbare, völlig homogene Werk hervorzubringen, das man das Rittertum genannt hat ... Die Renaissance war zuerst eine Wiederauferstehung des griechischen, hernach des römischen Geistes. Und erst während dieser zweiten Phase hat sie auf das Christentum zersetzend gewirkt; denn im Verlauf dieser zweiten Phase wurde der moderne Nationalismus, die moderne Form des Patriotismus geboren. [315] Nachdem kollektives Denken und Handeln der Gerechtigkeit prinzipiell unfähig sind, wurden im Namen des großen Tiers kollektive Verbrechen begangen: die Kolonisierung fremder Völker durch Römer und Franzosen; die Versklavung der Neger in Nordamerika; überhaupt die Herrschaft von Klassen über andere Klassen, von Gruppen über andere Gruppen. Das gilt für den totalitären Faschismus ebenso wie für den totalitären Kommunismus, für den liberalen Kapitalismus wie für den gemäßigten Sozialismus. Und es gilt keineswegs nur in der Politik, sondern überall da, wo Gewissenszwang ausgeübt, wo an Stelle des verantwortlichen Individuums eine Institution das Denken übernommen hat. Darum sind diejenigen Institutionen die besten, die am wenigsten lügen [316]. Das große Tier fordert aber die Pharisäertugend der Rechtgläubigkeit, des unbedingten Gehorsams gegen das große Tier [317]. Rom: das atheistische, materialistische große Tier, das nur sich selbst anbetet. Israel, das religiöse große Tier. Keines von beiden ist liebenswert. Das große Tier ist immer abstoßend. [318]

Dies ist eine von vielen Belegstellen für die Abneigung Simone Weils gegen das antike Rom und das antike Israel, deren Fehler und Schwächen sie mit der gleichen Strenge und Unduldsamkeit verfolgt, mit welcher die Propheten des Alten Bundes die Kinder Israel mahn-

*Marc Aurel, stoischer Philosoph auf dem Kaiserthron
und «Mitbürger aller Menschen». Reiterstatue, Ende
2. Jahrhundert n. Chr. Rom, Kapitol*

ten, schalten, straften. Folgerichtig sind es nur die Propheten und wenige andere Bücher des Alten Testamentes, die sie von ihrer pauschalen Verachtung der Hebräer ausnimmt; und kaum ein Römer außer Marc Aurel findet vor ihren Augen Gnade. Man hat Simone Weil – wie übrigens auch Marx – des Antisemitismus beschuldigt, und aus einem Vergleich, etwa mit der gelassenen, mehr als bloß toleranten Interpretation des Alten Testamentes durch den Aufklärer Lessing [319], könnte Simone Weil wohl mit dem Etikett einer «Rassistin» hervorgehen. Auffallend ist immerhin, daß sie sich – sehr im Gegensatz etwa zu Edith Stein und trotz ihrer eigenen stoischen Opferbereitschaft – selbst in der Zeit der Verfolgung im besetzten Frankreich nicht mit den Juden solidarisiert. In jedem anderen Fall hätte eine von totaler Ausrottung bedrohte Minorität die «Sainte Simone» zu heftigster Verteidigung auf den Plan gerufen. Statt dessen schreibt sie – im November 1940 an den Unterrichtsminister und im Oktober 1941 an den Kommissar für Judenfragen – zwei Briefe, in denen sie sich als von den Arierbestimmungen nicht betroffen erklärt. Doch sind diese Briefe voll beißender Ironie deutlich als Provokation gemeint. Gerade sie definieren besonders einleuchtend die wahre Natur von Simone Weils «Antisemitismus»; und auch sonst sprechen alle Anzeichen dagegen, daß es eine Rassenfrage für sie überhaupt gegeben hat. Sie glaubte einfach nicht an «Rasse». Für sie zählten allein die Bande des Geistes, die des Blutes dagegen so gut wie gar nicht – in striktem Unterschied vom orthodoxen Judentum, für das die Blutsverwandtschaft eine so entscheidende Rolle spielt, auch und gerade in der Heilserwartung des auserwählten Volkes, dem Simone Weil just deshalb Nationalismus und Rassismus vorwarf. Denn *sie haben* als *Götzen* eine *Rasse*[320]. Simone Weil kennt und anerkennt, vielleicht sogar innerhalb der Familie, nur die Geistesverwandtschaft. Und so ist auch ihre Emanzipation vom Judentum einzig und allein eine Sache der geistigen Auseinandersetzung. Diese geschieht im Namen und unter dem Zeichen des Christentums, einer Theologie und Christologie, die in gewisser Weise ebenso revolutionär und anarchistisch sind wie die politischen Ideen Simone Weils.

Von allen Völkern des Altertums war vielleicht ein einziges ohne jede Mystik: Rom. Aus welchem geheimnisvollen Grunde? Ein künstlicher Staat von Vertriebenen wie Israel.[321] Hier ist, wohlgemerkt, nicht der militante Staat von 1948 gemeint, dessen Gründung Simone Weil ja nicht mehr miterlebt hat, sondern das auserwählte Volk der Wüstenwanderung. Ein Staatsgebilde ohne jenen mystischen Einschlag, welcher das Irdische für das Mitwirken des *bien absolu* offenhält, ist in Simone Weils Augen ein perfektes Exemplar der Gattung, die sie mit Platon «das große Tier» nennt. Gerade dieser Mangel ist es, den Israel und Rom zum Unglück der Christenheit in das institutionelle Christentum als Erbteil eingebracht haben. Daher sind für Simone Weil das antike und das kirchliche Rom, wenn nicht ein und dasselbe, so doch untergründig verbunden durch die Stränge derselben Genealogie. Simone Weils Kampf gegen das große Tier mündet folgerichtig in ihre Auseinandersetzung mit der katholischen Kirche, und je mehr sich das Bild und der Anruf des Christus bei Simone Weil als tragendes Element, als Urerlebnis realisieren, desto mehr wird auch diese Auseinandersetzung mit der Kirche in den letzten Lebensjahren zum zentralen Problem, zur wichtigsten Aufgabe.

Jeder weiß, daß ein wahrhaft vertrauliches Gespräch nur zu zweien oder dreien stattfindet. Schon wenn man zu fünfen oder sechsen ist, beginnt die Kollektivsprache vorzuherrschen. Daher ist es völlig widersinnig, die Worte: «Überall dort, wo zwei oder drei von euch in meinem Namen versammelt sind, bin ich mitten unter euch»[322] *auf die Kirche anzuwenden. Christus hat nicht gesagt: zweihundert oder fünfzig oder zehn. Er hat gesagt: zwei oder drei.* Diese Stelle aus dem vierten ihrer Abschiedsbriefe an Pater Perrin ist wohl der Hauptschlüssel zum Verständnis Simone Weils, und den Beweggrund ihrer Theologie müssen wir hier im Biographischen suchen. Es ist der Punkt, wo sich die Viten vieler Mystiker ähneln, sofern sie nämlich im Umgang mit dem Übersinnlichen Individualisten sind oder sein müssen. Schließen wir uns Martin Bubers Deutung an, die Sprache der Mystik sei dem Schweigen abgetrotzt, ein zaghafter Versuch von Mündigkeit jenseits des Verstummens, dann müssen wir erst recht Simone Weil zustimmen, *daß die Sprache des Marktes nicht die des Brautgemachs ist;* und auch diese Formulierung gehört der Sprache der Mystik. Bis ans Ende wird Simone Weil auf ihrem Standpunkt beharren: *... unsere wahre Würde besteht nicht darin, Teile eines Leibes, und wäre es ein mystischer, wäre er der Leib Christi, zu sein. Die Bedeutung, die man gegenwärtig dem Bilde des mystischen Leibes beimißt, zeigt, wie kläglich die Christen von außen kommenden Einflüssen erliegen. Gewiß ist es berauschend, ein Glied des mystischen Leibes Christi zu sein. Doch gibt es heute manchen mystischen Leib, dessen Haupt nicht Christus ist und der seinen Gliedern Berauschungen gleicher Art verschafft ...*

Solange es aus Gehorsam geschieht, tut es mir wohl, daß ich der Freude beraubt bin, dem mystischen Leibe Christi anzugehören. Denn wenn Gott mir nur helfen will, so werde ich bezeugen, daß man auch ohne diese Freude Christus getreu sein kann bis in den Tod.[323] Was hier, Pater Perrin gegenüber, ausgesprochen wird, ist ein Bekenntnis und ein Programm; das müssen wir sehr genau beherzigen. Simone Weil faßt damit für den Rest ihres Lebens, *bis in den Tod* nämlich – so wie vorher mit der *expérience de la vie d'usine*[324] –, einen weiteren Experimentalbeweis ins Auge, und wiederum im Selbstversuch. *Mir scheint, es ist nicht Gottes Wille, daß ich gegenwärtig in die Kirche eintrete.*[325] Denn *die sozialen Gefühle sind heute so übermächtig, sie sind derart imstande, die Menschen bis zum äußersten Grade des Heroismus im Leiden und Sterben zu erheben, daß ich es für gut erachte, wenn einige Schafe außerhalb des Stalles bleiben, um zu bezeugen, daß die Liebe zu Christus wesentlich etwas ganz anderes ist.*[323]

Es geht also um den Beweis, daß es möglich ist, Christ zu sein *außerhalb der Kirche.* Und wir werden noch sehen, wie schreckenerregend hoch für Simone Weil in dieser «Wette» der Einsatz ist.

Mancher, der ein Buch liest, murrt . . .

... wenn er Werbung findet, wo er Literatur suchte. Reklame in Büchern!!!? Warum nicht auch zwischen den Akten in Bayreuth oder neben den Gemälden in der Pinakothek?

«Rowohlts Idee mit der Zigarettenreklame im Buch (finde ich) gar nicht anfechtbar, vielmehr sehr modern. Hauptsache, es hat Erfolg und nützt dem Buch, was die deutsche Innerlichkeit dazu sagt, ist allmählich völlig gleichgültig, die will ihren Schlafrock und ihre Ruh und will ihre Kinder dußlig halten und verkriecht sich hinter Salbadern und Gepflegtheit und möchte das Geistige in den Formen eines Bridgeclubs halten – dagegen muß man angehen...»

Das schrieb Ende 1950 – Gottfried Benn.

«An Stelle der Zigarettenreklame» findet man nun in diesen Taschenbüchern Werbung für Pfandbriefe und Kommunalobligationen. «Hauptsache, es hat Erfolg und nützt dem Buch.» Und es nützt auch dem Leser. (Für die Jahreszinsen eines einzigen 100-Mark-Pfandbriefs kann man sich beispielsweise zwei Taschenbücher kaufen).

BRIEF AN EINEN ORDENSMANN

Vergleichende Erkenntnis der Religionen

«So ging ich zu den Göttern. Tausend Wege
führen dorthin.»

Alain

*Die Inkarnation des Christentums erfordert
eine harmonische Lösung des Problems der
Beziehungen zwischen Individuum und Kollektiv ... Genau diese Lösung ist es, wonach die Menschen heute dürsten.*[326]

*Das moderne Phänomen der Irreligiosität
des Volkes erklärt sich fast gänzlich aus der
Unvereinbarkeit von Wissenschaft und Religion ... Das Vorhandensein der Wissenschaft bewirkt, daß die Christen ein schlech-
tes Gewissen haben.*[327]

*Heutzutage (1942) ist die vergleichende Erkenntnis der Religionen
in Europa, und vielleicht in der Welt, so gut wie nicht vorhanden.
Man hat nicht einmal einen Begriff von der Möglichkeit einer solchen Erkenntnis.*[328] Diese Lücke zu schließen, macht einen erhebli-
chen Teil der Lebensarbeit Simone Weils, wenigstens in den letzten
Jahren, aus. Einen Extrakt dieser Arbeit finden wir in *Lettre à un
religieux.* Das Manuskript wurde einem gewissen Pater Couturier
in New York von Simone Weil übergeben, unmittelbar bevor sie
Amerika verließ, um nach Europa zurückzukehren. Dieser Brief an
einen Ordensmann faßte den Inhalt vieler vorangegangener Gespräche zusammen, bzw. die Meinung, die Simone Weil darin vertreten
hatte; allenfalls in Details wurde sie modifiziert. Die Gespräche waren mit Heftigkeit geführt worden und nicht mit Pater Couturier allein. Einer ihrer New Yorker Gesprächspartner war der Phänome-
nologe Dietrich von Hildebrand. Auch ihm gegenüber bestand Simone
Weil darauf, daß der Geist des Christentums viel mehr Verwandtschaft mit der Geisteswelt Griechenlands besitze als mit dem Alten
Testament. Er widersprach, aus sachlichen Gründen zunächst, dann
aber auch, weil er sie «von der Welle des Antisemitismus ange-
steckt» glaubte. «Davon war aber, wie ich später bemerkte, keine Rede, denn ihre Argumente entstammten ihrer ausgesprochen gnostischen Einstellung...»[329]

Wir sehen, daß es sich tatsächlich immer um ein und dasselbe Gespräch handelt, welches Simone Weil spätestens im Juni 1941 in Marseille mit Pater Perrin begonnen hatte und mit wechselnden Partnern
bis an die Schwelle des Todes fortsetzte. Noch in den letzten Wochen
in London erbat sie den Besuch eines Priesters und machte den jungen Abbé de Naurois zum Zeugen ihres quälenden, weil gequälten
Fragens. Seinem Bericht entnehmen wir, daß Simone Weil bis zu-

Pater Jean-Marie Perrin, geboren am 30. Juli 1905 als Sohn eines Offiziers, der im Ersten Weltkrieg fiel. Obwohl seit frühester Jugend blind, war und blieb er bis heute aktiv: als Autor von bisher 23 Büchern, als geistlicher Betreuer bäuerlicher und studentischer Jugend, als Gründer von Laienorden. 1942 Prior des Dominikanerklosters in Montpellier, dort von der Gestapo verhaftet, aber mangels Beweises wieder freigelassen. Ihm verdanken wir wichtigste Auskünfte über Biographie und geistlichen Weg Simone Weils

letzt, nun buchstäblich auf dem Sterbebett, in keinen Kompromiß willigen konnte.[330] Ihr Hunger nach Wahrheit, die für sie identisch war mit dem *bien pur*, dem *bien absolu*, war auf Erden nicht zu stillen.

Die brennendste von allen Fragen, mit der schon der *Questionnaire*[331] von 1942 endete, ist immer wieder diese: *Serait-il honnete – wäre es anständig, mit solchen Gedanken Zutritt zur Kirche zu verlangen? Wäre es nicht besser, wertvoller, richtiger, die Entbehrung der Sakramente zu ertragen?*[332] Entbehrung oder Empfang der Sakramente – das ist für Simone Weil persönlich der schmerzvolle Kern des Problems, desto schmerzvoller, je ernster sie die *Théorie des sacrements*[333] und die religiöse Praxis nimmt. *Es ist schwierig, den Geschmack und den Nährwert einer Speise, die man niemals gekostet hat, mit dem bloßen Blick abzuschätzen.*[334] Aber ihr Selbstversuch, von dem sie eine Lösung erhofft, ist keine Privatangelegenheit, vielmehr werden der *Lettre à un religieux* und alle anderen religiösen Schriften, wird also die ganze «théologie weilienne» von ihr als eine Aufgabe der Stellvertretung betrachtet; sie macht sich damit zum Anwalt all jener, die mehr oder weniger unfreiwillig *außerhalb der Kirche* bleiben müssen und so des Heils oder der Sakramente nicht teilhaftig werden können: der Heiden, der Ketzer, der nichtchristlichen und sogar der durch christliche Missionszüge bereits entwurzelten und ausgelöschten Kulturen. Insofern wird diese Auseinandersetzung, die als persönliches Gespräch begonnen hat, für Simone Weil mehr und mehr zu einem Politikum, und neben

*Das Portal der Kirche des Dominikaner-Klosters in Marseille,
eine der wichtigsten Stationen auf dem geistlichen Weg Simone Weils*

dem individuellen Bedürfnis und der Heilsmission der Stellvertretung ergeben sich auch kirchenpolitische und taktische Probleme.

Vor 400, vor 600 Jahren schon haben zwei geistvolle und beherzte Frauen dem Klerus und den Päpsten ihrer Zeit zu schaffen gemacht durch Rigorismus und Reformwünsche; 1967 kündigte Paul VI. ihre Ernennung zu Kirchenlehrern an: die Dominikanerin Katharina von Siena (1347–80) und die Unbeschuhte Karmelitin Theresia von Ávila (1515–82). Heute werden solche Gespräche mit der Kirche – mit der Geistlichkeit des Vatikanischen Konzils, mit dem Papst der Enzyklika «Humanae vitae» – in aller Öffentlichkeit und mit aller Schärfe geführt; darin scheint der mit beinah manischer Konsequenz von Erdteil zu Erdteil fortgesetzte Dialog Simone Weils mit *einem Ordensmann* ein vielfältiges Echo zu finden. Der erste Adressat ihrer herz-

bedrängenden Fragen war jedoch ein Freund: der Dominikanerpater Jean-Marie Perrin. In einem ihrer Abschiedsbriefe schreibt ihm Simone Weil, er habe ihr durch seine Freundschaft *die stärkste und reinste Quelle der Eingebung erschlossen, die in menschlichen Verhältnissen zu finden ist. Denn von allen menschlichen Verhältnissen ist keins so mächtig, unseren Blick mit immer größerer Inbrunst (intensité) auf Gott gerichtet zu halten wie die Freundschaft für die Freunde Gottes.* Sie fühlt sich unermeßlich in seiner *Schuld,* weil er sie *einen neuen Aspekt der Verpflichtung zur intellektuellen Redlichkeit hat bemerken lassen. Bis dahin hatte ich diese Verpflichtung nur immer gegen – als Gegnerin gegen – den Glauben empfunden. Das scheint schrecklich, ist es aber nicht, im Gegenteil. Es kam daher, daß ich alle meine Liebe auf seiten des Glaubens fühlte. Ihre Worte brachten mich auf den Gedanken, daß da vielleicht in mir, ohne daß ich es wüßte, unreine Hindernisse . . . dem Glauben entgegen sein möchten. Ich fühlte, daß ich, nachdem ich mir so viele Jahre hindurch immer nur gesagt hatte: «Vielleicht ist das alles nicht wahr», nun nicht etwa aufhören sollte, mir dies zu sagen . . . sondern dieser Formel die entgegengesetzte Formel: «Vielleicht ist das alles wahr» hinzufügen und beide miteinander abwechseln lassen sollte. Gleichzeitig, indem Sie mir die Frage der Taufe zu einem praktischen Problem machten, haben Sie mich gezwungen, den Glauben, die Dogmen und die Sakramente lange Zeit, aus nächster Nähe, mit der Fülle der Aufmerksamkeit ins Auge zu fassen und sie als etwas zu betrachten, dem gegenüber ich Verpflichtungen hätte, die zu erkennen und zu erfüllen ich gehalten wäre. Ich hätte es sonst wohl niemals getan, und dies war für mich unerläßlich* [335]; nämlich der *intellektuellen Redlichkeit* wegen. Unerläßlich als Voraussetzung hieb- und stichfester Aussage ist die leibhaftige Erfahrung, sei es im Fabrikdienst, sei es im spanischen Bürgerkrieg, und so erst recht in Sachen des Glaubens. Simone Weil teilt diesen «moralischen Rigorismus» der *Wahrnehmung* durch *Erfahrung* mit Albert Camus, der es unmöglich und unmoralisch fand, etwas von außen her zu beurteilen. «Aus Dilettantismus über alles erhaben zu sein und sich von seiner Umwelt absondern zu wollen, heißt die lächerlichste aller Freiheiten erfahren.» [336] Darum meldete sich der Pazifist Camus zum Heeresdienst; darum mußte die Atheistin Simone Weil die Religion ausprobieren: weil sie Dilettantismus verabscheuten.

Die Abschiedsbriefe an Perrin geben uns einen Begriff von der Rangstufe, die in Simone Weils Leben die Freundschaft einnimmt: *. . . stärkste und reinste Quelle der Eingebung.* An ihre Freunde – das

Links: Szenen aus dem Leben der Katharina von Siena, Dominikanerin des Dritten Ordens, politische Heilige, Reisende in selbstgewählter diplomatischer Friedensmission, Dialogpartnerin weltlicher und geistlicher Machthaber, der Päpste des Exils und des Schismas und eine der beiden ersten Frauen, deren Ernennung zu Kirchenlehrern Paul VI. 1967 ankündigte

Je ne pourrai pas m'empêcher de penser avec une vive angoisse à tous ceux que j'aurai laissés en France, et à vous particulièrement. Mais cela aussi est sans importance. Je crois que vous êtes de ceux qui, quoi qu'il arrive, il ne peut jamais arriver aucun mal.

La distance n'empêchera pas ma dette envers vous de s'accroître, avec le temps, de jour en jour. Car elle ne m'empêchera pas de penser à vous. Et il est impossible de penser à vous sans penser à Dieu.

Croyez à mon amitié filiale

Simone Weil.

P.S. Vous savez qu'il s'agit pour moi de tout autre chose, dans ce départ, que de fuir les souffrances et les dangers. Mon angoisse vient précisément de la crainte de faire en partant, malgré moi et à mon insu, ce que je voudrais par dessus tout ne pas faire — à savoir fuir. Jusqu'ici on a vécu ici fort tranquille. Si cette tranquillité disparaissait précisément après mon départ, ce serait affreux pour moi. Si j'avais la certitude qu'il doive en être ainsi, je crois que je resterais. Si vous savez des choses qui permettent des prévisions, je compte sur vous pour me les communiquer.

In diesem vierten ihrer Abschiedsbriefe an Pater Perrin vom 16. April 1942 geht es um die für Simone Weil so problematische Abreise nach den USA. Der Entschluß, zu bleiben, erscheint ihr «als Akt des Eigenwillens», wo es zu gehorchen gilt – Frankreich zu verlassen, fast schon als Verrat. Durch Perrin hofft sie, den Schicksalswink zu erhalten, der die Zweifel beseitigt. Mit Bangen wird sie zurückdenken, «insbesondere an Sie . . .» Ihre Bangigkeit entspringt auch der Befürchtung, «wider Willen und Wissen eben das zu tun, was ich um keinen Preis tun möchte – nämlich: zu fliehen. Bisher war das Leben hier recht ruhig. Sollte diese Ruhe gerade nach meiner Abfahrt aufhören, so wäre das entsetzlich für mich». In New York wird sie sich dann tatsächlich als Fahnenflüchtige fühlen. Aber nichts wird imstande sein, das Maß ihrer Freundschaft zu Perrin herabzumindern, im Gegenteil: «Die Entfernung wird nicht verhindern, daß ich, mit der Zeit, von Tag zu Tag in eine immer gehorchere Dankesschuld gegen Sie gerate. Denn sie wird mich nicht hindern, an Sie zu denken. Und es ist unmöglich, an Sie zu denken, ohne an Gott zu denken.

Glauben Sie an meine kindlich ergebene Freundschaft . . .»

Theresia von Ávila, kluge, energische und leidenschaftliche Tochter kastilischer Hidalgos, Schwester von Welteroberern, Mutter vieler Klostergründungen, Reformatorin des Ordens vom Heiligen Berge Karmel, verfaßte eine berühmte Lebensbeschreibung, die von der Inquisition beschlagnahmt wurde, und – Kompendium mystischer Erfahrung – «Die innere Burg». Zeitgenössisches Bildnis. Slg. Guida Caprotti, Ávila

wissen wir – stellte Simone Weil die gleichen rigorosen Ansprüche wie an sich selbst. So fand sie Perrins *geistige Weite* und *intellektuelle Redlichkeit* ungewöhnlich, aber immer noch *sehr unzulänglich. Denn einzig die Volkommenheit genügt.*[337] Deutlich wird hier auf die Worte des Evangeliums angespielt: «Ihr sollt vollkommen sein, gleich wie euer Vater im Himmel vollkommen ist»[338], und wir verstehen den Zuruf des einen Gottesfreundes an den andern, die Übereinkunft zweier Menschen, die sich trotz Verschiedenheit der Standpunkte in einer gemeinsamen Sprache verständigen. *Leben Sie wohl.*

Ich wünsche Ihnen alle erdenklichen Güter, außer dem Kreuz. Wenn er dennoch eines Tages in die Lage käme, für den Herrn eines gewaltsamen Todes zu sterben, dann wünscht sie, daß dies in der Freude und ohne Qualen der Seele geschehen möchte... Glauben Sie mehr denn je und für immer an meine kindlich ergebene und zärtlich dankbare Freundschaft. Simone Weil [339]

Wenn wir jetzt in die Polemik des *Lettre à un religieux* eintreten, werden wir gut daran tun, ihren Ausgangspunkt in einer persönlichen Freundschaft mit in Betracht zu ziehen – soweit eben der strenge Freundschaftsbegriff der Sainte Simone [340] das Persönliche zuließ. Auch dieser Brief nämlich, der nicht an einen einzelnen Geistlichen gerichtet ist, sondern an den Ordensmann als Typus, als Funktionär der römischen Kirche, und ebenso an alle Gemeindehirten, Bischöfe, Kardinäle und schließlich an den Statthalter Christi selbst, auch dieser Brief muß in allererster Linie als das Dokument einer Freundschaft unter Gottesfreunden verstanden werden, die allerdings vom Partner Vollkommenheit verlangt, weil Geringeres nicht genügt. Vielleicht geht das nur scheinbar über das «Gott allein genügt» der großen Theresia hinaus, denn der schlichte Satz, der bei der Karmelitin voransteht, «die Geduld erreicht alles», bedeutet im Grunde nichts Geringeres als den mühevollen «Aufstieg zum Berge Karmel», eine der strengsten Ordensregeln, einen der anspruchsvollsten Wege innerhalb der Kirche, eine «Imitatio» auf den Spuren des Propheten Elias und des heiligen Johannes vom Kreuz. Edith Stein entschloß sich zu diesem Weg und bat um Einlaß im Kölner Karmel. Simone Weil blieb, unter Seelenqualen, *auf der Schwelle der Kirche*. Man nimmt sie und ihren Selbstversuch nicht ernst genug, wenn man nicht verstanden hat, daß hierin, nämlich im – auch stellvertretenden – Verzicht auf die Sakramente, eine bis zum Äußersten, bis nahe zum Absurden vorgetriebene Askese liegt.

Wenn ich den Katechismus des Konzils von Trient lese, scheint er mir mit der Religion, die dort dargelegt wird, nichts gemein zu haben. Wenn ich das Neue Testament lese, die Mystiker, die Liturgie, wenn ich die Messe feiern gehe, fühle ich mit einer Art Gewißheit, daß dieser Glaube der meine ist oder – genauer – sein würde ohne die Entfernung, welche sich zwischen mir und ihm, meiner Unvollkommenheit wegen, befindet. Wieder bittet sie *um eine zuverlässige Antwort,* ob ihre *Ansichten mit der Zugehörigkeit zur Kirche vereinbar sind oder nicht.* Die Antwort ist für sie in einem Maße schicksalentscheidend, daß selbst eine Sache *auf Leben und Tod im Vergleich ein Kinderspiel wäre* [341]. Warum? Weil es hier in Simone Weils Augen allen Ernstes um die Zukunft der Kirche, um die Zukunft des Christentums und der Menschheit insgesamt geht. Die Gegenwart ist heillos, die Zukunft beinahe unrettbar verloren, weil die Geschichte in der Vergangenheit vom Weg des Heils abgewichen ist, die Kirchengeschichte ebenso wie die profane; daß es überhaupt zweierlei Geschichte gibt, bedeutet Unheil. *Die essentielle Wahrheit über Gott ist die, daß ER gut ist. Zu glauben, daß Gott den Menschen wilde Taten der Ungerechtigkeit und Grausamkeit befehlen könnte, ist der größte Irrtum, den man im Hinblick auf IHN begehen kann.* Nach Herodot habe nur Israel einen *«Zeus der Armeen»* [342] *gehabt; diese Lästerung war bei den andern unbekannt,* die Römer vielleicht ausgenommen. Das römische Imperium und die römische Kirche als Erben der Hebräer sind fast als antichristlich anzusehen. Christliche Züge finden sich viel mehr im alten Ägypten, in Griechenland, Indien, China. *Das ägyptische Totenbuch* – wenigstens 3000 v. Chr. – *ist durchtränkt von christlicher Liebe des Evangeliums ... Die Hebräer, die vier Jahrhunderte mit der ägyptischen Kultur Berührung hatten, haben es abgelehnt, diesen Geist anzunehmen. Sie wollten die Macht.*

Alle vorexilischen Bibeltexte seien davon *befleckt*, das Hohelied, das Buch Hiob und einige Psalmen Davids Ausnahmen; das Leben aller anderen, von Abraham angefangen, durch Grausamkeiten besudelt; die erste vollkommen reine Gestalt der jüdischen Geschichte *Daniel, der eingeweiht war in die Weisheit der Chaldäer.* Die Wahrheitssubstanz der jüdischen Kultur sei, *mittels des Exils*, den Nachbarkulturen entnommen. *Was wir Abgötterei nennen, ist in großem Umfang eine Fiktion des jüdischen Fanatismus. Alle Völker aller Zeiten sind immer monotheistisch gewesen.*[343]

So weit geht also das neue Experiment unter dem Motto *Vielleicht ist das alles wahr.* Simone Weil verteidigt die «Heiden» gegen die «Pharisäer», seien diese mosaischen oder katholischen Glaubens. Die antiken und außereuropäischen Mysterienkulte werden auf ihren spirituellen und sakralen Gehalt untersucht, ihr Symbol-Vorrat verglichen mit dem christlichen und überraschende Ähnlichkeiten hervorgehoben, die sich in Simone Weils Augen fast als Kongruenz darstellen. Sie beruft sich, was den Hauptansatzpunkt für die Kritik an ihrem «ahistorischen» Vorgehen bildet, immer wieder auf Herodot und kommt zu dem einigermaßen skandalösen Ergebnis, daß die übrigen vorchristlichen Religionen viel mehr und stichhaltigere christliche Prophetie enthalten als gerade die jüdische. Simone Weil ist nicht die einzige und keineswegs die erste, die jenen roten Faden der Prophezeiung durch die antiken Mysterienreligionen verfolgt und dort, wie etwa im Osiriskult und auch wiederum in der Edda, sogar vorweggenommene Erfüllungen eines Teils der Heilserwartung zu finden meint. Als Beweis einer solchen spirituellen Genealogie des Christentums innerhalb der antiken Kulturen dienen Simone Weil die allenthalben wiederkehrenden Bildchiffren des Lammes, des Kreuzbaumes, so wie die Einweihungsrituale, die mit der Taufe einerseits, mit Tod und Auferstehung andererseits in Beziehung stehen, und der bis in die Frühgeschichte zurückgehende sakramentale Gebrauch von Brot und Wein. Folglich wird auch dem Priesterkönig Melchisedek besondere Bedeutung zugeschrieben. *Die Abschnitte der Schrift (Genesis, Psalmen, Paulus), die Melchisedek erwähnen, beweisen, daß es schon in der Morgendämmerung Israels außerhalb des Judentums eine Gottesverehrung und eine Gotterkenntnis gab, die auf dem Grundriß des Christentums selbst errichtet und all dem, was Israel je besaß, unendlich überlegen war.*[344]

Simone Weil scheut sich nicht, von früheren Inkarnationen des Christus zu sprechen, und nennt in diesem Zusammenhang Osiris, Dionysos, Prometheus, Melchisedek; auch in anderen Schriften wie etwa *Intuitions pré-chrétiennes* weist sie darauf hin. Dabei werden die Werke der griechischen Dichter und Philosophen mit spiritueller Phantasie, aber auch mit Realismus in einer Sprache interpretiert, die nun selber an die zugleich lapidare und ekstatische der alten Propheten erinnert; und mit ihnen teilt Simone Weil auch den «heiligen Zorn» und die heroische Unduldsamkeit. *Unsere Zivilisation schuldet Israel nichts und nur sehr wenig dem Christentum; sie schuldet*

beinah alles der vorchristlichen Antike (Germanen, Druiden, Rom, Griechenland, den Aegeo-Kretern, Phöniziern, Ägyptern, Babyloniern...).[345] Diese untergegangenen Kulturen sind für Simone Weil ebenso viele verlorene Paradiese, und ihre besondere Sympathie scheint denen zu gelten, von denen wir am wenigsten wissen, wie den Druiden oder den Kretern, als müßten diese Kulturkreise für Jahrhunderte der Vergessenheit endlich entschädigt werden.

Jede neue Glaubensrichtung ist zunächst als Atheismus verketzert worden, denn *es ist die Größe jeder Religion gewesen, daß sie in ihren Anfängen die Leichtgläubigkeit herabgemindert hat*[346]. Die Passion Christi, des eingeborenen Sohnes, ist der Urimpuls schon der «vorchristlichen» Geschichte, die es in Wahrheit überhaupt nicht gibt: *Für die Antike stand die Passion noch bevor. Heute ist sie Vergangenheit. Vergangenheit und Zukunft sind symmetrisch. Die Chronologie kann keine entscheidende Rolle spielen in der Beziehung zwischen GOTT und den Menschen...*[347] *Die griechische Geometrie, der Begriff der Trinität bei Heraklit*, Zahlengleichungen und die *mittlere Proportionale* als Symbol der *Mittlerschaft Christi*, die antiken Bilder der *Liebe* und des *Pneuma* und deren Beziehung zur *Gottesliebe* und zum *Heiligen Geist*, Analogien zwischen griechischer Dich-

Nikolaus von Kues. Holzschnitt, 1426

tung und provenzalischer, zwischen Edda und frühchristlichen Hymnen des Messe-Kanons sollen belegen, daß seit je die Epiphanie Christi den Goldgrund gewissermaßen bildete für die abendländische Kultur und daß darum die römische Kirche nicht das Recht hatte, «Heiden» und «Ketzer» mit dem «anathema sit» zu bestrafen und auszustoßen. Für Simone Weil gibt es weder Ketzer noch Heiden, und das große Unheil der christlichen Geschichte besteht darin, daß man die sogenannten Heiden mit Gewalt bekehrte und aus den Gründen ihrer eigenen Überlieferung entwurzelte. *Wenn Christus gesagt hat: «Lehret alle Völker und bringt ihnen die neue Botschaft»*[348], *so wollte er wahrscheinlich, daß jeder Apostel die gute Botschaft vom Leben und Sterben Christi der Religion des Landes hinzufügte, wo er sich gerade befand.* Aber die Apostel haben den Befehl *mißverstanden*. Sie brachten statt dessen eine *Theologie*, und der *Eifer* späterer *Missionare* unterwarf die fremden Völker der *kalten, grausamen und zerstörenden Herrschaft der weißen Rasse*. Simone Weil würde keine *zwanzig Sous* für solche *Missionsarbeit* geben, denn die *Religion* zu *wechseln* kann so gefahr- und unheilvoll sein, wie wenn ein Schriftsteller die Muttersprache gegen eine fremde tauschen muß. Daher erscheint die christliche Mission unter den Völkern fremder Erdteile als ein einziger großer Irrtum, wenn nicht als Verbrechen.

Europa ist geistig entwurzelt worden, abgeschnitten von jener Anti-
ke, wo alle Bestandteile unserer Zivilisation ihren Ursprung haben;
und vom 16. Jahrhundert an ist es ausgezogen und hat die anderen
Erdteile entwurzelt.[349] Das Christentum ist niemals wirklich über
Europa hinausgelangt, sondern überall ein unglaubwürdiger Import
geblieben, aufgeklebt und aufgezwungen auf die Trümmer zerstör-
ter Überlieferung, aus der es kontinuierlich hätte hervorblühen sollen
unter den Händen behutsamer Gärtner. Europa – abgetrennt vom eigenen übersinnlichen Wurzelgrund – hat sich obendrein mit der Verantwortung beladen für die globale Katastrophe der *Entwurzelung*. Diese spirituell das Christentum und politisch die ganze Menschheit be-
drohende Krankheit kann nur durch einen gegenläufigen Prozeß der
Einwurzelung geheilt werden, den Simone Weil in dem gleichnamigen Buch beschreibt. Auf dem Felde der Religion verlangt sie, daß
alles Verlorene wieder zurückgewonnen, die Trennung zwischen
Antike und Christentum, zwischen profanem und spirituellem Leben
aufgehoben werden muß. *Damit das Christentum sich wahrhaft in-*
karniere, damit die christliche Offenbarung (inspiration) das ganze
Leben imprägniere, muß man zuerst erkennen, daß historisch gese-
hen unsere weltliche Zivilisation einer religiösen Offenbarung ent-
springt, die, obwohl chronologisch vorchristlich, in ihrem Gehalt (es-
sence) christlich war.[350]

Simone Weil hält es für möglich, daß die Apostel zu Beginn jenen
Auftrag Christi «geht und lehret die Völker» besser verstanden haben, als es später die Kirche tat, und für *äußerst unwahrscheinlich,*
daß es nicht zu Anfang ähnliche Versuche des Synkretismus gegeben
haben sollte wie die, von denen Nicolaus Cusanus träumte[351]. *So-*
lange die Täuschung einer prinzipiellen Kluft zwischen sogenanntem
Heidentum und Christentum aufrechterhalten bleibt, wird das Chri-
stentum nicht inkarniert werden, nicht so, wie es soll, das ganze pro-
fane Leben durchdringen; es wird davon abgetrennt und folglich un-
wirksam bleiben.

Wie sehr würde sich unser Leben ändern, wenn man einsähe, daß
die griechische Geometrie und der christliche Glaube der nämlichen
Quelle entsprungen sind![352] Hier endet der *Lettre à un religieux*
in einem Ausrufezeichen mahnender Klage, vox angelica oder apo-
stolica, die erst mit dem letzten Atemzug verstummen wird, und
unüberhörbar mitklingend das Register der vox humana: die eigene
innere Not Simone Weils, zunehmend, nachdem sie sich selbst dazu
verurteilt hat, außerhalb der Kirche – und das heißt ungetauft – zu
bleiben. Dieser Verzicht führt in einen tief tragischen Konflikt, der
sie bis ins Mark ihrer Seele peinigt. Sie weiß, Zeugnis für die Wahrheit heißt Martyrium. Und sie bleibt unbeugsam. Im *Dernier*
Texte[353] sagt sie: *Ich empfinde schon seit langem ein intensives und*
ständig wachsendes Bedürfnis nach der Kommunion. Wenn man das
Sakrament als ein Gut ansieht, wenn ich es selbst so ansehe, wenn
ich es begehre, und wenn man es mir verweigert ohne irgendeinen
Fehler von meiner Seite, so doch nur, weil eine grausame Ungerech-

Je crois en Dieu, à la Trinité, à l'Incarnation, à la Rédemption, à l'Eucharistie, aux enseignements de l'Evangile.

Je crois, c'est-à-dire, non pas que je prenne à mon compte ce que dit l'Eglise sur ces points, pour l'affirmer comme on affirme des faits d'expérience ou des théorèmes de géométrie; mais que j'adhère par l'amour à la vérité parfaite, insaisissable, enfermée à l'intérieur de ces mystères, et que j'essaie de lui ouvrir mon âme pour en laisser pénétrer en moi la lumière.

Je ne reconnais à l'Eglise aucun droit de limiter les opérations de l'intelligence ou les illuminations de l'amour dans le domaine de la pensée.

Je lui reconnais la mission, comme dépositaire des sacrements et gardienne des textes sacrés, de formuler des décisions sur quelques points essentiels, à titre d'indication (mais seulement) pour les fidèles.

Je ne lui reconnais pas le droit d'imposer les commentaires dont elle entoure les mystères de la foi comme étant la vérité; encore beaucoup moins celui d'user de la menace et de la crainte en exerçant, pour les imposer, son pouvoir de priver des sacrements.

Pour moi, dans l'effort de réflexion, un désaccord apparent ou réel avec l'enseignement de l'Eglise est seulement

Faksimile aus dem «Dernier Texte»

tigkeit vorliegt. Wenn man mir die Taufe zubilligt, bei der Haltung, auf der ich beharre, in diesem Falle bricht man mit einer Gewohnheit von wenigstens siebzehnhundert Jahren. Wenn dieser Bruch gerecht und wünschenswert ist, wenn er gerade heute zum Heil des Christentums für mehr als lebensnotwendig und dringend befunden wird – was in meinen Augen feststeht –, so ist es für die Kirche und für die Welt nötig, daß er, der Bruch mit der Gewohnheit, in aller Öffentlichkeit geschieht (d'une manière éclatante [daß er Aufsehen erregt]) *und nicht durch den einsamen Entschluß eines Priesters, der eine Taufe heimlich und ohne irgend jemandes Wissen vollzieht. Aus diesem Grunde und einigen anderen von gleichem Gewicht habe ich bis jetzt niemals an einen Priester die förmliche Bitte um die Taufe gerichtet. Ich tue es auch jetzt nicht . . .*[354]

Dieser *Dernier Texte* begann mit einem persönlichen Glaubensbekenntnis. Die – zwar fragliche – Datierung und auch der große Ernst der Aussage bürgen für die Lauterkeit der Absicht. Trotzdem, oder gerade deswegen, erschrickt der Leser vor einer so heroischen Konsequenz, die bis an die Schwelle des Todes an ihrer «Politik» gegenüber der Kirche festhält und dieser noch mit dem letzten Atemzug die, wie sie meint, überfällige Reform abtrotzen will, allein dadurch, daß sie, die einzige «petite Weil», den Empfang der Gnadengabe Taufe an Bedingungen knüpfen oder ablehnen zu müssen glaubt. Hat das mit jenem «transzendentalen Egoismus des Helden» zu tun, von dem ihr Freund Thibon schrieb[355], oder mit *luziferischem Hochmut?* Vergessen wir nicht, daß es für Simone Weil um mehr ging als um *Leben und Tod,* daß nämlich hier ein Opfer gebracht wurde, mit dem verglichen sterben, auch für die Kirche zu sterben, tatsächlich ein *Kinderspiel* war. *Wenn ich mein ewiges Heil vor mir auf diesem Tisch liegen hätte und ich nur die Hand auszustrecken brauchte, um es zu erlangen, dann streckte ich die Hand so lange nicht aus, als ich nicht dächte, den Befehl dazu empfangen zu haben . . . Denn ich begehre nichts anderes als den Gehorsam in seiner ganzen Fülle, das heißt: bis zum Kreuz.*[356]

Das war der Einsatz, den Simone Weil wagte; ihr eigenes Seelenheil. Wenn unser *entwurzeltes,* entspiritualisiertes Denken nicht längst verlernt hätte, das ernst zu nehmen, wenn wir noch das Gewicht dessen wahrnehmen könnten, was «Seelenheil» für das gläubige Individuum, für die anima christiana bedeutet – über einen höheren Einsatz verfügt niemand persönlich –, dann würden wir das μετανοειτε verstehen, das von dem Opfer Simone Weils ausgeht; und befolgten wir gar dieses «Ändert-euren-Sinn», dann müßte es vollends einem Erdbeben gleichkommen in der weltlichen und geistlichen Landschaft unseres Jahrhunderts. Es ist nicht zu überhören, daß es im Ton der flehentlichen Bitte und «äußerster Sorge» ausgesprochen wird, und es ist – außer an die Adresse Roms – zwischen den Zeilen an alle Institutionen gerichtet, die das Individuum bevormunden und der Gedanken-, der Gewissensfreiheit Gewalt antun. *Es würde doch genügen – so wie es in der Praxis schon mehr oder weniger geschieht –, durch eine offizielle Erklärung auszusprechen, daß eine Zustimmung des Herzens zu den Mysterien der Trinität, der Inkarnation, der Erlösung, der Eucharistie und zum Offenbarungscharakter des Neuen Testamentes die einzige Vorbedingung ist für den Zugang zu den Sakramenten. Dann könnte der christliche Glaube ohne Gefahr, daß die Kirche Tyrannei über die Geister ausübt, seinen Platz im Mittelpunkt des gesamten weltlichen Lebens einnehmen und aller Handlungen, aus denen es besteht; er könnte alles, absolut alles mit seinem*

Lichte durchdringen. Es ist der einzige Weg des Heils für die unglücklichen Menschen von heute.[357]

Die *bestürzende Gewohnheit der Geschichte*: ihre *Verspätung*[358] in bezug auf die revolutionären Ideen, macht sich in der Geschichte der katholischen Kirche noch mehr als anderswo bemerkbar. So hat Rom, indem es die dringliche Bitte Simone Weils nicht hörte oder nicht erhören konnte, mit ihr mehr verloren als eine potentielle Heilige. Simone Weil hätte eine Kirchenlehrerin sein können nach den Maßen Katharinas und Theresias, verehrt und verstanden von Gläubigen u n d Ungläubigen, von Geistlichen und Laien, eine Prophetin des Neuen Bundes, angehört und angesehen über das gesamte geistige Spektrum der Moderne hin: von ultrarot bis ultraschwarz, und vor allem von den Unglücklichen in der ganzen Welt.

Zu behaupten, «Simone Weil stirbt als gläubiger Mensch, aber nicht als Christin»[359], mutet wie buchstabengläubige Beckmesserei, ja fast absurd an – wenn man es mit den Sakramenten der Taufe und der Kommunion nicht ganz ebenso ernst nimmt wie sie selber. Trotzdem wehrt man sich dagegen, daß eine irdische Instanz darüber zu befinden haben soll. Wenn man den sehr geheimnisvollen *Prolog*[360] aufmerksam liest, ahnt man, daß für Simone Weil diese Frage ungelöst blieb und, ihrer zweifelnden Natur gemäß, ungelöst bleiben mußte. So ist es denn konsequent, wenn sie an Gustave Thibon schreibt: *Für den Augenblick wäre ich eher geneigt, für die Kirche zu sterben, als in sie einzutreten – falls sie es nächstens nötig hätte, daß man für sie stirbt. Sterben, das verpflichtet zu nichts ... es schließt keine Lüge ein.*[361]

ENTWURZELUNG – EINWURZELUNG

DIE NEUE WEILSCHE KRANKHEIT UND IHRE THERAPIE

«Die Politik ist eine verdrießliche, mittelmäßige und häßliche Sache, mit der man
sich gleichwohl befassen muß wie mit so
vielen anderen verdrießlichen, mittelmäßi-
gen und häßlichen Sachen.»

Alain

*Wir befinden uns sämtlich in einer ähnli-
chen Lage wie Sokrates, als er in seinem
Kerker den Tod erwartete und die Leier zu
spielen lernte . . . Zumindest wird man gelebt haben . . .*
*Die Bestandsaufnahme oder die Kritik un-
serer Zivilisation vornehmen, was heißt
das? Sich Aufschluß darüber verschaffen, in
welcher Schlinge sich der Mensch gefangen,
daß er zum Sklaven seiner eigenen Hervor-
bringungen wurde.[362]*

«Die Kontinuität war [früher] die Struktur
des Einzelnen und der Welt, auch wenn der
Einzelne und die Welt zuweilen diskontinuierlich erschienen. Heute aber ist die
Struktur des Einzelnen diskontinuierlich,
und diskontinuierlich ist auch die Welt um
ihn herum . . .»

Max Picard

*Innerhalb irgendeiner Ordnung kann eine
höhere, ihr also unendlich überlegene Ordnung nicht anders vertreten sein als durch
ein unendlich Kleines. Das Senfkorn . . .[363]*

Mag Adolf Weil, der Entdecker der Weilschen (Leber-) Krankheit[364],
mit der «Sainte Simone» verwandt sein oder nicht: seit rund zwanzig
Jahren haben wir Kenntnis von einer neuen «Weilschen (Seelen-)
Krankheit»; sie heißt *Entwurzelung*, und ihre ausführliche Diagnose
samt einem Entwurf zur Therapie verdanken wir Simone Weil. *Die
Entwurzelung ist bei weitem die gefährlichste Krankheit der menschlichen Gesellschaft, weil sie sich selbst vervielfältigt. Einmal wirklich entwurzelte Wesen . . . verfallen entweder einer seelischen Trägheit, die fast dem Tode gleichkommt, oder sie stürzen sich in eine hem-
mungslose Aktivität, die bestrebt ist, auch diejenigen zu entwurzeln,
die es noch nicht oder erst teilweise sind.[365]*
Entwurzelung ist ein sowohl politisch-soziales als auch religiöses
Problem, das auf Anhieb die seit Marx so viel berufene «Entfrem-
dung» evoziert, sodann Max Picards psychologischen Begriff der «Dis-

119

kontinuität». *Entwurzelung* meint jedoch etwas Drittes und enthält – hierin dem Terminus Picards ähnlich – bereits eine Antwort, die zugleich ein Programm ist.

Die Einwurzelung, die umfangreichste von Simone Weils Schriften, entstand während ihrer letzten Lebensmonate in London, wo man zur selben Zeit (1942/43) im Zusammenhang der Forces de la France Libre an einem Manifest arbeitete: «Erklärung der Menschen und Bürgerrechte»; es sollte eine Grundlage liefern für die neu zu formulierende Verfassung des Nachkriegs-Frankreich. Auch Simone Weil sah die Notwendigkeit, jetzt im Krieg den Frieden, einen besseren Frieden, vorzubereiten; sie trug dazu, teilweise im Auftrag der FFL [366], eine Reihe von Schriften bei und faßte ihre Gedanken schließlich unter der Leitidee der *Einwurzelung* zusammen. War diese *Einführung in die Pflichten dem menschlichen Wesen gegenüber* auch zunächst ausdrücklich an Frankreichs Adresse gerichtet, so hat die Schrift als politisches Vermächtnis Simone Weils ebenso gewiß allgemeine Bedeutung, die weder zeitlich noch räumlich begrenzt ist. Biographisch betrachtet hat diese Arbeit der Autorin freilich kaum Ersatzbefriedigung bieten können, während sie mit zunehmender Ungeduld darauf wartete, daß man sie – *au contact de l'objet* – zur aktiven Résistance nach Frankreich schickte: ... *für den Fall, daß es eines Tages nötig würde, irgendeinen Vorteil um den Preis eines Menschenlebens,* ihres eigenen Lebens nämlich, *zu erkaufen. Mir scheint, das ist vernünftig und maßvoll, und es wäre nicht recht, es mir abzuschlagen.* [367] Aber dies zu tun, gab es triftige Gründe, und Simone Weils *maßvoller* Wunsch, als Partisanin für Frankreich zu sterben, blieb unerfüllt. Sie konnte nur noch für Frankreich hungern, indem sie nicht mehr verbrauchte, als ihre Landsleute daheim auf die Lebensmittelkarten bekamen; und sie konnte für Frankreich schreiben.

Die Einwurzelung wie auch die erwähnten anderen Schriften, etwa *La Personne et le Sacré* [368] sind in deutlichem Widerspruch oder auch als Ergänzung gedacht zu jenem Manifest der Staatsreform-Kommission der FFL und sollten verhindern, daß die neue Verfassung des Nachkriegs-Frankreich den *Irrtum von 1789* wiederhole. Der unzureichende, zu wenig oder in falscher Weise wirksame Begriff der *Menschenrechte,* fußend auf dem ebenso falschen des *Naturrechts,* habe diesen Irrtum über die Welt verbreitet. Simone Weil postuliert statt dessen in ihrer *Étude pour une déclaration des obligations envers l'être humain* [369] den Begriff der *Verpflichtung* gegenüber dem Menschenwesen. *Der Begriff der Verpflichtung hat den Vorrang vor dem des Rechtes.* [370] Das ist die unbequeme Prämisse der *Einwurzelung. Verpflichtung* beruht nicht auf zufälligen Situationen oder x-beliebigen gesellschaftlichen Spielregeln, sie ist vielmehr das spirituelle und ewige Gegenbild des bloß zeitlichen Naturrechts und geht aus von den existentiellen *Bedürfnissen der menschlichen Seele:* Ordnung und Freiheit, Gehorsam und Verantwortung, Gleichheit, Hierarchie, Ehre, Strafe, Freiheit der Meinung, Sicherheit, Gefahr, Privateigentum, Kollektiveigentum, Wahrheit ... ein Katalog, aus wel-

FRANCE COMBATTANTE

LAISSEZ - PASSER

No. *1663*

Nom *lle* *WEIL*

Prenoms *SIMONE*

Grade ou Profession *REDACTRICE*

Bureau ou Service *C. N. 7*

Londres le *30 MARS 1945*

Le Chef du Service de Sécurité

Simone Weils Dienstausweis bei der Organisation «France Combattante» in London

Maurice Schumann. Mitschüler bei Alain im Lycée Henri IV, Sprecher des Freien Frankreich über Radio London während des Krieges, seit 1969 Außenminister unter Pompidou

chem sich wechselnde Kombinationen zu Gegensatzpaaren wie von selbst ordnen; auch könnte man ihn um weitere Bedürfnisse, die Simone Weil anderswo verzeichnet, vervollständigen: *Vergangenheit, Legitimität*... Diese *Bedürfnisse* und die aus ihnen jeweils sich ergebende *Verpflichtung* sollen nun jene konstituierende Rolle spielen, die früher den Menschenrechten zukam; und das ist mehr als eine Änderung der Nomenklatur.

Gehorsam einem Menschen gegenüber, dessen Autorität nicht von Legitimität verklärt ist, das ist ein Albtraum... Die Legitimität ist die Stetigkeit in der Zeit...[371] *Da die Seele des Gehorsams als einer Nahrung bedarf, ist jeder, der seiner endgültig beraubt ist, krank. Deshalb befindet sich jede Gemeinschaft, die von einem unumschränkten Oberhaupt regiert wird, das niemandem Rechenschaft schuldet, in den Händen eines Kranken. Ein Oberhaupt auf Lebenszeit muß ein Symbol sein und kein Herrscher,* so wie der König von England. *Unzählige Anzeichen deuten darauf hin, daß die Menschen unserer Zeit seit langem vor Hunger nach Gehorsam verschmachten. Aber man hat sich dies zunutze gemacht, um ihnen statt dessen die Sklaverei zu geben*[372], eine von den *Institutionen*, welche *lügen*[373].

Zur Frage der *Legitimität* gehört die *Hierarchie. Diese beruht auf Ehrfurcht und setzt voraus, daß die Vorgesetzten sich des symbolischen Charakters ihres Amtes bewußt sind. Die wahre Hierarchie bewirkt, daß jeder sich an dem Platz, den er einnimmt, auch seelisch einrichten* kann.[374]

Freiheit gilt nur in Verbindung mit *Verantwortung,* sonst wird sie *Kinderei* und *Gleichgültigkeit,* wobei sie *unweigerlich* in *Langeweile* ausartet.[375] *Gleichheit* ist die *Anerkenntnis, daß jedem menschlichen Wesen die gleiche Menge an Achtung und Rücksicht geschuldet wird,* ohne Abstufung. *Auf das soziale Gleichgewicht angewendet, würde sie jedem Menschen die seiner Macht, seinem Wohlstand entsprechenden Lasten auferlegen und im Falle des Versagens oder der Verschuldung entsprechende Einbußen. Auch sollte die Ausübung hoher öffentlicher Ämter mit großen persönlichen Gefahren verbunden sein.* Muß aber in dies Risiko eine lange Liste politischer Attentate, wie seit Kriegsende geschehen, prinzipiell einbezogen werden? Es ist denkbar, daß Simone Weil mit ihrer starken Neigung zum Opfertod diese Frage bejahte.[376]

Verschiedenheit sollte nicht quantitativ gesehen werden. *Wo nur Art-, nicht Gradunterschiede herrschen, gibt es keine Ungleichheit.* Aber indem man das Geld zur Triebfeder aller Handlungen, zum beinah *einzigen Maßstab aller Dinge macht, hat man das Gift der Ungleichheit allenthalben verbreitet*[377].

Die Verwurzelung ist vielleicht das wichtigste und meistverkannte Bedürfnis der menschlichen Seele und am schwierigsten zu definieren[378]. Durch seine natürlichen Wurzeln in der umgebenden Gemeinschaft hat der Mensch an Vergangenheit und Zukunft teil. Austausch zwischen den verschiedenen Umwelten ist *nicht minder unentbehrlich* als die Verwurzelung in der eigenen. *Entwurzelung* geschieht durch Eroberung von außen oder soziale Mißstände im Innern eines Landes. Die Hauptursache für die *Entwurzelung des Arbeiters, des Lohnempfängers,* ist die zentrale Rolle, die gerade für ihn das *Geld* spielt. Arbeitslosigkeit ist Entwurzelung in Potenz. Das französische Erziehungssystem und die Bewertung der Bildung im Sinne von Sozialprestige taten ein Übriges. Ein neues Bildungskonzept ist nötig, worin berufliche und allgemeine Fortbildung auch für den Erwachsenen lebenslang weiter zugänglich bleiben sollen. Dabei wäre die *ganze Fülle der Wahrheit auszudrücken* in der Sprache des Herzens, *und zwar für Menschen, die durch den Arbeiterstand geprägt sind.* Simone Weil wünscht Vermischung von Arbeitern und *Intellektuellen – ein gräßlicher Name, aber sie verdienen heutzutage keinen schönern;* sie fordert Gemeinschaftslager, Fabrik- und Erntedienst der Studenten *für einen längeren Zeitraum und als anonyme, unterschiedslos unter die Masse gemischte Arbeiter.* Schließlich geht es schlicht um die gänzliche *Beseitigung des Proletarierstandes,* dessen Kriterium eben die *Entwurzelung* ist. Diese also ist wiedergutzumachen, indem man *eine Industrieproduktion und eine Geistesbildung* schafft, *in denen die Arbeiter zu Hause sind und sich wohl fühlen.* Ein großer Teil dieser Aufgabe fiele den Arbeitern selbst zu. Schon jetzt (1942/43) muß *die Entscheidung getroffen werden* für den *Wiederaufbau,* der nach dem Krieg im wörtlichen Sinne beginnen wird. Dieser Wiederaufbau ist die Chance; sie darf nicht vertan werden, indem man das Bauen – das womöglich Behausung für Generationen schaffen soll – dem Zufall überläßt.[379]

Der Entwurf Simone Weils zur *Wiedereinwurzelung der Arbeiterschaft* sieht statt industrieller Ballungszentren ländliche Kleinbetriebe vor, in einer Hauptwerkstätte koordiniert, wo jeder, *nicht nur die Spezialisten,* regelmäßig an Kursen teilnimmt; und diese Zeiten *sollten als Festzeiten gelten.* Nahe bei jedem Zentralwerk gäbe es eine Arbeiterhochschule. Die Arbeit nähme nur den halben Tag in Anspruch, die restliche Zeit diente der Fortbildung, der Einsicht in die Arbeitszusammenhänge, der Kameradschaft, die sich zu einem *Patriotismus der Werkszugehörigkeit* entwickeln sollte. Die Maschinen wären nicht Eigentum des Zentralunternehmens, sondern des Einzelnen oder eines kleinen Kollektivs von Arbeitern. *In der Kindheit sollte die Schule den Kindern genügend Freizeit lassen, daß sie Stunden und Stunden damit hinbringen könnten, an der Arbeitsstätte ihres Vaters zu werkeln und zu basteln. Dann käme eine lange Zeit der Halbschule, wo Unterricht und Arbeit abwechseln; Reisen, Freizeiten in Jugendverbänden, Fortbildung … Wenn der junge Arbeiter, von Vielem und Verschiedenem gesättigt und erfüllt, nun beabsichtigte, sich festzusetzen, dann wäre er reif für die Einwurzelung. Eine Frau und Kinder, ein Haus und ein Garten, der ihm einen großen Teil seiner Nahrung lieferte, eine Arbeit, die ihn an ein Unternehmen knüpfte, das er liebte, auf das er stolz wäre und das für ihn ein offenes Fenster in die Welt hinein bedeutete – das ist genug für das irdische Glück eines menschlichen Wesens.* Angesichts der Entwicklung des Vierteljahrhunderts seither und verglichen mit ihr, bekommt die hier beschriebene Idylle fast groteske Züge. Doch steht Simone Weil keineswegs allein mit solchen Vorstellungen, und es fehlt auch nicht an Versuchen, ähnliches innerhalb der Industrie zu verwirklichen. Die Simone Weil der *Einwurzelung* ist keine Phantastin, sie gehört 1942/43 viel eher zur Avantgarde jener *Zukunft*, die man nicht *abwarten*, die man *machen muß*; und als das Nachkriegs-Frankreich an den Wiederaufbau ging, hat es sich seiner roten Jungfrau tatsächlich hie und da erinnert. Sie machte sich keine Illusionen. *Der hier entworfene Plan würde nur nach langen Bemühungen verwirklicht werden. Aber jedenfalls wäre ein solcher Modus des sozialen Lebens weder kapitalistisch noch sozialistisch. Er würde den Proletarierstand beseitigen, wogegen das, was man Sozialismus nennt, tatsächlich die Tendenz hat, ihn,* den Proletarierstand, *auf die Gesamtheit der Menschheit auszudehnen.* Simone Weils Projekt wäre *namentlich nicht, nach der Formel, die heute immer mehr in Mode kommt, auf das Interesse der Verbrauchers gerichtet – dieses Interesse kann nur ein grob materielles sein –, sondern auf die Würde des Menschen bei seiner Arbeit, also auf einen geistigen Wert* [380].

Hellsichtige *Kassandra*, die dies vor 25 Jahren schrieb. Und selbst wenn man meint, der Zeitpunkt der Wahl sei spätestens seit 1945 verpaßt, so würde doch wohl die Überlegung lohnen, wie weit sich nicht der damals prophezeite, heute teilweise manifeste Menschheitszustand – ein globales *Proletariat* von *Verbrauchern* zu sein – bei entsprechenden Anstrengungen immer noch in Richtung auf Simone Weils Plan der *Einwurzelung* modifizieren ließe.

Hierher gehört auch, den Ort Europas zwischen Amerika und Rußland philosophisch und politisch neu zu bestimmen. Freilich ist es inzwischen mehr als fraglich geworden, ob das geteilte Europa die ihm von der Sainte Simone zugedachte Rolle – sich weder hüben noch drüben zu binden, sich vielmehr auf die speziell europäischen Bestandteile abendländischer Geschichte und die Aufgabe der *Mittlerschaft* zwischen Orient und Okzident zu besinnen – seit dem Zweiten Weltkrieg nicht endgültig ausgespielt hat. Die mittelmeerische Kultur der Antike hatte den Keim jener Möglichkeit enthalten; aber er wurde in der einseitigen Entwicklung des von Rom geprägten Westeuropa für Jahrhunderte verschüttet, als die Kirche das hellenisch-ägyptische und orientalische Mysterienerbe mit Hilfe des «anathema sit» ausschied. Allerdings – *im elften und zwölften Jahrhundert hat es den Ansatz zu einer Renaissance gegeben, welche die wahre gewesen wäre, wenn sie hätte Frucht tragen können;* in der Provence, der Languedoc trieb der *okzitanische Geist* frühe Knospen. [381]

Sprache als Seelenheimat, Heimatlandschaft als Pflanzgrund des Logos in Folklore, Märchen, Mythos – niemand, der diesen Erlebnis- und Denkumkreis Simone Weils in sich aufgenommen hat, kann sich wundern, daß sie in der Languedoc, wo die Landschaft den Namen der Sprache, die Sprache den der Landschaft trägt, ihre eigene Seelenheimat finden mußte – dort, wo immer noch antikischer Geist uns umweht, wo Hellas und Galiläa Pate gestanden, wohin sie Boten geschickt haben, um den Okzident mit Licht aus dem Osten zu tränken.

Simone Weil hat 1940 bis 1942, knappe zwei Jahre, wohl die entscheidenden ihres Lebens, in diesem Land zugebracht. Zwei Aufsätze von ihr über die provenzalische Kultur des 12. Jahrhunderts erschienen im Herbst 1942 in den «Cahiers du Sud»[382], während sie selbst, von Heimweh verzehrt, ihre Rückkehr von New York betrieb. Dieses Heimweh hat niemals einem *nationalen Götzen* gegolten, sondern allein dem Ort, wo das Senfkorn verborgen lag, aus dem die βασιλεία hervorgehen sollte: *Einmal im Lauf dieser 22 Jahrhunderte – seit nämlich die Römer durch ihre Herrschaft das Mittelmeerbecken mit Unfruchtbarkeit geschlagen haben – ist eine mittelmeerische Kultur erblüht, die vielleicht mit der Zeit ein zweites Wunder hervorgebracht, vielleicht einen ebenso hohen Grad von geistiger Freiheit und Fruchtbarkeit erreicht hätte wie das antike Griechenland,* wenn sie nicht, mit dem Makel der Ketzerei versehen und in den «Albigenser-Kreuzzügen» vernichtet worden wäre. *Europa hat niemals mehr in solchem Maße die Geistesfreiheit wiedererlangt, die infolge jenes Krieges verlorenging.*[383] Simone Weil vergleicht ein Fragment des mittelalterlichen Liedes vom Albigenser-Kreuzzug, wo der Fall von Toulouse in der Sprache des Oc besungen wird, mit Homers «Ilias», der sie schon früher eine größere Arbeit gewidmet hat[384]; im Untergang der Katharer und Albigenser sieht sie eine Parallele zum Untergang Trojas. Die provenzalische Kultur war eine höfische, aber ebenso eine Stadtkultur und für Simone Weil, wie die hellenische, der Inbegriff von Kultur überhaupt: das Urbild einer Menschheit im Stande der *Einwurzelung.* Sie beschreibt, wie der *Geist des Rittertums die ganze Bevölkerung der Städte imprägniert* habe. Dort war Gehorsam nicht käuflich und nicht erniedrigend, denn er wurde demjenigen freiwillig geleistet, den seine persönliche Würde zur Führung legitimierte. *Vielleicht war es das, was die Menschen des Oc «parage»*[385] *nannten. Wenn sie gesiegt hätten, wer weiß, ob nicht das Schicksal Europas ein ganz anderes gewesen wäre?* [386]

«Elle est cathare» – sie gehöre selbst zu den Katharern, den Reinen, hat man von Simone Weil gesagt, und bei genauerem Hinsehen finden wir, daß *okzitanischer Geist* – die Wiedergeburt, die wahre Renaissance des Platonischen – ihr ganzes Vermächtnis der *Einwurzelung* durchzieht. So stehen im Mittelpunkt des Heilsplanes die Würde und Verantwortung des Menschen, der nicht manipuliertes Objekt von Bürokratien und anonymen Mächten ist, sondern autonome Persönlichkeit im Besitz ihrer selbst. Und das Zaubermittel, das die Wiedergeburt der Individualität bewirken soll, heißt immer wieder Bildung, in jeweils angemessener Form.

Das *Problem* stellt sich *für den Bauern wie für den Arbeiter,* die gleichermaßen in der modernen Welt gewaltsam entwurzelt sind. Für beide wären die Evangelien der gegebene Unterrichtsstoff: *Wie die Vorstellung eines Christus als Arbeiter die kleinen Jocisten*[387] *be-*

geistert, ebenso sollten die Bauern stolz sein auf den Anteil, den die *Gleichnisse des Evangeliums dem Landleben einräumen*, und auf die *Heiligung von Brot und Wein* und sollten *daraus die Überzeugung gewinnen, daß das Christentum etwas ist, das ihnen gehört.* Die *Sonnenkraft als Beispiel für den Begriff der Energie* überhaupt *würde die Arbeit mit einem Schimmer von Poesie verklären.* Künstlerischer Unterricht und religiöse Erziehung bilden die Grundlage dieses Konzeptes und werden mit gelegentlich überraschenden Argumenten empfohlen: *Wir leben in einer Zeit, wo jeder Enthusiasmus bis zur Weißglut erhitzt ist. Die Neigung des Totalitarismus zur Vergötzung kann nur durch ein echtes geistliches Leben eingedämmt werden. Gewöhnt man die Kinder daran, nicht an Gott zu denken, so werden sie Faschisten oder Kommunisten, aus dem Bedürfnis, sich irgendeiner Sache hinzugeben.*

Schwierigkeiten verursacht das *nur allzu gerechtfertigte Mißtrauen der Massen, in deren Augen jede anspruchsvollere Parole eine Falle ist, um sie zu prellen* [388]; und eine wirkliche Gefahr bildet die zeittypische Erscheinung der Führergestalten, denen die Menschen *in persönlicher Treue anhängen,* denn *die metallische Kälte des Staates läßt die Menschen* hungern *nach Liebe zu einem Wesen aus Fleisch und Blut. So erlaubt die in Hollywood wohlbekannte Kunst... Publikumslieblinge zu fabrizieren, daß man die Anbetung der Massen auf jeden Beliebigen lenkt.* [389] Er ist dann nicht, wie der König von England, eine gewachsene, legitime *Symbolfigur,* sondern eine künstliche.

Im Gegensatz zum *Staat* wird die *Nation* definiert als *Bindeglied* zwischen *Vergangenheit* und *Zukunft* in der Gegenwart. Diese Kontinuität zu sichern, ist die Verpflichtung der Nation gegenüber dem Einzelnen, da keine andere Institution diese Aufgabe mehr erfüllen kann, nicht einmal die Familie. Die Nation, das Vaterland, ist etwas, dessen der Mensch bedarf und an das ihn Verpflichtung bindet. Diese läßt sich nicht *geometrisch beweisen, denn sie gehört einer Ordnung an, die oberhalb der Ordnung des Beweisbaren liegt.* Sie zu leugnen, wäre aber *spiritueller Selbstmord*: die Seele würde *zur Wüste.* Die Verpflichtung gegen das Vaterland wagt niemand zu leugnen, es sei denn, er leugnet auch seine eigene Kontinuität und Wirklichkeit. Der *äußerste Pazifismus nach Gandhis Lehre ist keine Leugnung dieser Verpflichtung, sondern eine besondere Methode ihrer Erfüllung,* die allerdings nie und nicht mal von ihm selbst angewandt wurde. Übrigens muß man sehr genau zwischen echtem Pazifismus, *dem Abscheu vor dem Töten,* und einem falschen, *dem Abscheu vor dem Sterben,* unterscheiden.[390] Bei der *Methode* des echten, des *äußersten Pazifismus* würde sich eine Résistance des ganzen Volkes völlig der Waffen, aber auch der allergeringsten Kollaboration enthalten. *Dabei wären sie* – die Franzosen in diesem Fall – *in sehr viel größerer Zahl und auf sehr viel schmerzhaftere Weise umgekommen. Das wäre eine Nachfolge der Passion Christi im Maßstabe der Nation* und in Simone Weils Augen *gewiß der Mühe wert;* die Nation *würde* verschwinden, aber dieses Verschwinden wäre unendlich viel wertvoller als das glorreichste Überstehen [391]. Das darf nun kaum mehr als politisches Konzept verstanden werden; es führt Politik ad absurdum und gehört dem mystischen Bereich an. Auch ist eine solche kollektive Nachfolge nach Simone Weil gar nicht möglich, denn *einzig die Seele im Allergeheimsten ihrer Einsamkeit* kann zur Imitatio der Vollkommenheit aufbrechen.

Simone Weils politisches Vermächtnis ist, wie wir sehen, alles andere als ein Verfassungs-Entwurf; einerseits geht es darüber weit hinaus, andererseits bleibt es befolgbare Richtlinien wiederum schuldig. Allerdings würde man sich täuschen, sähe man in der *Einwurzelung* – außer dem Goldgrund einer platonisch-manichäisch-okzitanischen Mystik – nicht auch eine Fülle von brauchbarem oder mindestens diskutablem Material und sehr bestimmte Hinweise auf Punkte der Geschichte, wo Simone Weil ihre politischen Vorstellungen zeit- oder teilweise verwirklicht glaubte: Die *angeblichen Barbaren* nahmen das *Christentum* ernst genug; als Ergebnis hätte es fast eine *christliche Kultur* gegeben. Sie wäre vom *Makel der Sklaverei* frei, ihr *Mittelpunkt* wäre das *Handwerk* gewesen. *Das Bild, das Machiavelli von dem Florenz des 12. Jahrhunderts entwirft, ist ein Modell dessen, was der moderne Jargon einen Volksstaat auf gewerkschaftlicher Grundlage nennen würde. In Toulouse schlugen Ritter und Arbeiter sich Seite an Seite gegen Simon von Montfort, um den selben geistigen Schatz zu verteidigen, der beiden gemeinsam war. Die Zünfte, wie sie in dieser zukunftsträchtigen Zeit ins Leben gerufen wurden, waren religiöse Einrichtungen. Das heißt: eine christliche Kultur, die griechische noch überragend, wäre damals möglich gewesen . . .* [392]

Wer die *Verpflichtung* dem *Vaterland*, den Mitmenschen gegenüber und schließlich den Begriff der Pflicht überhaupt leugnet, ist entwurzelt, seine Seele verwüstet und heillos krank. War *Entwurzelung* letzten Endes ein religiöses Problem, dann wird es gleichermaßen der Heilungsprozeß der *Einwurzelung* sein. Wie man aber nun *einem Volke eine Gesinnung* oder *Offenbarung* einhaucht, einen neuen Geist – das Problem einer solchen Methode ist *völlig neu. Platon macht in seiner «Politeia» und anderswo Andeutungen; ohne Zweifel gab es diesbezügliche Lehren in der Geheimwissenschaft der vorrömischen Antike, die gänzlich verlorengegangen ist.* Höchstens die Templer, dann die ersten Freimaurer mögen sich damit befaßt haben. Rousseau, der ein *gewaltiger Geist war*, hat das Problem erkannt, aber nicht behandelt; die Männer von 1789 scheinen keinen Gedanken daran verschwendet zu haben; *und im 19. Jahrhundert war das Intelligenzniveau weit unter jenen Bereich gesunken, wo solche Fragen sich stellen* [393].

Das war das Ende einer Entwicklung. Seit römischer Geist den griechischen überwältigte, der Okzident vom Orient, christliche von «heidnischer» Kultur sich abspaltete, ging die Einheit von Fühlen und Denken, Seele und Geist, Kunst und Wissenschaft verloren, und der abendländische Mensch, von seinen Ursprüngen abgetrennt, war hinfort mit sich selbst entzweit. In der völligen Trennung von Wissenschaft und Religion wurde – etwa an der Schwelle des 20. Jahrhunderts – der äußerste Grad dieser Entzweiung erreicht; sie ist künstlich und inhuman und die Ursache der *Entwurzelung*. Wir erinnern uns an den Hinweis am Schluß des *Lettre à un religieux* [394]: Die Einsicht, daß *die griechische Geometrie und der christliche Glaube ein und derselben Quelle entsprungen sind*, würde unser Leben tatsächlich von Grund auf verändern können, wenn wir daraus die Konsequenzen zögen, indem wir die verlorene und neu zu gewinnende Einheit zum Fluchtpunkt unserer philosophischen und aktiv politischen Bemühungen machten. Simone Weils summa politica läuft schließlich auf dasselbe hinaus wie ihre theologische Summe: *Der Weg vom modernen Denken zur antiken Weisheit wäre kurz und direkt, wenn man ihn nur einschlagen wollte.*

Da unser Zeitalter mit seinen Philosophien durch die Naturwissenschaft geprägt ist, kommt ihr in dem Heilsplan der *Einwurzelung* eine Schlüsselposition zu; Analysen, *dazu angetan, eine vollständige Theorie der sinnlichen Wahrnehmung vorzubereiten*, werden Simone Weils Grundwahrheit enthüllen: daß nicht in den Sinneseindrücken, sondern in der *Notwendigkeit, deren Zeichen diese Eindrücke sind, die Wirklichkeit des Universums* sich offenbart. *Notwendigkeit* ist der *Verzicht* Gottes, in den kausalen Ablauf des Universums einzugreifen, das *als geistige Idee* unseren Sinnen leibhaft gegenwärtig wird. *Die ewige Mathematik, diese Sprache mit doppeltem Ziel, ist der Stoff, aus dem die Weltordnung gewebt ist.*

Die moderne Psychologie möchte das Studium der menschlichen Seele zu einer Wissenschaft erheben. Etwas mehr Genauigkeit genügt, um dies zu erreichen. Denn – und hier finden sich nun Materialien zu einem Anti-Freud, so wie früher die zu einem Anti-Marx – *die Wissenschaft von der Seele und die Sozialwissenschaft sind beide völlig unmöglich, wenn der Begriff des Übernatürlichen nicht streng definiert und als ein wissenschaftlicher Begriff in die Wissenschaft eingeführt wird, um dort mit äußerster Genauigkeit gehandhabt zu werden. Wenn die Wissenschaften vom Menschen derart auf Methoden von mathematischer Strenge gegründet wären... so offenbarte sich die Einheit der in diesem Universum statthabenden Ordnung in ihrer alles beherrschenden Klarheit.*[395] Die Mittel zur Wiederherstellung eines menschenwürdigen, eingewurzelten Lebens sind übernatürlicher Herkunft. Die Gnade von oben bedarf allerdings, um zu wirken, unserer Aufmerksamkeit, der *attente de Dieu*; und daraus resultiert unsere Pflicht, die *Möglichkeit eines wahrhaft inkarnierten Christentums vorzuleben* [396]. Auch unsere Anstrengung, der Schwerkraft entgegenzuwirken, deren physikalische Gesetzmäßigkeit zugleich Voraussetzung und Hindernis unserer körperlichen Arbeitsleistung bildet – auch diese Anstrengung, womit wir dem Universum und seinem Grundprinzip der Notwendigkeit das Gegengewicht halten, ist ohne übernatürliche Energiequelle nicht möglich. *Die Rück-*

kehr zur Wahrheit würde diese Natur und das Ziel *physischer Arbeit wieder sichtbar machen.*

Die freiwillig geleistete körperliche Arbeit ist, nach dem freiwillig erlittenen Tod, die vollkommenste Form der Tugend des Gehorsams. Der Sühnecharakter der Arbeit, auf den der Bericht der Genesis deutet, ist nie recht begriffen worden.[397] *Denn abgestumpft, wie wir sind... durch unseren technischen Hochmut, haben wir vergessen, daß es eine göttliche Ordnung des Universums gibt und daß die Arbeit, die Kunst, die Wissenschaft nur verschiedene Arten sind, mit ihr in Berührung zu treten... Wenn wir diese große Wahrheit wiederfänden, könnten wir den Makel,* das Skandalon des modernen Denkens *tilgen, das in der Feindschaft zwischen Religion und Wissenschaft besteht.*[398] Der Arbeiter vor allen anderen sühnt «im Schweiße seines Angesichts» die Erbschuld, indem er sich mit seinem Körper gegen den großen, permanenten Fall der Menschheit stemmt.

Religiöse Überlieferung führt das Handwerk auf eine *unmittelbare Unterweisung der Gottheit* zurück, und die meisten *behaupten, Gott sei Mensch geworden, um diese pädagogische Sendung zu erfüllen. Die Vorstellung setzt Erinnerungen an eine Zeit voraus, wo die Ausübung eines Handwerks in besonderem Maße heiliges Tun war.*[399] Folglich sind die übrigen menschlichen Tätigkeiten *der körperlichen Arbeit an geistiger Bedeutung sämtlich unterlegen. Es ist ein leichtes, die Stelle zu bestimmen, welche die körperliche Arbeit in einem wohlgeordneten gesellschaftlichen Leben einnehmen soll. Sie soll dessen geistige Mitte sein.*[400]

Hier bricht das Manuskript der *Einwurzelung* ab. Trotzdem scheint es unmöglich, in diesem «zufälligen» Schluß nur den lose hängenden Faden zu sehen, der – wer weiß, wie weit – zu irgendeinem anderen Ende hätte geführt werden sollen. Vielmehr scheint es aus vielen Gründen gerechtfertigt, in diesem Ausklang auch eine Konklusion zu sehen, die sich folgerichtig, von Simone Weils Anfängen her, aus ihrer Erkenntnistheorie der Arbeit und des Übersinnlichen ergibt. *Eine Kultur, die auf eine Spiritualisierung der Arbeit gründete, wäre der höchste Grad der Einwurzelung des Menschen im Universum und folglich das Gegenteil des Zustandes, in dem wir uns befinden und der in einer beinahe völligen Entwurzelung besteht. Und so wäre eine condition humaine, eine condition ouvrière, in der die Arbeit spirituell definiert und bewertet wird, das ersehnte Ziel und die Antwort auf unsere Leiden*[401].

ÜBERNATÜRLICHE ERKENNTNIS

Théologie weilienne

Crux fidelis inter omnes
Arbor una nobilis:
Nulla silva talem profert
Fronde, flore, germine ...

Ipse lignum tunc notavit,
Damna ligni ut solveret ...

Beata cuius brachiis
Praetium pependi saeculi,
Statera facta corporis,
Tulitque praedam tartari.

Venantius Fortunatus:
Kreuz-Hymnen der Karfreitagsmesse

«Das Christentum ... vermochte uns nur so
tief zu ergreifen wegen seines Mensch ge-
wordenen Gottes. Aber seine Wahrheit und
seine Größe hören am Kreuz auf ...»

Albert Camus

Das KREUZ allein genügt mir.[402]

Christus brauchte nicht als König zu erscheinen, um im Glanz seiner Herrlichkeit zu herrschen, da er im Glanz seiner Ordnung gekommen sei, heißt es bei Pascal; und wie ein Echo in Rilkes Stundenbuch: «Tu mir kein Wunder zulieb. Gib deinen Gesetzen recht, die von Geschlecht zu Geschlecht sichtbarer sind.» *Notwendigkeit* heißt der manifeste Text dieser gesetzten Ordnung bei Simone Weil, und *in der Notwendigkeit die unendliche Sanftmut des Gehorsams*[403]. Auf diese Weise ist *Gott* in der *Welt* zugleich *geoffenbart* und *verborgen.*[404]

Seit meiner Jugend war ich der Ansicht, daß das Gottesproblem ein Problem ist, dessen Voraussetzungen uns hienieden fehlen, und daß die einzig sichere Methode, eine falsche Lösung zu vermeiden... darin besteht, es nicht zu stellen. Also stellte ich es nicht.[405] Wir haben bemerkt, daß die *connaissance surnaturelle* wie der Metallfaden im Brokat allenthalben das Gewebe der Weilschen Philosophie durchzieht und mehr und mehr zum tragenden Grund geworden ist. Doch haben wir bisher die «théologie weilienne» nur in ihrer Projektion auf einzelne Felder betrachtet: die Arbeit, die Erziehung, die Künste, die Gesellschaft in Staat und Kirche; und obwohl die Auseinandersetzung mit der Kirche gewiß am Drehpunkt der Biographie wie des Werkes stattfindet, erschöpft sich die Weilsche Theologie doch nicht darin. Fraglich ist zwar, und nicht nur für Gustave Thibon, ob es sich denn um eine Theologie überhaupt handle[406]: Simone

Weils Vokabular sei das der «Mystiker und nicht der spekulativen Theologen; was es darstellen will, ist nicht die ewige Ordnung des wesenhaften Seins, sondern die besondere Wanderschaft der Seele auf der Suche nach Gott» – die übrigens von Simone Weil selbst ganz ausdrücklich bestritten wird: *Ich kann sagen, daß ich mein ganzes Leben lang, niemals, in keinem Augenblick, Gott gesucht habe.*[407] An Gott ist es, die Seele zu suchen, der Seele Teil aber die aufmerksame Erwartung: *Attente.* Hat Gott die Seele ergriffen, so wird sie zu seinem Instrument: *Das, was der Bleistift für mich ist, wenn ich geschlossenen Auges den Tisch abtaste – dies für Christus sein. Wir haben die Möglichkeit, Mittler zu sein zwischen Gott und jenem Teil der Schöpfung, der uns anvertraut ist. Unsere Einwilligung läßt ihn durch uns hindurch seine Schöpfung wahrnehmen*[408].

Man wird Simone Weil kaum gerecht, ohne den theologischen Gehalt ihres Denkens u n d ihrer mystischen Erfahrung zu betrachten, zumal diese auf eine hochentwickelte Intelligenz traf, welche bis zuletzt nicht bereit war, die Waffen zu strecken im «Kampf des Irrationalen mit dem Rationalen»[409]. Um systematische Theologie handelt es sich freilich nicht; die *Konstrukteure von Systemen* hatten ohnedies nicht ihre Sympathie, viel mehr neigt sie mit Camus (wie dieser mit Nietzsche) zu der Auffassung, der Wille zum System impliziere einen Mangel an Rechtschaffenheit, während die Wirklichkeit nur durch aufmerksame Betrachtung der Phänomene zu erfahren sei. Der *Gehorsam der Dinge ist für uns, in bezug auf Gott, dasselbe, was die Durchsichtigkeit einer Fensterscheibe in bezug auf das Licht ist. Sobald wir diesen Gehorsam mit unserem ganzen Sein empfinden, sehen wir Gott.*[410]

Atheismus und Materialismus haben tief in die moderne Theologie hineingewirkt; ohne Darwin und Marx ist Teilhard nicht zu denken; mit Alain und Lagneau sieht auch Simone Weil im *Atheismus* eine Reinigungsübung von hohem Nutzen, weil er *Abgötterei* und andere Einbildungen austreibt und so von der luziferischen *Sünde der Illusion* befreit. *Die materialistische Methode* wie der *kostbare Gebrauch der Mathematik* sind in Richtung auf die *übernatürliche Erkenntnis* desto nötiger für den modernen Menschen, je mehr er im historischen Fortgang des Denkens die Gefühlsbindungen an das Übersinnliche verloren hat, sie nicht mehr für zuverlässig oder nur zulässig hält, sondern viel eher geneigt ist, sich ihrer zu schämen. Seiner «Modernität» gemäß besteht er Rechtens auf einer Metaphysik, die den mathematisch-physikalischen Errungenschaften des 20. Jahrhunderts nicht widerspricht, sondern sie ergänzt, also auf einer mit der Naturwissenschaft vereinbaren Religion; dazu bedarf allerdings auch die Naturwissenschaft einer Umkehr oder mindestens neuer Ansätze. Simone Weil verlangt, daß die Denk- und Erkenntnismethoden der exakten Naturwissenschaft – wobei zwar die Planckschen am liebsten ausgeklammert blieben – auf die übersinnliche Erfahrung angewandt werden; ein Gedanke, der dem Vulgär-Materialismus heute noch phantastisch erscheinen muß.[411]

Alain, auf der Suche nach dem «neuen Menschen», ging «zu den Göttern» und fand allenthalben «in den heiligen Büchern nichts anderes als den Menschen; seulement tout l'homme: den ganzen Menschen»[412]. Camus sieht im Christentum die eigentlich «menschliche Religion». Ihre «Bitterkeit macht sie natürlich unerträglich. Aber hier liegt ihre Wahrheit und die Lüge alles übrigen beschlossen.»[413] Simone Weil trennt die göttliche von der menschlichen Sphäre so fundamental, wie sie Heidentum und Christentum miteinander verbunden sieht. Für den linientreuen Katholiken verkörpert sie «die neue gnostische Gefahr der Kirche»[414]. Wie wir wissen, lehnt sie die Bezeichnungen «Heiden» und «Ketzer» überhaupt ab. Daß die Kirche nicht den vorchristlichen Glaubensinhalten die christlichen als Fortsetzung und Erfüllung der vorhandenen Heilserwartung hinzufügte, vielmehr den Bruch mit den alten Traditionen forderte, um an ihre Stelle eine neue Lehre zu setzen, – das ist gerade der Hauptvorwurf der «théologie weilienne» an die Adresse Roms. Gegen das große Mißverständnis der christlichen Mission, Ursache der Weilschen Krankheit der *Entwurzelung*, setzt die Therapeutin, wie wir in dem Kapitel «Brief an einen Ordensmann» sahen, einen Heilsbegriff, der sich von dem der Kirche und des Alten Testamentes strikt unterscheidet, indem er die Heilserwartung der «gentes», der Heiden nicht verfemt, sondern als christliche Vorgeschichte in den Heilsprozeß unmittelbar einbezieht. Für Simone Weil gibt es also mehr als nur einen Alten Bund. Jedes Volk hatte seinen eigenen Vertrag mit Gott gemacht. Das Christentum sollte sie alle erfüllen und war durchaus dazu angelegt, das Novum Testamentum aller dieser früheren Gottesbündnisse zu sein, ein neuer Vertrag mit dem *Vater* durch die *Vermittelung* des *Sohnes*, der sich in Christus als *Gotteswort*, als *Gottesliebe* inkarniert hatte.

«Nichts ist ihr zu klein» oder zu entlegen; was irgend für eine Christus-Prophetie bei Ägyptern und Griechen, bei Persern, Kelten, Germanen und Indianern, in Indien oder China sprechen könnte, das malt Simone Weil «auf Goldgrund und groß» und kommt dabei, freilich manchmal etwas forciert, zu Übereinstimmungen, die den Unkundigen überraschen können. Ihren klerikalen Kritikern ist solche «Ketzerei» nur zu bekannt und wird eines der Haupthindernisse zwischen ihnen und der «Sainte Simone» bleiben.

Ihr eigentlicher Gottesbegriff befindet sich – als eben jener Goldgrund – weit hinter den figurenreichen Götter-Himmeln der vor- und außerchristlichen Religionen. Er ist das *bien absolu,* unerreichbar fern, *für das hienieden die Anhaltspunkte fehlen;* das *Gottesproblem* ist unlösbar, jeder Versuch verbietet sich, weil eine falsche Lösung das größte Übel wäre. Allein Gottes *Abwesenheit* in der Welt und der daraus sich erklärende *Hunger* des Menschen nach dem *übernatürlichen Brot* könnte als Gottesbeweis dienen. Nur die *Schönheit der Welt* und die *Liebe sprechen von GOTT,* dasjenige nämlich, was sich der *Notwendigkeit* entringt. Ihre Gesetze sind es, die im Universum und auf der «terre des hommes» gelten; sie bestimmen die menschliche Geschichte und das tägliche Leben, erst recht die *Arbeit* und *das Soziale*. Die Notwendigkeit mit ihren Kausal- und Sachzwängen *r*epräsentiert hier für uns *sanft* und unerbittlich die übernatürliche Ordnung. *Die naturwissenschaftliche Anschauung der Welt muß, recht verstanden, nicht abgetrennt sein vom wahren Glauben. GOTT hat dieses Universum geschaffen als ein Gewebe auseinander hervorgehender Ursachen; es scheint Unfrömmigkeit darin zu liegen, wenn man annimmt, in diesem Gewebe seien Löcher, als könne GOTT nicht zu seinen Zielen gelangen, ohne sich an seinem eigenen Werk zu vergreifen. Wenn man solche Löcher* – oder die von Planck postulierte Diskontinuität? – *annimmt, so wird es zum Ärgernis, daß GOTT nichts dafür tut, die Unschuldigen vor dem Unglück zu bewahren.* GOTT ist also hinter seine Schöpfung zurückgetreten und überläßt sie der Notwendigkeit, indem Er sich jeden Eingriffs, etwa durch sogenannte Wunder, enthält. *Die Ereignisse (faits), die man Wunder nennt, sind vereinbar mit der naturwissenschaftlichen Vorstellung von der Welt, wenn man als Postulat gelten läßt, daß ein genügend fortgeschrittenes Wissen davon Rechenschaft geben könnte. Ein solches Postulat leugnet nicht die Beziehung jener Ereignisse zum Übernatürlichen.* Aber ein aus *reiner Liebe* gegebenes *Almosen* ist ein *ebenso großes Wunder* wie das *Wandeln auf dem Wasser*, und dieses unterscheidet sich von den Tränen eines Heiligen nicht grundsätzlich, sondern allein dadurch, daß es seltener vorkommt.[415]

Simone Weils Christologie ist sowohl christlich als auch «heidnisch», mithin so «synkretistisch» wie ihre ganze Theologie. Innerhalb der *Trinität* erscheint Christus als die *Vermittelung*, als die *mittlere Proportionale* zwischen Vatergott und Gottesgeist, als tertium comparationis auch zwischen Himmel und Erde, zwischen GOTT und Mensch. Griechische Texte und solche aus dem Sanskrit, das Simone Weil eigens lernt, die Edda und die Grimmschen Märchen werden ihr fündig mit immer neuen Erzadern christlicher Weissagung. Im *Lettre à un religieux* sahen wir sogar die Möglichkeit früherer Inkarnationen des Christus unter anderen Namen und Gestalten angedeutet, und hier wie anderwärts drängt sich der Vergleich mit theosophischen, mit anthroposophischen Vorstellungen auf. Von ihnen jedoch distanziert sich Simone Weil nachdrücklich, wenn sie schreibt: *Die Vermehrung orientalischer Kulte in Rom ... gleicht völlig derjenigen von Sekten theosophischen Genres heutzutage* (1942). *Soweit es sich beurteilen läßt, geht es hier nicht mehr um die Sache selbst (l'article authentique), sondern um ein Fabrikat, das für Snobs bestimmt ist.*[416] Doch muß man fragen, ob sich Simone Weil mit den Ideen Rudolf Steiners befaßt haben konnte, ohne die Verwandtschaft mit ihren eigenen, nicht bloß auf religiösem Felde, zu bemerken. Wahrscheinlicher, wenn auch fast unverständlich, ist, daß sie Steiners Schriften nicht kannte.

Hast du den heiligen Johannes vom Kreuz gelesen? fragt sie in einem Brief aus Marseille ihren Bruder. *Es ist meine Hauptbeschäftigung augenblicklich. Ich habe auch einen Sanskrit-Text der* (Bhagavad)

Gita bekommen, in lateinische Buchstaben umgeschrieben. Das Denken ist außerordentlich ähnlich in beiden. Die Mystik ist in allen Ländern dieselbe. Ich glaube, auch Platon sollte hier einbezogen werden, und daß er Mathematik zum Gegenstand mystischer Kontemplation nahm.[417]

Ebenso wie die Überlieferung der Kunst und der Geschichte ist auch die Natur für Simone Weil voller Chiffren einer *connaissance surnaturelle*. In der Natur sieht sie *Schwerkraft* und *Gnade*, auch diese, gewissermaßen nach physikalischen und physiologischen Gesetzen wirken. *Unaufhörlich reden auf den Feldern die Sonne und der Saft der Pflanzen von dem, was auf der Welt das allergrößte ist. Wir leben von nichts anderem als von der Sonnenenergie; wir essen sie, und sie ist es, die uns aufrecht hält, die unsere Muskeln in Bewegung setzt, die leibhaftig all unsere Handlungen bewirkt. Sie ist vielleicht, in verschiedener Gestalt, das einzige Wesen im Weltall, das eine der Schwerkraft entgegengesetzte Macht darstellt; sie ist es, die in den Bäumen aufsteigt, die mit unseren Armen Lasten hebt, die unsere Kräfte antreibt. Sie geht aus einer unerreichbaren Quelle hervor, und dieser können wir uns nicht um einen einzigen Schritt nähern. Unaufhörlich kommt sie zu uns herab. Aber obgleich sie uns umhüllt, können wir sie nicht fassen. Nur das Pflanzenelement des Chlorophylls kann sie für uns einfangen und aus ihr unsere Nahrung machen.* Das Geheimnis von Opferung, Wandlung und Kommunion in der Messe findet hier Ausdruck in einer Symbolsprache von unmittelbar zugänglicher, durchsichtiger Einfalt. Die Frucht von Simone Weils Fabrik- und Landarbeit war ein gewissermaßen handgreifliches Denken: «penser musculairement» nennt es Alain und behauptet: «c'est le génie».

In demselben Aufsatz *Condition première d'un travail non servile* heißt es: *Das Bild des Kreuzes, im Karfreitags-Hymnus* [418] *mit einer Waage verglichen, könnte zur unerschöpflichen Inspiration werden für die, welche Lasten tragen und Hebel bedienen und am Abend müde sind von der Schwerkraft der Dinge. Auf einer Waage kann ein beträchtliches Gewicht nahe dem Stützpunkt durch ein sehr schwaches Gewicht angehoben werden, das sich in sehr großer Entfernung davon befindet. Der Leib Christi war ein recht schwaches Gewicht, aber durch die Entfernung zwischen der Erde und dem Himmel hat er das Universum aufgewogen. Auf unendlich andere Weise, aber doch ähnlich genug, um als Sinnbild zu dienen, soll auch jeder, der arbeitet, Lasten hebt und Hebel bewegt, mit seinem schwachen Körper Gegengewicht des Universums sein.*[419]

Wir erinnern uns, daß die *körperliche Arbeit das Reuegeld*, die Buße für die *Erbsünde* war. Insofern sie das Ego eliminiert, kann sie zum Bild *vollkommener Tugend* werden. *Die Arbeit, die ohne Stimulans vollkommen gut ausgeführt wird*, als tägliches Opfer, das allerdings an GOTT adressiert sein müßte, *wäre vielleicht eine Form der Heiligkeit.* Damit die *katholische Religion die Wirkung habe, deren sie fähig ist, um aus der Arbeit eine geistliche Übung (un exercice spi-*

Kreuzigung. Gemälde von Antonello da Messina, 1475.
Antwerpen, Königliches Museum

rituel [ein Exerzitium]) *zu machen, muß man zuerst zugeben, daß die Arbeit ein Leiden (une souffrance) ist.*

Damit kommen wir zum Kern der Weilschen Theologie. Dieser nun freilich mystische Kern ist das Leiden, das *Unglück*. In ihm, das als die weiteste *Entfernung von Gott*, als Anlaß vollkommener *Loslösung* und *Leere* erlebt wird, im tiefsten Unglück geschieht die Initialzündung der *Gottesliebe*. In der vollkommenen Leere manifestiert sich Gott als Schöpfer. In der Hingabe an die Leere, im eigenen Nichtswerden, geschieht auch die mystische Begegnung. Diese Leere im eigenen Innern zu schaffen, damit das *bien absolu* eintrete, auf dies Ziel ist seit Jahrtausenden die Meditationspraxis östlicher und westlicher «religieux» gerichtet, deren Unterschiede wir hier nicht erörtern können. Die Hingabe an das Unglück, die Zustimmung zum Leiden bewirkt dasselbe, auch dies ist keine Erfindung Simone Weils; und stets hat es die Neigung gegeben, Leiden willkürlich herbeizuführen, in extremer Form bei den mittelalterlichen Flagellanten. Freilich scheint spiritueller Fortschritt ohne das dafür probate Mittel des «Triebverzichts» im weitesten Sinne und, darüber hinaus, des akzeptierten oder freiwilligen Leidens schwer denkbar. Das Leiden als der *contact de l'objet*, zu dem uns das Verlangen nach fühlbarer, sinnlich wahrnehmbarer Realität in der Sphäre des Übersinnlichen treibt; Golgatha als der Ort, wo Natur und Übernatur, *Schwerkraft* und *Gnade* sich treffen, *Unglück* zu *Gottesliebe* transzendiert. So steht für Simone Weil, biographisch und philosophisch, im Mittelpunkt das *Kreuz*: Sinnbild der «condition humaine» überhaupt, Koordinatensystem der christlichen Existenz erst recht. *Die letzte Größe des Christentums beruht darauf, daß es nicht nach einem übernatürlichen Heilmittel gegen das Leiden, sondern nach einem übernatürlichen Gebrauch des Leidens trachtete. Aber man soll sich bemühen, so sehr man irgend kann, das Unglück zu vermeiden, damit das Unglück, das einem begegnet, vollkommen rein und vollkommen bitter sei* [420]. Sehen wir Simone Weil hier noch im Gefolge der Stoa, dann gehört aber die Inbrunst, mit der sie das Kreuz betrachtet, gewiß der Mystik an: *... jedesmal, wenn ich an die Kreuzigung Christi denke, begehe ich die Sünde des Neides.* [421] Sie wünscht sich, wenn sie diese Nachfolge nicht *verdiene, wenigstens an dem Kreuze des guten Schächers teilzuhaben* [422].

Auf sie hat das Kreuz *die gleiche Wirkung wie auf andere die Auferstehung.* Das entspricht auch ihrer Indifferenz gegenüber sogenannten Wundern. *Hitler könnte fünfzigmal sterben und wiederauferstehen, ohne daß ich ihn als Gottes Sohn ansehen würde. Und wenn das Evangelium jede Erwähnung der Auferstehung Christi wegließe, fiele mir der Glaube um so leichter. Das KREUZ allein genügt mir.* [423] Das Kreuz ist für sie *der gute Hafen,* der *glückliche* und *edle Baum,* dessen Laub und Frucht in keinem Wald zu finden sind und dessen Bild sie von der Edda bis zu den Hymnen des Meß-Kanons durch die Zeiten verfolgt; es ist die *Waage, auf der ein schmächtiger und leichter Körper, der aber GOTT war, das Gewicht der ganzen Welt aufge-*

hoben hat. «Gib mir einen Stützpunkt, und ich werde die Welt auf-heben.» Dieser Stützpunkt ist das Kreuz. Es kann keinen andern geben. Er muß dort sein, wo die Welt und das, was nicht die Welt ist, sich überschneiden. Dieser Schnittpunkt ist das Kreuz.[424]

Toute géométrie procède de la Croix [147], und damit wird das Kreuz zum Ursprung der Weltordnung. Diese Ordnung ist übernatürlich und kann nur durch *übernatürliche Erkenntnis* erfahren werden. Das Kreuz als der Schnittpunkt zwischen dieser Welt und der übersinn-lichen des *bien absolu* ist das Paradoxon, auf das die menschliche Existenz gekreuzigt ist. Durch ihr Genügen am Kreuz scheint Simone Weil nicht nur an die Seite Edith Steins zu rücken, sondern auch, trotz deutlicher Ablehnung Luthers, in die Nähe eines strengen Pro-testantismus, dessen höchster Feiertag der Karfreitag und der daher schon als Karfreitags-Christentum bezeichnet worden ist. Fundamen-tal unterscheidet sich Simone Weil aber hier von dem anderen großen französischen Ketzer der Moderne, Teilhard de Chardin. Er bezieht nicht die Methode, sondern Bestandteile des dialektischen Materialis-mus – die Entwicklungslehre, den Fortschrittsglauben – in seine Theo-logie ein, indem er aus einem modifizierten Darwinismus geradezu ihr Kernstück macht; Golgatha ist für Teilhard wie nicht vorhanden. Sei-ne Christologie geht sozusagen links am Kreuz vorbei; das heißt statt Sündenfall und Erlösung: Evolution. Niemals hätte sich Simone Weil mit Teilhard darin geeinigt, daß die Sublimierung der Noosphäre als ein quasi naturnotwendiger Vorgang durch evolutionäre Einrollung stattfinden könne oder gar müsse. Im Gegenteil, sie glaubt ja nicht an die materialistische *Zwangsvorstellung* des *Fortschritts*, der vor-aussetzt, daß Mittelmäßiges aus sich selbst Vortreffliches erzeuge.[425] Daher wäre Heilsgeschichte, wie Teilhard sie ansieht: als nahezu un-vermeidlichen phylogenetischen Entwicklungsprozeß der Materie, für Simone Weil unannehmbar. Wie zu Teilhard, so verbietet sich ihr Zustimmung zu Pascal und seinen Autoritätsvorstellungen im Be-reich des Geistes und der religiösen Erkenntnis. Solidarisch fühlt sie sich allein mit den Unglücklichen und Entrechteten, aber in Revolte gegen alle irdischen Autoritäten und Institutionen.

Steht Simone Weil auf verlorenem Posten? Und an welchem Ort? Ist es noch der «Boden des Christentums»? Ist christliche, nämlich mitmenschliche Verantwortung denkbar, geschweige denn ausführ-bar ohne verbindliche Ordnungsprinzipien und Personen oder Per-sonengruppen, die dafür «gradestehen», es mindestens versuchen? Wie weit ist in jeder Revolte gegen das Bestehende mangelnde Reife, fehlender oder unterentwickelter Bürgersinn eines der treibenden Motive – eine Art verspäteter Pubertät? Ihre heroische Natur und ihre überragenden kritischen Fähigkeiten machten es Simone Weil unmöglich, mit dem *großen Tier*, in welcher Gestalt immer, zu pak-tieren, aber auch, wie sie es wünschte, durch *Armut unsichtbar* in der *anonymen Masse* unterschiedslos zu verschwinden. Denn wenn sie für die Menschen allgemein und für alle Unterdrückten und Entrech-teten speziell das Glück der *Einwurzelung* anstrebt, für sich selbst jedoch ausnahmsweise das *Unglück* vorzieht, dann macht sie sehr wohl einen Unterschied zwischen sich und den *gewöhnlichen Menschen*. Gab es keinen dritten Weg für Simone Weil, einen christlichen, um die *Beziehung zwischen Individuum und Kollektiv* möglich und fruchtbar zu machen? Wenn gerade davon, wie sie meinte, die *Inkarnation* des *Christentums* abhing [426] – worin bestand für sie das Hindernis? Etwa darin, daß sie nicht bereit war, zwischen dem *großen Tier* und dem *mystischen Leibe* einen prinzipiellen Unterschied zu machen?

Äußerungen über μανία bei Platon können sich nach ihrer Meinung nur auf *Zustände* individueller *Ekstase* beziehen, nicht auf solche von *kollektivem Halb-Delirium* [427]. Hatte sie niemals jene Erfahrung gemacht oder als möglich ins Auge gefaßt, die in dem Bilde des «Brausens vom Himmel», der «Flammenzungen», der Ausgießung des Geistes über die Häupter der Pfingstgemeinde in der Apostelgeschichte beschrieben ist? Wir wissen, daß sie, die Mystikerin, schon gegen die individuelle mystische Erfahrung das allergrößte Mißtrauen mobilisierte, um auch die geringste Gefahr der Suggestion zu meiden; sie zeiht Pascal der Unredlichkeit, weil er diese Suggestion geradezu empfehle.[428] Erst recht ist ihr jede Ekstase en masse überaus verdächtig und mit um so triftigeren Gründen, als eben zu ihrer Zeit Massensuggestion und Kollektiv-Ekstasen, die bevorzugten Mittel faschistischer, nationalistischer, ideologischer Politik, mitten in den Zweiten Weltkrieg geführt hatten. So mögen individuelle Anlage und Biographie mit den historischen Ereignissen zusammengewirkt haben, um jenen Punkt der Heilsgeschichte vor Simone Weil zu verbergen oder zu verwischen, wo die Lösung ihres Kardinalproblems – und ohne Zweifel ist es das Problem des modernen Menschen überhaupt – im Evangelium schon ihr Inbild, ihr εἶδος gefunden hat. Freilich kann man sagen, daß dieses frühe Vorbild durch fast zwei Jahrtausende utopisch geblieben und vielleicht immer nur als «unsichtbare Kirche» möglich gewesen ist, in der Résistance, im Untergrund, als eine Ökumene ohne oder außerhalb von Institutionen.

Ist nun ein Heilungsprozeß wie die *Einwurzelung* ohne gemeinsame und auch organisierte Initiative nicht gut möglich, so fehlt dazu bei Simone Weil der notwendige Schritt vom Individuum zur Gemeinschaft, der manifeste Entschluß zur Bindung, im Politischen wie im Religiösen. Hüten wir uns aber, darin einen Akt der Willkür, der anarchischen Selbstüberschätzung zu sehen. Viel eher scheint existentielle Bedingtheit und sogar Not erkennbar. In dem Kapitel über das *große Tier* («Allein gegen Theben») haben wir schon vom Individualismus der Mystiker Notiz genommen: mystische Erfahrung, deren Zeugnisse rückwärts in der Geschichte und geographisch nach allen Seiten weit über die Grenzen des Christentums hinausreichen, ist vorwiegend, wenn nicht prinzipiell unteilbar, nicht mitteilbar als Urerfahrung des inspirierten Individuums im Zustand der Ekstase. Für ein inspiriertes Kollektiv gibt es jenes hinreißende Vorbild der Pfingsten; aber in wessen Macht steht es, eine Wiederholung herbeizu-

Pierre Teilhard de Chardin, Jesuitenpater, Paläontologe, Theologe der Evolution, Autor ohne päpstliches Imprimatur

führen? Und was wären die Voraussetzungen? Da Simone Weil sich den Gedanken an die Auferstehung und ein Leben nach dem Tode verbot und also schon vor Ostern, in Golgatha, an der Schädelstätte haltmachte: mußte ihr auf diesem Weg einer subjektiv eingeschränkten Nachfolge das Pfingsterlebnis nicht mit Notwendigkeit versagt bleiben?

Sie glaubte, ihre Berufung fordere von ihr Leiden und Unglück bis zur Neige. Ihre rigorose Natur verlangte, diesen Weg zu Ende zu gehen; das *Muster eines Gebets*, in ihrem vorletzten Lebensjahr niedergeschrieben, gibt davon Zeugnis. Was sie dort von Gott erbittet, ist die vollendete Agonie des irdischen Menschen, «ganz, samt Seele und Leib»: *Vater, bewirke diese Verwandlung jetzt, im Namen Christi; und obwohl ich diese Verwandlung erbitte in unvollkommenem Glauben, erhöre die Bitte, wie wenn sie in vollkommenem Glauben ausgesprochen wäre.* Warum aber, zu welchem Ende erbittet sie dies? *Vater, der Du das Gute bist und ich das Minderwertige, reiß diesen Leib und diese Seele los von mir und mache daraus etwas, das Dir gehört, und laß in alle Ewigkeit von mir nur dieses Losreißen bestehen oder das Nichts.*[429] Ist dies das Geheimnis von Simone Weils «Individualismus»: daß schließlich niemand und nichts sie besitzen sollte als allein Gott? Der Weg, den sie zu Ende gehen wollte, führte folgerichtig bis ans Kreuz. Und am Kreuz ist der Gekreuzigte allein.

WARTEN AUF GOTT

Kampf mit dem Irrationalen – Das Minimum

«Quaerens me sedisti lassus . . .»
Dies irae der Totenmesse

«Fáteor et mihi adventasse verbum.»
Bernhard von Clairvaux

So ist die menschliche Liebe beschaffen. Wir lieben nur das, was wir essen können.[430]

Eine der köstlichsten Freuden der irdischen Liebe, dem geliebten Wesen zu dienen, ohne daß es dies weiß, ist in der Gottesliebe nur möglich durch den Atheismus.[431]

Das Verlangen danach, verstanden zu werden, ist ein Vergehen, solange man noch nicht Klarheit über sich selbst gewonnen hat. Man muß die Freundschaft, oder vielmehr den Traum der Freundschaft, zurückweisen, um ihres Empfanges würdig zu sein. Sie gehört der Ordnung der Gnade an und mithin zu jenen Dingen, die man als Dreingabe erhält. J e d e r Traum von Freundschaft verdient zerbrochen zu werden. Es ist kein Zufall, daß du niemals geliebt wurdest. Der Einsamkeit entrinnen zu wollen, ist Feigheit. Freundschaft kann nicht gesucht, erträumt, begehrt, nur ausgeübt werden, denn sie ist eine Tugend. Diesen ganzen Wust unreinen und verworrenen Gefühls hinausfegen. Schluß![432] *Mit fünfundzwanzig Jahren ist es höchste Zeit, mit dem Backfischstadium (adolescence) gründlich Schluß zu machen . . .*[433]

Obwohl ohne weiteres nicht einzusehen ist, was dieser Abschnitt mit dem Thema des Kapitels zu tun haben soll, stellen wir ihn vor als eines der raren Zeugnisse von wenigstens andeutungsweise autobiographischem Charakter. Es mag als Beweis dienen, daß Simone Weil eine Frau mit einer fühlenden und sehnsuchtsvollen Seele war, von Freundschaft und auch Liebe nicht aus bloßer Theorie sprach. *Die Liebe braucht Wirklichkeit. Was gibt es Gräßlicheres, als eines Tages zu merken, daß man durch eine körperliche Erscheinung hindurch ein eingebildetes Wesen liebt? Aimer purement, c'est consentir à la distance* [rein lieben heißt in den Abstand einwilligen]. *Besitzen ist gleichbedeutend mit Besudeln. Darum: den Abstand verehren zwischen einem selbst und dem, was man liebt*[433]. Es wäre müßig und würde auch die Diskretion verletzen, an die wir uns gebunden haben, wollte man in Simone Weils Biographie auf den vagen Spuren solcher Tagebuchnotizen etwa nach einer unglücklichen Liebe fahnden; sie ginge uns nichts an, und sie fiele hier auch kaum ins Gewicht.

Alain findet die Gebärde des Betens so «natürlich wie die Bewegung einer Blüte, die sich öffnet». Allzu lange und absichtsvoll scheint

In Marseille

*Platonischer Eros – Minne der Troubadours. Aus der Ma-
nessischen Handschrift, um 1320, unter französischem Einfluß vermutlich in Zürich entstanden*

es in Vergessenheit geraten, daß zwischen Agape und Eros nicht von
jeher und nicht notwendig eine Kluft besteht; von Natur sind sie
nicht Feinde, sondern Zwillingsgeschwister, die Hand in Hand gehen,
oder es wenigstens könnten. «Und ruf ich zu mir: Er kommt zu
Zwein...»[434] Es ist die gleiche Erfahrung der in Gott befreundeten
Liebespaare von Alkmene und Amphitryon bis zu Proëza und Ro-
drigo, daß in der wahren Menschenliebe immer der Gott oder der
Engel als Dritter im Bunde mitliebt und mitgeliebt wird. In dieser
Richtung müssen wir auch bei Simone Weil den Liebesbegriff suchen;
sei er auf Erfahrung oder Beobachtung, keinesfalls ist er auf bloße
Spekulation gegründet. Wir erinnern uns jenes Briefes der Fünfund-
zwanzigjährigen an eine Schülerin und verweisen außerdem auf eine
Arbeit, die im Februar 1943 erschienen ist: *En quoi consiste l'inspira-*

tion occitanienne? Dort vergleicht Simone Weil die *unmögliche* platonische Liebe, die *nichts anderes war als Keuschheit,* und die der Troubadours. *Die höfische Liebe hat ein menschliches Wesen zum Gegenstand; aber sie ist nicht lüstern. Sie ist nur eine Aufmerksamkeit, die sich auf das geliebte Wesen richtet und dafür um Zustimmung bittet. Das Wort «merci», womit die Troubadours diese Zustimmung bezeichneten, ist dem Begriff der Gnade ganz nah. Eine solche Liebe in ihrer Fülle ist Gottesliebe durch das geliebte Wesen hindurch. In diesem Lande* – der Languedoc – *wie in Griechenland war die menschliche Liebe eine der Brücken zwischen den Menschen und Gott.*[435] In der romanischen Architektur und im gregorianischen Choral findet sie den Ausdruck dieser selben Inspiration.

Camus – um einen wohl kaum der Prüderie oder Bigotterie verdächtigen Zeugen anzuführen – spricht von der «unbedingten Notwendigkeit», sich Prüfungen unterzogen, «sich mit unerbittlicher Strenge behandelt zu haben». Er geht so weit, vor jedem «Unterfangen, das auf die Verherrlichung des Unmittelbaren abzielt», einen «M o n a t der Askese auf allen Gebieten» zu fordern.[436] Der «Normalverbraucher» der zweiten Jahrhunderthälfte, deren angebeteter und obendrein nur halb verstandener Schutzpatron Freud und nicht Marc Aurel oder Franz von Assisi ist, vermeidet indessen selbst sportliche Anstrengungen, um sie den professionellen Gladiatoren zu überlassen. Von solcher «Norm» ausgehend, muß die religiöse Praxis einer Simone Weil abnorm und widernatürlich erscheinen; doch kann das als Maßstab hier nicht dienen. Auch können gelegentliche Versuche, das Rätsel Simone Weil psychoanalytisch zu lösen, höchstens partiellen Erfolg haben: neun Zehntel des Eisberges bleiben dabei

«Das Gebet ist nur dann auf Gott gerichtet, wenn es keine Bedingungen stellt. Bedingungslos beten, das heißt: bitten im Namen Christi. Das Gebet, das niemals zurückgewiesen wird.»
Betender Jüngling,
Bronzestatue. 310–300 v. Chr.
Ehem. Berlin, Altes Museum

unterm Wasser. Denn Psychoanalyse, soweit sie sich auf eine Etage des Menschlichen beschränkt, ist eben darum einseitig und wenig geeignet, uns Mittel für die Erkenntnis übersinnlicher Phänomene zu liefern, um die es hier geht. Die asketischen Züge Simone Weils sind in ihrer Bedeutung nicht auszumessen, indem man sie als Symptome psychischer Krankheiten auffaßt und zum Beispiel die Ursache ihres «Hungertodes» Anorexie nennt; das ist ein bloßes Etikett, aber keine Erklärung, auch keine medizinische. Also mit Alain: «Soignons les étages supérieurs» [achten wir auf die oberen Stockwerke].

Ob nach Freud – oder nach Teilhard – das, was die Religionsgeschichte Heiligkeit nennt, als Ergebnis von Triebsublimierung oder Einrollung erschöpfend gekennzeichnet wäre, ist fraglich, dafür oder dagegen zu argumentieren, hier nicht der Ort. Mit Sicherheit läßt sich aus den Viten großer Religiöser ablesen, was es im Bereich der «oberen Etagen» bewirkt, wenn man dort die Energien konzentriert, die man durch Abstinenz in den anderen erübrigt; es scheint genau dem Gesetz von der Erhaltung der Kraft zu entsprechen, und es wäre ganz im Sinne Simone Weils, physikalische Gesetzmäßigkeit solcherart auf spirituelle Erfahrung zu projizieren. Verzicht auf physischer Ebene als die Münze, mit der man den Eintritt zur Meta-Physik bezahlt – wir sind hier, wohlverstanden, noch bei der mehr technischen Frage des geistigen «Trainings», die mit dem Begriff Heiligkeit nur erst wenig zu tun hat.

Übrigens ist Simone Weil weit davon entfernt, die Dinge dieser Welt zu mißachten; im Gegenteil nimmt sie sie ungewöhnlich ernst; Freud, sagt sie, sei besessen von der fruchtlosen Mühe, sich seines eigenen Vorurteils zu entledigen, und habe folglich seine ganze Psychoanalyse mit eben diesem *Vorurteil durchtränkt*: das *Geschlechtliche sei niedrig*. Statt Polemik empfiehlt sie, *das Licht der Aufmerksamkeit* auf diesen Punkt zu richten [437] und kommt zu dem Schluß: *Die körperliche Liebe ist ein Streben nach der Inkarnation. Man möchte in einem menschlichen Wesen die Schönheit der Welt lieben, nicht die Schönheit der Welt im allgemeinen, sondern jene besondere Schönheit, welche die Welt für jeden Einzelnen bereithält und die genau dem Zustand seines Körpers und seiner Seele entspricht.* [431] Mag diese Auffassung von Liebe unmodern geworden sein, so muß sie es doch nicht für alle Zukunft bleiben. Jedenfalls ist es dieser Liebesbegriff, der auch der *folie d'amour*, der *amour de Dieu*, der *attente de Dieu*, der *Aufmerksamkeit gegen Gott* zugrunde lag, und den Simone Weil auf die letzte Strecke Weges mitnahm, als dieser Weg ohne ihr Zutun, sogar gegen ihren Willen und ohne Abkehr von der Welt, in den schmalen, exklusiven Pfad der Mystik einbog. Sie wollte keine Exklusivität und kämpfte den paradoxen Kampf der Ratio mit dem Irrationalen, um sich, um ihre bestürzende Erfahrung mitteilbar zu machen. Es ist die «unmögliche Botschaft» aller Ekstatiker, auf denen die «Hand des Vaters liegt»; und nur, wer die Nachricht schon einmal erhalten oder wenigstens über die Schulter mitgelesen hat, ver-

Albert Camus

steht sie; für die anderen ist es «Verrücktheit», und noch nicht einmal «glorreiche».

Man gewinnt den Eindruck, daß die «Nachricht» zeitlebens zu Simone Weil unterwegs gewesen, von ihr aber aus lauter Sucht nach intellektueller Redlichkeit immer wieder zurückgewiesen worden ist. Ihr Verhalten trug alle Kennzeichen heimlicher Liebe, die sich um keinen Preis verrät, ehe nicht der Geliebte sich und seinen Willen zu erkennen gibt. Und nur langsam, keineswegs bei der ersten Begegnung, ließ sie sich erobern. Gott zu suchen, kam ihr so wenig in den Sinn, daß schon der *Ausdruck* ihr *falsch erscheint. Doch während selbst der Name Gottes an meinem Denken keinen Anteil hatte, besaß ich hinsichtlich der Probleme dieser Welt und dieses Lebens die christliche Auffassung in strenger Ausdrücklichkeit... An ein künftiges Leben zu denken, habe ich mir stets untersagt, aber immer geglaubt, daß der Augenblick des Todes das Richtmaß und das Ziel des Lebens ist. Ich dachte, daß für diejenigen, welche leben, wie es sich gehört, dieses der Augenblick sei, in welchem für einen unendlich kleinen Bruchteil Zeit die reine, nackte, gewisse und ewige Wahrheit in die Seele eintritt. Ich darf sagen, daß ich niemals ein anderes Gut für mich begehrt habe. Eine solche Berufung zur Wahrheit, verschieden von allen sonst möglichen Antrieben, stellte äußerste Ansprüche an den Berufenen. Solchem Antrieb aber, falls er sich einstellte, selbst wenn er Unmögliches befahl, nicht Folge zu leisten, schien mir das größte Unglück zu sein. Dies war also meine Auffassung des Gehorsams...*[438]*

Soll man es für einen seltsamen «Zufall» halten, daß dieser vierte von den Abschiedsbriefen an Pater Perrin, worin nach ihren eigenen Worten die *geistliche Autobiographie* Simone Weils enthalten ist, ziemlich vollständig den Katalog christlicher Tugenden aufzählt, wie ihn – in stehenden Formeln, fragebogenähnlich – die katholische Kirche ihren offiziellen Selig- oder Heiligsprechungsprozessen zugrunde legt? Derjenige, bei dem die Fragen nach Wahrheit, Demut, Gehorsam, Armut, Liebe usw. durchweg positiv beantwortet werden können, hat Aussicht auf ein Abgangszeugnis summa cum laude. Man mag eine solche Praxis für veraltet und primitiv, den Raster der

Johannes tauft Jesus. Wandgemälde aus einer römischen Katakombe, Anfang des 2. Jahrhunderts

Formelsprache für viel zu grob und daher ungeeignet halten, um Rang, Vielfalt und Reichtum einer differenzierten Persönlichkeit abzubilden, und muß dann um so dankbarer sein, daß einer Simone Weil dergleichen erspart bleiben wird: da sie nicht Mitglied der Kirche war, kann sie weder als Kirchenlehrerin noch als Heilige kandidieren. Aber ist ihr Verzicht auf die Taufe das einzige Hindernis?

Ein Mensch von so außerordentlicher religiöser Begabung wie Simone Weil konnte nicht umhin, sich mit dem Phänomen der Heiligkeit zu befassen; eine Reihe von Textstellen geben davon Nachricht. *Die ganze Kuh ist ein Milchspender, obgleich man die Milch nur aus dem Euter zieht. Ebenso bringt die Welt Heiligkeit hervor.*[439] Aber *es genügt heute noch nicht, ein Heiliger zu sein; es bedarf der speziellen Heiligkeit, die der gegenwärtige Augenblick fordert und die es früher nicht gegeben hat. Die frühere Heiligkeit ist veraltet.* Zur neuen Heiligkeit, deren die Welt bedarf, so *wie eine Stadt, in der die Pest wütete, Ärzte braucht,* dazu gehört ein *größeres Genie, als Archimedes* benötigte, um die *Mechanik und die Physik*

zu erfinden. Die neue Heiligkeit wäre eine *viel wunderbarere Erfin-*
dung. Und doch versteht sie sich fast von selbst: *nur eine Art von*
Perversität kann die Freunde Gottes veranlassen, sich dessen zu be-
rauben, daß sie Genie haben; denn es genügt, daß sie es im Namen
Christi von ihrem Vater erbitten. Dies ist, wenigstens heute, eine be-
*rechtigte Bitte, denn sie ist notwendig.*⁴⁴⁰ Ihre Erfüllung hängt nicht
von äußeren Voraussetzungen ab, wie Simone Weil mit vierzehn Jahren glaubte und deswegen in Verzweiflung fiel; inzwischen ist sie sicher, *daß jedes beliebige Wesen, selbst wenn es so gut wie gar keine*
natürlichen Fähigkeiten besitzt, in dieses dem Genie vorbehaltene Reich
der Wahrheit eindringt, sobald es nur die Wahrheit begehrt und *sei-*
ne Aufmerksamkeit unaufhörlich darauf gerichtet hält, weil nämlich
*einer, der nach Brot verlangt, keine Steine empfängt*⁴⁴¹. Auch ist es
wohlbekannt, daß jedes beliebige Ding, zum Beispiel eine Eselin, un-
terschiedslos als Vermittler dienen kann. Vielleicht gefällt es Gott so-
gar, zu diesem Behuf die niedrigsten Dinge zu wählen. Ich muß mir
dies sagen, um mich nicht vor meinen eigenen Gedanken zu fürch-
*ten.*⁴⁴² In der Tat ist dies Denken so konsequent, so leidenschaftlich
und in gewissen Punkten so ohne Nachsicht, daß es manchen das
Fürchten lehren könnte und es vielleicht auch soll.

Ich kann Ihnen sehr genau erklären, was meine Situation in bezug
auf die Heiligkeit ist, schreibt Simone Weil an Maurice Schumann⁴⁴³,
um einen entsprechenden «Verdacht» von seiner Seite zu entkräften.
Nebenbei bemerkt, liebe ich die Art nicht, womit die Christen von
der Heiligkeit zu reden sich angewöhnt haben. Sie reden davon wie
ein Bankier, ein Ingenieur, ein kultivierter General vom Genie des
Dichters reden würden – eine schöne Sache, von der sie sich ausge-
schlossen wissen, die sie lieben und bewundern, aber nicht einen
Augenblick kommt es ihnen in den Sinn, sich deswegen Vorwürfe zu
machen, weil sie sie nicht besitzen. Dabei scheint mir, daß in Wirk-
lichkeit ... für den Christen Heiligkeit das Minimum ist. Sie ist für
den Christen, was für den Kaufmann die Rechtschaffenheit in Geld-
dingen, für den Berufssoldaten die Tapferkeit, für den Wissenschaft-
ler der kritische Verstand. Die spezifische Tugend des Christen hat
den Namen Heiligkeit. Oder welchen sonst? Nur hat eine Verschwö-
rung, ebenso alt wie das Christentum selbst, alles getan, um diese
und verschiedene andere, ebenso unbequeme Wahrheit zu verber-
gen. Natürlich gibt es *diebische Kaufleute, feige Soldaten etc. und*
Leute, die sich entschlossen haben, Christus zu lieben, und sind doch
unendlich weit unterhalb der Heiligkeit. Wohlgemerkt, das ist mein
Fall. Naturgegebene oder krankhafte Erschöpfung der menschlichen
Kraftreserven zeigt gewisse Ähnlichkeit mit der *Loslösung* der Heiligen. Aber der Unterschied ist evident: Heiligkeit geht mit immer
neuen übernatürlichen Kräften einher, Knechtschaft mit physischer
und moralischer Erschöpfung. *Um auf mich zurückzukommen –*
*nachdem mir die Umstände automatisch diesen «ersatz»*³⁰⁹ *der Hei-*
ligkeit in die Hand gegeben haben, empfinde ich die vollkommen ein-
leuchtende Verpflichtung, daraus meine Lebensregel zu machen, so

wertlos es auch sein mag, allein aus Liebe zu der Sache selbst – zum
article authentique. Nicht in der Hoffnung, sie zu erlangen, einfach
nur um ihr die Ehre zu erweisen ... Für mich wünsche ich nichts, als
zur Zahl derjenigen zu gehören, welchen vorgeschrieben ist, sich für
unnütze Knechte zu halten, die nichts als ihre Schuldigkeit getan ha-
ben. Aber ich ersticke vor Angst, daß ich statt dessen zu den ungehor-
samen Knechten gehören könnte.

Antwort auf diese Frage erwartet sie nur im und vom äußersten
Unglück; und seit ihrer Kindheit, *sogar als ich mich* für eine *Athei-*
stin und *Materialistin* hielt, fürchtete sie immerfort, *nicht mein Le-*
ben, aber meinen Tod zu versäumen [444]. So ist ihr der Tod jene
Pforte des Durchgangs und der Überraschung, an die Simone Weil
seit ihrer Kindheit immer wieder angeklopft hat, und ihr kurzes Leben der Stationenweg dorthin, den sie gewissenhaft, aber doch mit
Ungeduld zurücklegt, unterwegs vor jener letzten noch eine Reihe
anderer Pforten durcheilend. Eine der früheren Stationen war das
Fabrikjahr mit der Erfahrung von Armut, Knechtschaft und physischer, ja, auch fast moralischer Erschöpfung. Am Ende öffnete sich
eine Pforte. In den Ferien brachten ihr die *herzzerreißende Traurigkeit*
der alten Gesänge während einer Prozession in einem kleinen portugiesischen Fischerdorf zum Bewußtsein, *daß das Christentum vor-*
nehmlich die Religion der Sklaven ist und daß Sklaven nicht anders
können, als ihm anhängen, und ich unter den übrigen. Zwei Jahre danach, in Assisi, *zwang mich etwas, das stärker war als ich selbst, mich*
zum erstenmal in meinem Leben auf die Knie zu werfen. Nur Monate später verbringt sie Ostern 1938 mit ihrer Mutter die Karwoche in
der Benediktiner-Abtei Solesmes, um – unter wütenden Kopfschmerzen – die gregorianischen Messen zu hören. Wir wissen, was sie dabei
erlebte: Ekstasis.[445] Sie versteht, *wie es möglich sei, die göttliche Lie-*
be durch das Unglück hindurch zu lieben [446]; und von nun an er-
forscht sie den übernatürlichen Mechanismus dieses Vorgangs.
Schlägt man mit dem Hammer auf einen Nagel, so dringt die Wucht
des Schlages auf den breiten Nagelkopf völlig bis zur Spitze durch,
ohne daß etwas verlorenginge, obwohl diese Spitze nur ein Punkt
ist. Dieser Nagel ist wie das äußerste Unglück: *körperlicher Schmerz,*
seelische Qual, soziale Entwürdigung. Die Spitze ruht auf dem in-
nersten Mittelpunkt der Seele. Der Nagelkopf ist die ganze, durch die
Gesamtheit von Raum und Zeit verteilte Notwendigkeit. Das Un-
glück ist ein Wunder der göttlichen Technik. So ist die Seele, *wenn*
sie die Richtung auf Gott hin bewahrt ... auf das Weltenzentrum
selber angenagelt, auf den Schnittpunkt zwischen Schöpfung und
Schöpfer, *wo sich die Balken des Kreuzes überqueren.* [447]

In Solesmes wird ihr ein junger Engländer zum engelhaften *Boten,*
indem er sie auf die metaphysische Dichtung seiner Landsleute im
17. Jahrhundert aufmerksam macht. Eines dieser Gedichte – «Love»
von George Herbert (1593–1633) [448] – lernt Simone Weil auswendig, um es mit äußerster *Aufmerksamkeit* und *Zustimmung* zu rezi-
tieren, wenn ihre Kopfschmerzen auf dem Höhepunkt sind. *Ich glaub-*

*te nur ein schönes Gedicht zu sprechen, aber dieses Sprechen hatte,
ohne daß ich es wußte, die Kraft eines Gebetes. Einmal, während ich
es sprach, ist... Christus selbst herabgestiegen und hat mich ergriffen.* Diese Möglichkeit hatte sie *nicht vorausgesehen: die einer wirklichen Berührung, von Person zu Person, hienieden, zwischen dem
menschlichen Wesen und Gott.* Sie hatte davon reden hören, aber
nicht daran geglaubt. *Weder Sinne noch Einbildungskraft* waren an
diesem Erlebnis der *plötzlichen Übermächtigung* im *geringsten beteiligt; ich empfand nur durch das Leiden hindurch die Gegenwart einer
Liebe gleich jener, die man im Lächeln eines geliebten Antlitzes liest.*
Aus Gehorsam hatte sie *nie irgendwelche Mystiker gelesen,* sondern
möglichst nur das, wonach sie gerade hungerte. *Nichts ist dem geistigen Fortschritt förderlicher... und dann lese ich nicht, ich esse.* Sie
fürchtete *die Macht der Suggestion im Gebet.* Aber nach den Grie-
chisch-Stunden mit Thibon, und ein gegenseitiges Versprechen einlö-
send, lernte sie das Vaterunser auswendig: *Da hat die unendliche
Süßigkeit dieses griechischen Textes mich derart ergriffen, daß ich
einige Tage lang nicht umhin konnte, ihn mir unaufhörlich zu wiederholen.* Es wird ihre *einzige Übung,* und sie fängt so oft wieder
von vorn an, bis sie *einmal eine völlig reine Aufmerksamkeit* erreicht
hat. Die *Kraft* dieser Übung ist *außerordentlich* und *überrascht* sie
jedesmal, weil sie jedesmal die *Erwartung übertrifft.* Schon die ersten
Worte *reißen mitunter meinen Geist aus meinem Leibe und verset-
zen ihn an einen Ort außerhalb des Raumes, in eine Unendlichkeit
zweiten oder dritten Grades* – dies im Sinne der mathematischen
Potenz verstanden. Manchmal ist *Christus in Person anwesend, jedoch mit einer unendlich viel wirklicheren, klareren und liebevolle-
ren Gegenwart als jenes erste Mal, da er mich ergriffen hat* [449].
Niemals hätte sie es über sich gebracht, Perrin dies alles mitzutei-
len, stünde nicht ihre Abreise nach Amerika bevor. Sie hält ihren
Tod auf der Überfahrt für wahrscheinlich – *Meinen Sie nicht, das
Meer wäre ein schönes Taufbecken?* [450] –, und obwohl sie noch zwei
Jahre früher *die Pflicht der Geheimhaltung in gewissen Dingen sogar
auf den Dialog der Seele mit sich selbst* ausgedehnt wissen möchte,
glaubt sie, jetzt nicht schweigen zu dürfen. *Denn schließlich handelt
es sich... nicht um mich. Es handelt sich nur um Gott.* Eines scheint
ihr gewiß: daß die *reine Sorge um die Wahrheit* Widerstand selbst
gegen Gott gebietet. *Christus liebt es, daß man ihm die Wahrheit
vorzieht, denn ehe er Christus ist, ist er die Wahrheit. Wendet man
sich von ihm ab, um der Wahrheit nachzugehen, so wird man keine
weite Strecke wandern, ohne in seine Arme zu stürzen.* Dieser Sturz
ist freilich nicht der Eingang zu einem endgültigen, beruhigten Aufenthalt der Seele, und schon gar nicht entscheidet er über den «äußeren» Vollzug. Nicht sie selbst beraubt sich mit dem Verzicht auf Taufe und Eucharistie des übernatürlichen Brotes; *er – Christus – beraubt
mich dessen, denn niemals bisher habe ich auch nur eine Sekunde
lang den Eindruck gehabt, daß mir hier eine Wahl freistünde.*
Doch *selbst wenn uns der Augenblick des Todes nichts Neues*

Der auferstandene Christus. Gemälde eines unbekannten Meisters vom Anfang des 16. Jahrhunderts. Mailand, Brera

brächte, hätte die irdische Erfahrung allein genügt, die *ganze Fülle* der *göttlichen Barmherzigkeit* gegenwärtig zu machen. *Was ich durch Berührung davon kenne, übersteigt meine Fassungskraft und mein Vermögen zur Dankbarkeit dermaßen, daß selbst die Verheißung zukünftiger Seligkeiten dem für mich nichts hinzufügen könnte; ebenso wie für die menschliche Vernunft die Addition zweier unendlicher Größen keine Addition darstellt.*[451] Nun ist *Gottes Barmherzigkeit* zwiefach zu erfahren: im *Unglück* und in der *reinen, aus dem Empfinden der Schönheit herrührenden Freude,* die sich dann einstellt, wenn die Seele das ganze Universum mit der Verzweiflungsfrage *Warum?* nicht nach der *Ursache,* sondern nach einem *Zweck* abgesucht und keinen gefunden hat. Das *Universum* ist ohne Zweckmäßigkeit (*vide de finalité*) und die Antwort auf die Frage des gekreuzigten Menschen ist Gottes *Schweigen,* welches zugleich Gottes *Abwesenheit* und *seine geheime Gegenwart* hier unten manifestiert.

Kruzifix. Spanisch, Ende des 13. Jahrhunderts.
Trujillo, Kirche S. Jago

Um dies *göttliche Schweigen zu hören,* muß man gezwungen gewesen sein zur *vergeblichen Suche* nach Zweckmäßigkeit. Nur *zwei Dinge haben die Macht zu diesem Zwang: die Schönheit, weil sie, ohne irgendeine Zweckmäßigkeit zu enthalten, das unabweisliche Gefühl der Gegenwart einer Zweckmäßigkeit gibt* [452]; *und das Unglück, in dem die Barmherzigkeit Gottes aufleuchtet. Auf seinem innersten Grunde, im Zentrum seiner untröstbaren Bitternis.* [451] Es sind die *beiden einzigen und gleichwertigen Wege, aber das Unglück ist derjenige Christi* [452]. Und zwar das «totale» Unglück, das keinen Platz mehr läßt für etwas anderes, sondern das die Seele dazu zwingt, jenen Schrei – *wie Christus ihn selber am Kreuz tat*: «Warum hast du mich verlassen?» – *unaufhörlich und ohne Antwort zu wiederholen.* Denn *fände man eine tröstliche Antwort, hätte man sie zuvor für sich selbst erdichtet;* und die Tatsache, daß man zu diesem Erdichten die Macht hat, zeigt, daß *das Leid* immer noch *nicht den besonderen*

Heiliges Offizium im Benediktiner-Kloster En Calcat: «Die Kommunion ist ein Gang durchs Feuer»

Grad des Unglücks erreicht hat, *wie eben Wasser bei 99 Grad nicht kocht.* Erst wenn das *Leiden* in diesen neuen Aggregatzustand des *Unglücks* übergeht, die Seele in der Qual und Einsamkeit des Kreuzestodes, in dem Punkt, wo der Schrei nicht mehr zurückzuhalten ist, verharrt und dennoch nicht *zu lieben aufhört,* dann *berührt sie am Ende etwas, das nicht mehr Unglück ist und auch nicht Freude, sondern das reine, übersinnliche, Freude und Leid gemeinsame, innerste wesentliche Wesen und die Liebe Gottes selbst* [451].

Wir wissen, wie triftige Gründe Simone Weil dafür hatte, *die Stelle nicht zu verlassen, an der ich mich seit meiner Geburt befinde, an jenem Schnittpunkt des Christentums mit allem, was es nicht ist* [453]. Aber abgesehen von solchen Gründen einer weltweiten Nächstenliebe – wenn Gottes Sein in der Welt seine *Abwesenheit* ist und das *Unglück* das eigentlich christliche Medium, um die Gottesliebe zu erfahren, dann ist es auch für Simone Weil persönlich nur konsequent, schon um der größten *Hebelwirkung* willen an der Stelle des größten Abstandes zu verharren; nicht etwa in der Sünde, *denn die Sünde ist keine Entfernung,* nur *eine falsche Blickrichtung* – sondern im *äußersten Unglück. Das Unglück ist die wirklichste von allen Wirklichkeiten, und von vergangenem Unglück befreien, das kann nur Gott allein. Doch selbst die Gnade Gottes heilt hienieden nicht die unheilbar verletzte Natur: sogar der verklärte Leib Christi trug die Wundmale.* [454]

Die *verletzte Natur* war bei Simone Weil Folge ihres chronischen Kopfleidens, welches wenigstens zeitweise das Ausmaß des manifesten Unglücks erreichte. Das *Leiden* ihrer *Seele* – und zwar wie das körperliche bis zum selben Ausmaß des Siedegrades – hieß *Hunger;* auch er eine unbestreitbare Realität: *Der Hunger ist gewiß ein weniger vollständiges Verhältnis zur Nahrung, aber dennoch ein ebenso wirkliches wie der Akt des Essens.* Simone Weil hält es für möglich, *daß das Verlangen nach den Sakramenten und die Enthaltung von ihnen eine noch reinere Berührung darstellen können als die Teilnahme.* Sie weiß nicht, ob das für sie zutrifft, wohl aber, daß es *etwas Außergewöhnliches wäre*, und es erscheint ihr als *wahnwitzige Vermessenheit, sich für eine Ausnahme zu halten* [455]. In den Augen vieler praktizierender Christen würde sich dies wohl tatsächlich wie Hybris und Wahnwitz ausnehmen; Simone Weil erlebt aber gerade ihren ungestillten *Hunger* nach dem *Sakrament* als einen Akt der Unterwerfung, der ihr unsäglich schwerfällt und den anzuzweifeln sie nicht aufhören wird. Doch meint sie, daß niemand und nichts sie von dieser Gehorsamspflicht entbinden könne, außer vielleicht der Todesaugenblick. Einstweilen *liebt die Seele ins Leere*. Sie glaubt nur, daß *ihrer Liebe etwas Wirkliches entspricht*. Das heißt noch nicht Wissen und ist keine Hilfe. *Die Seele weiß nur mit Gewißheit, daß sie Hunger hat*, und wichtig ist, daß sie es zugibt. Wenn nicht, *so lügt sie. Denn die Wirklichkeit ihres Hungers ist kein bloßes Glauben, sondern eine Gewißheit.* [456]

Nichts könnte tiefer von christlichem Geist durchtränkt sein als Simone Weils *Betrachtungen über das Vaterunser* [457]. Hier spricht die «anima naturaliter christiana», christlich seit ihrer Erschaffung, ob mit, ob ohne Taufe. Es ist ein Text von äußerster Konzentration und unbeirrbar durchgehaltenem Ernst, so daß man nicht gern einzelnes herausgreift, doch geht uns hier am meisten die vierte Bitte an; und wenn wir sie mit Simone Weil auf dem Hintergrund jener *Gewißheit* und *Wirklichkeit* ihres *Hungers* betrachten, erscheint sie als Herzstück der Abhandlung, als jene Stelle, wo die *Nagelspitze* in den innersten *Seelenmittelpunkt* eindringt. [447] Vielleicht sagen ihre verzehrende Sehnsucht nach dem Sakrament und schließlich ihr «Hungertod» mehr über die Realität und die übersinnliche Kraft der Eucharistie als alles, was wir bis dahin über die empfangene Speisung gehört, gelesen oder erlebt haben, so als bewiese wirklich der Hunger nach dem *bien absolu* dessen Existenz.

Christus ist unser Brot. Wir können ihn nur für den gegenwärtigen Augenblick erbitten. Er ist immer da; aber nur mit unserer Einwilligung, die er nicht erzwingt, tritt er ein. Sie ist ein Willensakt und als solcher *aktuell*, das heißt: *wir können unseren morgigen Willen nicht heute binden.* Die Einwilligung in Christi Gegenwart ist gleichbedeutend mit seiner Gegenwart. Es ist uns aber *kein Wille gegeben, der sich auf die Zukunft richten ließe. Alles in unserem Willen, was nicht wirksam ist, ist imaginär*, und, wir erinnern uns: das Imaginäre ist der Wirkungsbereich des Teufels. *Das Wirksame des Willens ist nicht die Anstrengung auf die Zukunft hin, sondern das Ja der Vermählung, im gegenwärtigen Augenblick und für den gegenwärtigen Augenblick und trotzdem ausgesprochen als ein ewiges Wort*. Die Nahrung, die wir brauchen, weil wir auf Energiezufuhr von außen in allen Schichten unseres Wesens angewiesen sind, ist *übernatürlich* und gibt uns *transzendente Energie*, die im Himmel entspringt und *in uns einströmt, sobald wir es begehren. Diese Nah-*

rung sollen wir erbitten. Alles sonst in uns ist der *Notwendigkeit,* die uns zum Schlechten zwingt, unterworfen, mit Ausnahme der Energie von oben. *Diese aber können wir nicht auf Vorrat sammeln* [458], so wenig wie das Volk Israel in der Wüste das Manna.

Im Kern sind *alle Vergehen gleich,* denn sie haben dieselbe Ursache: *daß wir nicht fähig sind, uns von Licht zu nähren;* es macht *alle Vergehen möglich.* Wer sagen könnte: «*Meine Speise ist die, daß ich tue den Willen dessen, der mich gesandt hat»* [459], der besäße jenes *einzige Heilmittel: ein Chlorophyll, das erlaubt, sich von Licht zu nähren... Kein anderes Gut als diese Fähigkeit.*[460] Ist dies der geheimnisvolle Schlüssel, den wir brauchen, um zu verstehen, warum Simone Weil das *Verlangen* nach den *Sakramenten* und den gleichzeitigen *Verzicht* darauf für eine reinere Berührung halten konnte als den Empfang von Taufe und Kommunion? Die Bitte des *Gottesfreundes* um das spezielle *Genie* der *Heiligkeit* ist in ihren Augen nicht nur legitim, sondern geradezu eine Verpflichtung. Hat sie also gemeint, daß jenes *Chlorophyll* sich mit der Zeit in ihr darstellen und ihr erlauben würde, selbst ohne das *tägliche Brot* des Meßopfers auszukommen, sich allein vom *Licht* der *Gnade* zu ernähren? Sehnsucht nach einer anderen, sublimen und schuldlosen Form der Existenz war wohl in ihr angelegt; vielleicht auch ein Drang zur Flucht, die Gegenbewegung, welche die mühselige und unabweisbare Aufgabe der *Inkarnation* erschwerte?

Am Dienstag, dem 24. August 1943, um 22 Uhr 30 starb Simone Weil. Zur Beerdigung am 30. August waren auf dem Friedhof in Ashford acht oder neun Personen am Grab versammelt, unter ihnen Simone Weils Londoner Zimmerwirtin; der Priester fehlte, er hatte in London den Zug versäumt. So sprach ein Laie die Sterbegebete.[461] Auf dem Totenschein stand «Versagen des Herzens... infolge Unterernährung und Lungentuberkulose. Die Verstorbene... tötete sich selbst durch ihre Weigerung zu essen, während ihr seelisches Gleichgewicht gestört war.»[462] Man wird kaum finden, damit sei das Rätsel dieses «Hungertodes» gelöst. Näher kommt wohl Richard Rees [463] einer Klärung, wenn er schreibt: «Selbstmord war schwerlich mit Simone Weils Philosophie vereinbar, obwohl es wahr ist, daß sie die katharischen ‹perfecti› bewunderte, die zuweilen freiwillig Hungers starben.» Simone Weil hatte freilich für ihren Verzicht auf Nahrung Gründe; mochten sie auch kaum für das sprechen, was man landläufig als «seelisches Gleichgewicht» bezeichnet – «selbstmörderisch waren sie nur in dem Sinne, wie die Weigerung, ein Rettungsboot zu besteigen, damit mehr Platz für andere bliebe, selbstmörderisch wäre». Richard Rees, dem wir zum Verständnis Simone Weils viel verdanken, bringt auch die Frage nach dem «gestörten seelischen Gleichgewicht» in den angemessenen Zusammenhang, durch die Gegenfrage, ob nicht ein sogenannt «well-balanced mind» in Wirklichkeit nur das Resultat von «Trägheit, Selbstbetrug und Eigensucht» und also gerade ein sehr einseitiges Nachgeben gegenüber der natürlichen Schwerkraft sei, während Simone Weil mit ihrer Überempfindlichkeit für – gestörte – Kräfteverhältnisse sich genötigt sah, «sehr weit draußen auf der anderen Seite (der Waage) zu sein», um als *contrepoids de l'univers* dem *Gleichgewicht,* das ihr über alles ging, nach Vermögen zu dienen. Daß ihre Kräfte dabei verzehrt wurden – wen, der das nachzuvollziehen versucht, darf das wundern?

Mit gutem Grund stellt Rees seiner «Skizze zu einem Portrait» das Blake-Zitat voran: «Wenn der Narr auf seiner Narrheit bestünde, würde er weise werden.»[464] Knapp drei Wochen vor ihrem Tode, im vorletzten jener herzzerreißenden Briefe an die Eltern, schreibt Simone Weil aus dem Middlesex Hospital über die Natur dieser Narrheit: *Bei Shakespeare sind die Narren die einzigen Personen, welche die Wahrheit sagen. Der unerträglich tragische Charakter dieser Narren,* der ihr selbst und dem Publikum *bis jetzt* verborgen blieb, hat nichts mit üblicher Sentimentalität zu tun: *In dieser Welt haben allein die Wesen, welche bis zum letzten Grade der Erniedrigung, weit unterhalb der Bettlerschaft, gefallen sind, die nicht nur ohne gesellschaftliches Ansehen, sondern auch in jedermanns Augen selbst der Menschenwürde, nämlich der Vernunft entblößt sind – nur diese besitzen in der Tat die Möglichkeit, die Wahrheit zu sagen. Alle anderen lügen.* Es sind nicht *irgendwelche satirischen oder spaßigen Wahrheiten, es ist die Wahrheit tout court – kurz und schlicht; rein, unvermischt, klar, tief, wesentlich. Die äußerste Tragik des Narren ist die, daß niemand ihn beachtet, niemand ihm zuhört, niemand erkennt, daß er die Wahrheit sagt. Ist dies auch das Geheimnis der Narren von Velázquez?* Die Wahrheit wissen *um den Preis namenloser Erniedrigung,* sie aussprechen können und von niemandem gehört werden: rührt daher die bittere Traurigkeit ihrer Augen?[465] Und *Darling M.*[30] *– empfindest Du die Ähnlichkeit, die Wesensverwandtschaft zwischen diesen Narren und mir – trotz der «École», des akademischen Grades und der Komplimente über meine «Intelligenz»? Auch dies ist eine Antwort auf: «was ich zu geben habe». Die Hochschule etc. ist in meinem Fall nur zusätzliche Ironie. Man weiß wohl, daß eine große Intelligenz oftmals paradox ist und manchmal etwas verrückt. Das Lob der meinen bezweckt nur, der Frage auszuweichen: «Spricht sie wahr oder nicht?»*[465] Sie fühlt sich als *morsches Werkzeug* und *allzu erschöpft,* ihre Aufgabe der Zeugenschaft zu erfüllen. *Niemals lese ich ohne Schaudern die Geschichte vom unfruchtbaren Feigenbaum. Ich glaube, er ist mein Bildnis... Auch in ihm war die Natur ohnmächtig, und dennoch fand er keine Entschuldigung.* Sie glaubt, sie habe *mehr Ursache, den Zorn Gottes zu fürchten, als viele große Verbrecher. Doch infolge einer seltsamen Umkehrung weckt der Gedanke an den Zorn Gottes nichts als Liebe in mir. Es ist viel mehr der Gedanke an Gottes Barmherzigkeit, der mich erzittern läßt.*

Mit Ausnahme derer, die *ein wenig,* aber *wahrhafte Freundschaft* für sie empfinden, meint sie für die übrigen *wie nicht vorhanden* zu sein, *von der Farbe des welken Laubes, wie gewisse Insekten*[466]. Es ist genau jenes Mimikry, das sie sich wünschte, um *unterschiedslos*

Der Zwerg und Narr Sebastián de Moya. Gemälde von Velázquez.
Madrid, Prado

in der *anonymen Masse* zu verschwinden. Auch wird das Bewußtsein der eigenen Bedeutungslosigkeit vielfach aufgewogen durch eine neue Zuversicht, die weniger aus der gewissen Teilhabe am überpersönlichen Heilsvorrat kommt als aus der festen Überzeugung, daß es ihn überhaupt gibt – *eine zunehmende innere Gewißheit, daß sich in mir ein Vorrat Gold findet, der weiterzugeben ist. Nur überzeugt mich das, was ich an meinen Zeitgenossen erfahre und beobachte, mehr und mehr davon, daß niemand da ist, der es haben will. Es ist ein massiver Block. Was dazukommt, verschmilzt mit dem übrigen. In dem Maße, wie der Block wächst, wird er kompakter. Ich kann ihn nicht in kleinen Stücken austeilen. Ihn zu empfangen, braucht es eine Anstrengung ... Was die Nachwelt angeht – sollte es einmal wieder eine Generation mit Muskeln und Verstand geben, dann werden die Druck- und Handschriften unserer Epoche zweifellos materiell ver- schwunden sein. Das macht mir keinen Kummer. Die Goldmine ist unerschöpflich ...*[467]

PROLOG

> «. . . der Kampf des Irrationalen mit dem Ra-
> tionalen, der ohne Sieg und Niederlage
> endet, in einem beschriebenen Blatt Papier,
> das dem sehenden Auge das Siegel eines
> großen Leidens zeigt.»
>
> Martin Buber

Er trat in mein Zimmer und sagte: «Unglückliche du, die nichts versteht, nichts weiß. Komm mit mir, und ich werde dich Dinge leh- ren, von denen du nichts ahnst.» Ich folgte ihm.

Er nahm mich in eine Kirche mit. Sie war neu und häßlich. Er führte mich vor den Altar hin und sagte zu mir: «Knie nieder.» Ich sagte zu ihm: «Ich bin nicht getauft.» Er sagte zu mir: «Falle auf die Knie an dieser Stelle, aus Liebe, als an dem Ort, wo die Wahr- heit ist.» Ich gehorchte.

Er hieß mich hinausgehen und zu einer Dachkammer hinaufstei- gen, von wo man durch das offene Fenster die ganze Stadt sah, ein paar hölzerne Baugerüste, den Fluß, wo Schiffe entladen wurden. Er hieß mich niedersitzen.

Wir waren allein. Er redete. Zuweilen trat jemand ein, mischte sich ins Gespräch und ging dann wieder fort.

Es war nicht mehr Winter. Es war noch nicht Frühling. Die Zweige der Bäume waren kahl, ohne Knospen, die Luft kalt und voller Sonne.

Das Licht nahm zu, wurde strahlender und schwand, dann traten die Sterne und der Mond ins Fenster. Dann stieg von neuem das Morgenrot herauf.

Zuweilen hielt er inne, holte aus einem Schrank ein Brot, und wir teilten es. Dieses Brot schmeckte wirklich nach Brot. Niemals mehr habe ich diesen Geschmack wiedergefunden.

Er schenkte mir und schenkte sich Wein ein, der nach Sonne schmeckte und nach der Erde, auf der diese Stadt gebaut ist.

Zuweilen streckten wir uns am Boden der Dachkammer aus, und die Süßigkeit des Schlafes senkte sich auf mich herab. Danach er- wachte ich wieder und trank das Sonnenlicht.

Er hatte mir eine Lehre versprochen, aber er lehrte mich nichts.

Wir plauderten von allen möglichen Dingen, ohne Vorbehalte, wie es alte Freunde tun.

Eines Tages sagte er zu mir: «Nun geh.» Ich fiel ihm zu Füßen, umschlang seine Knie, ich flehte ihn an, mich nicht fortzujagen. Aber er warf mich die Treppe hinab. Wie ich hinunter kam, weiß ich nicht, das Herz war mir wie in Stücke gerissen. Ich wanderte durch die Straßen. Da fiel mir ein, daß ich gar nicht wußte, wo sich jenes Haus befand.

Ich habe niemals versucht, es wiederzufinden. Ich begriff, daß er mich aus Versehen mitgenommen hatte. Mein Platz ist nicht in jener Dachkammer. Er ist, einerlei wo, in einem Kerkerverlies, in einem dieser bürgerlichen Salons voller Nippes und roten Plüsch, in einem Bahnhofswartesaal. Einerlei wo, aber nicht in dieser Dachkammer.

Manchmal kann ich nicht anders, als mir, unter Angst und Gewissensbissen, etwas von dem zu wiederholen, was er zu mir gesagt hat. Wie soll ich wissen, ob ich mich genau erinnere? Er ist nicht da, um es mir zu sagen.

Ich weiß wohl, daß er mich nicht liebt. Wie könnte er mich lieben? Und dennoch kann irgend etwas in meinem Innern, ein letztes bißchen meiner selbst, nicht aufhören, furchtbebend daran zu denken, daß er mich vielleicht, trotz allem, liebt.[468]

Dürfen wir, ohne den Absichten der Autorin zuwiderzuhandeln, ihren *Prolog* hier, statt an den Anfang, ans Ende setzen? Es gibt von diesem Text zwei fast identische Handschriften; eine am Schluß der Tagebuchaufzeichnungen, die Simone Weil beim Abschied von Frankreich in den Händen Thibons zurückließ und denen er für seine Sammlung *Schwerkraft und Gnade* Texte entnahm, lange, bevor sie vollständig im Druck erschienen; die andere Handschrift des *Prologs* findet sich am Beginn der in *La Connaissance surnaturelle* edierten Tagebuchnotizen, die im Lager Ain Seba bei Casablanca begonnen wurden und die letzte Lebenszeit in New York und London umfassen. Bestimmt war dieser Text für den *Anfang des Buches ... das diese Gedanken enthalten würde und viele andere.* Erst die zweite Handschrift trägt den Titel *Prolog*, aber in beiden steht das Perfekt-Partizip der 1. Person singularis ohne weibliche Endung: *Je n'ai pas été baptisé.* Das deutet darauf, daß mit diesem «ich» nicht die irdisch biographische Person Simone Weils, sondern ihre höhere Wesenheit, die Entelechie, gemeint und also weder durch Geschlecht noch andere äußere Merkmale kenntlich zu machen sei.[469] Daher scheint es auch müßig, nach Anhaltspunkten in der äußeren Wirklichkeit zu suchen und den geschilderten Vorgang in einem Koordinatensystem aus Raum und Zeit dingfest machen zu wollen. Möglich, daß er für Simone Weil in Paris oder Marseille an einem bestimmten Tage zwischen 1940 und 1942 datierbar gewesen ist, doch berührt das kaum den Kern. Viel eher dies: «Wir schweigen das Erlebnis, und es ist ein Stern, der die Bahn wandelt. Wir reden es, und es ist hingeworfen unter die Tritte des Marktes ... Aber so gerade ist es mit uns: wir müssen reden», um das Unsagbare «hinzusetzen nicht

Simone Weil in New York, 1942

als ein Ding zu den Dingen der Erde, sondern als einen Stern zu den Sternen des Himmels»[409]. Es ist die «unmögliche Botschaft» des Mystikers, der einmal das große Schweigen des bräutlichen Einverständnisses vernommen hat und sich seitdem gewöhnt hat, alle Geräusche nur noch durch dieses Schweigen hindurch zu hören: *entendre tous les bruits à travers le silence*.[470] Und obwohl Simone Weil vor gar nicht langer Zeit einer schweigenden vor einer schreibenden Theresia von Ávila den Vorzug gegeben hätte, versucht sie jetzt selbst das Unsagbare zu sagen und jenen Zustand zu schildern, «wenn die Seele auf ihren Grund getaucht ist, Kern und Schale, Sonne und Auge, Zecher und Trank zugleich», das «allerinnerlichste Erlebnis, das die Griechen Ekstasis nannten»: Heraustreten.[409]

Wenn wir den *Prolog* so betrachten und jenes Gedicht «Love» von George Herbert danebenhalten, wie auch die Bedeutung, die es für Simone Weil hatte, dann wissen wir, wovon die Rede ist: von dem Urerlebnis der Kommunion, der Speisung, das weder an Raum und Zeit noch an eine Konfession gebunden ist. Das aus sich herausgetretene, in die *Mansarde*, das Brautgemach, entrückte Ich kostet vom *Brot, das wirklich nach Brot schmeckt,* und auch vom *Wein, der nach Sonne schmeckt und nach der Erde, auf der diese Stadt gebaut ist.* Noch der Blick durchs Fenster, die Luft, die Sonne, die steigt, sinkt und wieder aufgeht, sogar der Schlaf und das Erwachen werden in dieser *Mansarde* zum Sakrament. Aber eines Tages muß die Seele die *Treppe hinab,* findet sich *auf der Straße* wieder und weiß nicht, wie sie dorthin kam, noch, wie der Weg zurückgeht. Es gibt ihn nicht. Bürgerliche Salons, Bahnhofswartesäle, Gefängnisse werden ihr Aufenthalt sein, und unstillbare Sehnsucht nach jener Dachkammer wird sie begleiten. Sie weiß nicht mehr, wo das war und ob sie die dort empfangene Wahrheit treulich genug erinnert. *Er ist nicht da, um es mir zu sagen. Ich weiß wohl, daß er mich nicht liebt. Wie könnte er mich lieben?* Und doch bleibt dies Fünkchen Hoffnung auf dem Grund der Seele, die nicht aufhören kann, mit Furcht und Zittern daran zu denken, daß ER sie *vielleicht trotz allem liebt.*

Aus mehreren Gründen scheint es vertretbar, fast unvermeidlich, im *Prolog* einen Schlüssel zu sehen, den Simone Weil ihren Schriften hat mitgeben wollen und der gerade dort aufschließt, wo Person und Werk, Biographie und Theologie, Wesen und Glauben eine untrennbare Einheit bilden. Es ist die Stelle, an der – mit Goethe zu reden – sichtbar oder mindestens spürbar wird: das «Gesetz, wonach du angetreten». Wir haben also Ort und Zeit nicht mittels Landkarte und Kalender zu bestimmen, wohl aber als geistige Realitäten ernst zu nehmen, wie etwa den Blick durchs Fenster oder die Jahreszeit. *Es war nicht mehr Winter. Es war noch nicht Frühling* – das war nicht nur wie «an dem Tag, der dich der Welt verliehen», am 3. Februar 1909 in Paris, eben nach Mariä Lichtmeß der kosmische Stand der Sonnenuhr Erde; es ist zugleich das Bild eines allerfrühesten, vorgeburtlichen oder kindlichen Vorfrühlingszustandes der Menschenseele, in den sie nur träumend oder in der Ekstase zurückkehren kann. Was bedeuten dann diese Gefängnisse und Bahnhöfe und mit Nippes gefüllten Salons anders als Orte des Exils, nachdem die Seele aus jener Dachkammer des glückseligen, rückhaltlosen, heimatlichen Einklangs – unio mystica, communio – verbannt worden ist?

Jedes Wort ist hier schwer von Bedeutung, jede Zeile steht für viele Seiten, jeder Absatz für ein Kapitel, und so wäre es nicht nur erlaubt und verlockend, sondern zudem wahrscheinlich äußerst fruchtbar, aus dieser Schrift von kaum zwei Seiten die gesamte Vita der Simone Weil zu erschließen, ohne den kleinen Text überdehnen oder den widerspruchsvollen Reichtum von Werk und Leben pressen zu müssen. Wie ist das möglich?

Wenn wir einen Schritt zurücktreten und das *Ich* des *Prologs* um die Vielzahl anklingender Akkorde ergänzen, die das aufmerksame Ohr mithört, so werden wir gar nicht überrascht finden, daß hier gar nicht oder doch nicht allein die persönliche Vita eines einzelnen Menschen gemeint ist, sondern eine stellvertretende Aussage über die Situation des suchenden Menschen dieser Zeit oder überhaupt des Menschen, der als geistige Entelechie Erdenexistenz zu erdulden und zu leisten hat. Es ist eine neue Chiffre, diejenige der Genesis variierend, so wie es auch die Märchen tun; es ist die Parabel von der Vertreibung aus dem Paradies, die Geschichte der Seele, welcher die unmögliche Aufgabe der *Inkarnation* zugeteilt ist, doppelt unmöglich in unserer modernen Welt, wo der Sinn verloren, die Hoffnung auf Erfüllung, auf Erlösung gänzlich geschwunden scheint und nur, unter *Furcht und Zittern*, die bange Frage bleibt, *ob er* uns *vielleicht trotz allem liebt.*

Simone Weil

ANMERKUNGEN

Die erste Chiffre unter einer Nummer gibt den Titel des jeweils zitierten Textes an. Soweit Übersetzungen vorhanden, wurde möglichst aus deutschen Ausgaben zitiert; wurde in Zweifelsfällen nach dem französischen Original zitiert, so steht dessen Chiffre voran.

ERKLÄRUNG DER ABKÜRZUNGEN
(alphabetisch)

A	=	*Attente de Dieu* (Neuauflage 1950)
CabF	=	Jacques Cabaud: *L'Expérience vécue de Simone Weil* (1957)
CabNL	=	Jacques Cabaud: *Simone Weil à New York et à Londres 1942–1943* (1967)
CabÜ	=	Jacques Cabaud: *Simone Weil, die Logik der Liebe* (1968)
CH	=	*Cahiers I–III* (1951/53/56)
CO	=	*La Condition ouvrière* (1951)
CS	=	*La Connaissance surnaturelle* (1950)
E	=	*L'Enracinement* (1949)
EHP	=	*Écrits historiques et politiques* (1960)
EL	=	*Écrits de Londres et dernières lettres* (1957)
EÜ	=	*Die Einwurzelung* (1956)
HdmP	=	Alain: Histoire de mes pensées. Paris 1936. ¹⁴1944
IPC	=	*Intuitions pré-chrétiennes* (1951)
JdU	=	*Journal d'usine* in: CO 35–107
LR	=	*Lettre à un religieux* (1951)
NÜ	=	nicht übersetzt
OEL	=	*Oppression et liberté* (1955)
P	=	*La Pesanteur et la grâce* (1947)
PMS	=	*Poèmes* (1968)
PSO	=	*Pensées sans ordre . . .* (1962)
PT	=	Perrin/Thibon: *Simone Weil telle que nous l'avons connue* (1952)
PTÜ	=	dt.: *Wir kannten Simone Weil* (1953)
S	=	*Sur la science* (1966)
SfaP	=	Rees: *Simone Weil. A Sketch for a Portrait* (1966)
SG	=	*La Source greque* (1955)
SL	=	*Seventy Letters* (1965)
SUG	=	*Schwerkraft und Gnade* (1954)
UG	=	*Das Unglück und die Gottesliebe* (1961)
VoSch	=	*Vorchristliche Schau* (1959)
VS	=	*Venise sauvée* (1955)

1 Aus dem Gedicht «Der Albatros» von Baudelaire
2 A 32
3 Platon: «Phaidros»
4 SG 102/103
5 SUG 237
6 PT 13; Ü 19
7 Vorw. z. E (s. Bibl.) engl. Ausgabe. Zit. nach UG 9
8 s. Bibl.
9 deutsch 1968 s. Bibl.
10 PT 14; Ü 20/21
11 P I; Ü: SUG 9
12 EÜ 153
13 EÜ 83
14 EÜ 152
15 P XXIV; Ü: SUG 46
16 CabF 172; CabÜ: 179
17 P 107; Ü: SUG 184
18 CabF 16; CabÜ 15

19 SUG 184
20 UG 82
21 UG 46
22 UG 85
23 CabF 17; Ü: 15
24 CabÜ 16
25 Persönl. Zeugnis v. Eugène Fleuré (20. 9. 68)
26 EL 218 ff
27 a. d. Klinik 15. 6. 1943 EL 243
28 EL 228
29 EL 233
30 Kosename der Mutter: *Mime*
31 EL 234/235
32 EL 257
33 EL 239
34 CabF 15
35 UG 46
36 UG 83/84
37 CH u. CS s. Bibl.
38 CabF 17; PTÜ 166
39 PMS 37 ff
40 Alain: «Religions» in «Histoire de mes Pensées» (HdmP) 293
41 ebd. 289: «Les Contes»
42 ebd. 280: «Refus de Misanthropie»
43 ebd. 225: «Auditoires»
44 «Kinder- und Hausmärchen der Gebrüder Grimm»
45 A 72; Ü: UG 44/45
46 an Joë Bousquet 12. 5. 1942; PSO 79/80
47 SUG 65
48 CH 116
49 PT 131/32; Ü 156/57
50 s. u. a. SG u. IPC, S, SL
51 mündl. Zeugnis
52 CabF 21; Ü 20
53 «tala» = praktizierende Katholiken: (qui von*t à la* messe), zu denen SW nicht gehörte
54 CS 87
55 UG 46/47
56 CO 25
57 A 199; Ü: UG 215
58 A 203; Ü: UG 221 ff
59 PSO 81/82
60 Alain: «Auditoires» i.HdmP 223
61 20. 5. 1929, S. 237–241; s. a. CabF 31; Ü 31
62 *Réflexions sur les causes de la liberté et de l'oppression sociale* OEL 55 ff
63 OEL 8
64 SUG 210
65 ebd.
66 ebd. 211
67 OEL 8
68 UG 105
69 CabF 66; Ü 68
70 *Betrachtungen über den rechten Gebrauch des Schulunterrichts* UG 101
71 CabÜ 26/27
72 Reinbek 1968 (= rororo. 1066/1067)
73 ebd. 229
74 CabF 29/30
75 CabF 30
76 In: «Science Française?», «Nouvelle Revue Française» II, 106 (1955)
77 EÜ 107/108
78 Ministerielles Dossier zit. nach CabF 38
79 EÜ 105/106; vgl. «Entwurzelung – Einwurzelung», S. 119 ff
80 PT 138; Ü: 163/64
81 A 114; Ü: UG 95/96
82 Joh. 14, Vers 6
83 UG 104/105
84 A 115; Ü: UG 96/97
85 CabF 195/196; Ü 204
86 Vorw. z. P III; Ü: SUG 13
87 CabF 53
88 CabÜ 67
89 No 70, Jan./Febr. 1932
90 CabÜ 66, CabF 64; s. a. M.-M. Davy «Simone Weil» 15
91 SL 10 (Übers. o. Gewähr, Text nur auf engl. zugängl.)
92 SUG 255 ff
93 CS 28
94 S 237/38
95 Matth. 3, Vers 2
96 s. a. «Brief an einen Ordensmann» (S. 103 ff) und «Übernatürliche Erkenntnis» (S. 130 ff)
97 CO 264/65
98 SL 95
99 SL 91
100 SUG 256
101 IPC 52; Ü: VoSch 48
102 an die Mutter Pfingsten 1937, SL 81
103 SL 77
104 an Posternak, SL 74 f

105 CabF 184; CabÜ 174; *La Fresque Romane de l'Église Sant' Angelo à Asolo* (in: *Il Ponte*, Florenz, Juni 1951)
106 SL 85
107 A 75 (IV. Brief); Ü: UG 49; vgl. «Warten auf Gott» (S. 140 ff)
108 SG 119
109 P 175; Ü: SUG 258
110 P 171; Ü: SUG 256
111 P 172; Ü: 257
112 CH I, 52
113 von Simone Weil verwendete Pseudonyme
114 EÜ 62
115 EÜ 368/69
116 P Intr. V; Ü: SUG Einf. 15; vgl. «Warten auf Gott» (S. 140 ff)
117 S 231; SL 122
118 EÜ 62/63
119 «Soraya-Presse»; «Marie-Claire» existiert noch
120 E 74; EÜ 123/24
121 Max Picard: «Hitler in uns selbst». Zürich 1946, 1948
122 Briefstelle, mitgeteilt von Thibon in P Introd. V; Ü: SUG 15/16
123 EL 228/29
124 E 64/65; EÜ 106/107
125 EÜ 110
126 PMS 22
127 PSO 11/12; PMS 35
128 CH III, 121
129 von Simone Weil in VoSch zitierte Inschrift über dem Tor der platonischen Schule
130 SUG 258
131 von Simone Weil in VoSch 106 zit. nach Philolaos
132 VoSch 107
133 VoSch 109
134 SUG 254
135 von Simone Weil in VoSch 103 zit. nach Platons «Epinomis»
136 Paul Claudel: «Meine Bekehrung»
137 UG 49
138 SUG 258
139 VoSch 119
140 SL 87
141 SUG 255
142 Titel einer Schrift von Claudel
143 mündl. Zeugnis

144 SUG 253
145 SUG 259/60
146 Rezension i. «Cahiers du Sud», zit. n. CabF 220
147 CS 44 (S. 56 u. 137)
148 Notizen der Schülerinnen, zit. n. CabF 52
149 S 212; SL 112
150 SfaP 17
151 vgl. SL 112, 133; S 121 ff; 177 ff; 187 ff u. 211 ff
152 EÜ 108/109
153 CabF 220
154 EÜ 108
155 EÜ 108/109
156 EÜ 109/10
157 IPC 124/25; VoSch 110/11
158 IPC 125/26; VoSch 111/12
159 S 200
160 S 256; SL 135
161 S 194
162 S 195
163 SUG 260/61
164 E 64; EÜ 105
165 CH II, 7; vgl. SUG 260–263
166 Aischylos: «Der gefesselte Prometheus» V. 435 ff
167 VoSch 90
168 14. 5. 1964 i. «Christianeum» i. Hamburg
169 LR 19
170 LR 92; vgl. «Brief an einen Ordensmann» (S. 103 ff)
171 CS 30; vgl. Alain S. 27
172 Notizen der Schülerinnen CabF 52
173 *Expérience de la vie d'usine* in CO 242
174 CH I, 208
175 Notizen der Schülerinnen CabF 52
176 CabF 31
177 vgl. «Experimentalbeweis der Inkarnation» (S. 39 ff) und «Kostbarer Gebrauch der Mathematik» (S. 56 ff) über die Dimensionen des Denkens
178 CabF 31
179 CabF 53
180 Notizen der Schülerinnen CabF 50
181 EÜ Schluß-Satz (fehlt i. E s. Bibl.)
182 EL 212

183 OEL 55 ff
184 OEL 114
185 ebd. 114/15
186 Notizen der Schülerinnen CabF 53
187 CH II, 44
188 22. 8. 1929
189 zit. n. CabF 32
190 s. bes. i. CO: *Journal d'usine* (JdU)
191 CO 35 ff
192 im Text kursiv: *perçoive-l'usage* und: *objet de contemplation*
193 Motto JdU CO 35
194 CO 41/42
195 Brief an A. Thévenon, CO 20
196 UG 48
197 CO 106/107
198 CO 51/52
199 CO 16 (an A. Thévenon)
200 CO 107
201 CO 78–80
202 CO 55
203 Paris 1958
204 CO 78
205 UG 48
206 «Nous ne sommes rien, soyons tout!» [Wir sind nichts, seien wir alles!] CO 107
207 an A. Thévenon CO 20/21
208 CO 107
209 UG 48
210 an A X, CO 34
211 CO 76
212 CO 233 ff
213 CO 207 ff
214 CO 209
215 CO 215
216 Frederick Winslow Taylor, 1856–1915
217 Arbeitspsychologie
218 CO 232
219 ebd.
220 (1760–1825)
221 CH II, 45
222 CH II, 116; vgl. «Entwurzelung – Einwurzelung» (S. 119 ff)
223 ebd. 117
224 ebd. 45
225 CO 261 ff
226 CO 261
227 CO 266
228 CO 268
229 CO 267; vgl. «Übernatürliche Erkenntnis» (S. 130 ff)
230 CabF 31; vgl. «La Condition ouvrière» (S. 63 ff) 1. Teil
231 Dieser Satz im Text kursiv hervorgehoben
232 CH 43
233 A. Thévenon: Vorwort zu CO 13
234 Brecht: «Die heilige Johanna der Schlachthöfe»
235 OEL 225
236 ebd. 210
237 mitgeteilt v. Boris Souvarine, zit. n. CabÜ 392
238 CabF 43
239 CabF 33
240 M.-M. Davy: «Simone Weil» 15
241 CO 174
242 Gewerkschaftl. Arbeitsvermittlung
243 Brief an U. Thévenon, zit. n. CabF 68
244 EHP 126 ff
245 EHP 195
246 EL 144
247 Vereinigte Gewerkschaften
248 CabF 91/92
249 EÜ 53
250 OEL 223–254
251 Buchbesprechung, zit. n. CabF 11
252 EÜ 189
253 s. «Note d'Éditeur» in OEL 7
254 OEL 55
255 OEL 67
256 OEL 67/68
257 ebd. 66
258 CO 263
259 OEL 223
260 ebd. 224
261 OEL 210
262 OEL 224
263 SUG 282/83
264 OEL 224/25
265 OEL 225/26
266 OEL 254
267 *Un Appel aux ouvriers de R.* (1936) CO 128/29
268 19. 12. 1931, zit. n. CabF 48
269 *Lettre à un syndiqué*, CO 179
270 Brief an B. Souvarine, CO 30
271 Brief an A. Thévenon, CO 16
272 s. o. Kapitelanfang
273 SUG 170
274 Brecht: «Die heilige Johanna der Schlachthöfe»

275 SG 57–62
276 CO 154
277 SG 57
278 VoSch 20
279 EL 25
280 SUG 278
281 CH II, 29
282 an G. Bernanos, EHP 220 ff
283 CabÜ 152
284 EL 218
285 SUG 261
286 OEL 236
287 UG 65
288 CO 261 ff
289 CO 263
290 OEL 42/43
291 OEL 41
292 SL 8
293 OEL 11
294 OEL 236
295 EL 131/32
296 EL 143
297 EL 135
298 EL 141
299 EL 148
300 EÜ 50
301 OEL 15
302 EÜ 197
303 in «Liebe zur Ordnung der
    Welt», UG 186/87
304 SUG 276
305 EÜ 198
306 EÜ 212
307 EL 26
308 EÜ 229; Matth. 4, 1–11; Mark.
    1, 12 + 13; Luk. 4, 1–13
309 im Text deutsch
310 UG 33
311 EL 17
312 EÜ 358
313 OEL 236
314 EL 24
315 E 125; EÜ 212/13
316 CH II, 116
317 SUG 276
318 ebd. 272
319 «Erziehung des Menschenge-
    schlechts»
320 LR 15
321 SUG 272/73
322 frei zit. n. Matth. 18, V. 20
323 UG 64–66
324 vgl. «La Condition ouvrière»
    (S. 63 ff)

325 UG 26
326 UG 62
327 EÜ 359–361
328 UG 195
329 Vorw. z. CabÜ 5
330 s. CabÜ 373
331 Fragebogen, PSO 69–72
332 PSO 72
333 PSO 134 ff
334 UG 193
335 UG 56/57
336 Albert Camus, Tagebuch
337 UG 83
338 Matth. 5, 48
339 UG 68/69
340 vgl. «Mit vierzehn Jahren»
    (S. 19 ff)
341 LR 7/8
342 Jos. 5, 14; 1. Sam. 17, 26 + 45
343 LR 11–13
344 LR 17
345 LR 19
346 Notizen der Schülerinnen nach
    CabF 76, CabÜ 77
347 LR 16
348 Matth. 28, 19; Mark. 16, 15
349 LR 30–34
350 s. «Entwurzelung – Einwurze-
    lung» (S. 119 ff)
351 LR 80
352 LR 91/92
353 Letzter Text, PSO 149 ff
354 ebd. PSO 151/52
355 PT 130; Ü 155
356 UG 37
357 Dernier Texte, PSO 152/53
358 EÜ 160
359 CabÜ 376; CabNL 76
360 CH III, 341; CS 9/10
361 PT Ü 69
362 SUG 261/62
363 ebd. 277
364 s. Vorwort
365 EÜ 77
366 Forces de la France Libre
367 EL 212
368 EL 11 ff
369 EL 74 ff
370 EÜ 11
371 P 197/98; SUG 281/82
372 EÜ 28/29
373 vgl. «La Condition ouvrière»
    (S. 63 ff) und «Allein gegen
    Theben» (S. 93 ff)

374 EÜ 36
375 EÜ 27
376 EÜ 31–34; vgl. «Allein gegen Theben» (S. 93 ff)
377 EÜ 34
378 EÜ 71
379 EÜ 106–114; vgl. «Notre Mère Weil» (S. 28 ff)
380 EÜ 118–120
381 UG 165
382 EHP 66 ff
383 EHP 68/69
384 *L'Iliade ou le poème de la force* i. SG 11 ff
385 etw. Noblesse, Herkommen, Ebenbürtigkeit
386 EHP 71/72
387 J. O. C. = Jeunesse Ouvrière Chrétienne, christl. Arbeiterjugend
388 EÜ 134–150; vgl. «La Condition ouvrière» (S. 63 ff)
389 EÜ 173/74
390 EÜ 239
391 EÜ 235–238
392 EÜ 431/32
393 EÜ 275
394 vgl. «Brief an einen Ordensmann» (S. 103 ff)
395 E 247 ff; EÜ 424–427
396 UG 59
397 EÜ 427/28
398 *Fragments de Londres* OEL 220
399 EÜ 429/30
400 EÜ 437
401 E 89, EÜ 150
402 LR 58
403 *L'Amour de Dieu et le malheur* in PSO 99; UG 127
404 CS 113
405 UG 42
406 Thibon i. s. Einführung: SUG 48
407 UG 42
408 P 46; Ü: SUG 113/14
409 Martin Buber i. Vorw. z. «Ekstatische Konfessionen», Jena 1909, vgl. S. 157 ff
410 PSO 99; UG 127
411 vgl. «Kostbarer Gebrauch der Mathematik» (S. 56 ff) und «Entwurzelung–Einwurzelung» (S. 119 ff)

412 Alain: «Vers les Dieux» i. HdmP 281
413 Camus: «Tagebuch» I/166 (Ü)
414 Marcel Moré zit. n. P/T Ü 7 (Geleitwort v. K. Pfleger)
415 LR 54–56
416 LR 85
417 S 256/57; SL 135
418 s. Kapitelanfang: Motto
419 CO 261 ff, hier: 267/68; vgl. «La Condition ouvrière» (S. 63 ff) und «Entwurzelung – Einwurzelung» (S. 119 ff)
420 SUG 170
421 UG 69
422 UG 39
423 LR 58
424 SUG 186/87
425 vgl. «Frankreichs rote Jungfrau» (S. 76 ff)
426 vgl. «Brief an einen Ordensmann» (S. 103 ff)
427 an ihren Bruder S 233/34; SL 123
428 UG 53
429 CS 204/205; übers. v. Karl Epting in: «Der geistliche Weg der Simone Weil». Stuttgart 1955, S. 45/46
430 CS 292
431 CS 28
432 *Schluß* im Original deutsch
433 P 74–77; Ü: SUG 146–150
434 Rilkes Übers. d. VI. d. «Portugiesischen Sonette» v. E. Barrett-Browning
435 *Was bedeutet der Okzitanische Geist?* EHP 75 ff, hier: 80
436 Camus: «Tagebuch» I, 154/55 (Ü)
437 SUG 134/35
438 UG 42–44
439 SUG 250
440 A 105; UG 87/88
441 UG 44/45
442 UG 80/81
443 1969 Außenminister unter Pompidou
444 EL 209–213
445 vgl. «Experimentalbeweis der Inkarnation» (S. 53)
446 UG 49
447 UG 132–134; PSO 103–105
448 UG 254/55

449 UG 50–55
450 zit. d. P. Perrin i. Vorbemer-
    kung z. I. Brief i. A 48
451 UG 71–82
452 IPC 167/68; VoSch 149/50
453 UG 60
454 UG 118/19
455 UG 35
456 UG 228
457 UG 235 ff
458 UG 239–241
459 Joh. 4, 34
460 SUG 66; vgl. «Übernatürliche
    Erkenntnis» (S. 130 ff)
461 R. Rees: SfaP 64; CabÜ 385/86
462 CabÜ 384

463 SfaP 66; SL 143
464 William Blake: «Proverbs of
    Hell»
465 EL 255/56
466 UG 89–91
467 EL 250/51
468 CH III Schluß (nach S. 340);
    CS 9/10
469 s. F. Heidsieck: «Simone Weil»,
    173 Anm. 2
470 CH III, 208
471 Die Anzahl der Verhaftungen
    ist fraglich.
472 Wörtl. «C'est de la folie» [Das
    ist Blödsinn] (betr. EL 187: Pro-
    jekt Frontkrankenschwestern)

Zu diesem Band

Die Autorin und der Herausgeber sind Jacques Cabaud dankbar für seinen kollegialen Beistand. Er gilt als der beste Kenner des Themas und besitzt die umfassendste Bilddokumentation dazu. In dieses Material hat er uns groß-zügig – ohne Anrechnung von Zeit, Mühe und Kosten – Einblick gewährt.

ZEITTAFEL

1787 oder	1788 Urgroßvater Benjamin Weil, Kaufmann, geboren in Wolfisheim (Elsaß), Sohn des Abraham Weil, Kaufmann, und der Françoise (Franziska) geb. Levy (Urgroßmutter: Sabine Gross, Gattin des Benjamin Weil)
1823	30. Dezember: Großvater Abraham Weil geboren in Wolfisheim, Grundbesitzer und Kaufmann in Straßburg
1829	22. September: Großvater Adolf Reinherz geboren in Brody (damals Österreich), Getreidekaufmann
1839	28. März: Großmutter Eugénie Weil als Tochter von Mathieu Levy, Metzger, und Rosine Levy geboren in Lauterbourg
1850	12. April: Großmutter Hermina Reinherz geb. Sternberg geboren in Lemberg oder Wien
1853	Hochzeit von Abraham Weil mit Nanette Levy, geboren 1826 in Lauterbourg (Elsaß), gestorben 12. November 1867 in Straßburg (fünf Kinder)
1863	Urgroßvater Benjamin Weil gestorben
1867	Urgroßmutter Sabine Weil geb. Gross gestorben
1868	22. Dezember: Der Witwer Abraham Weil heiratet die Schwester Eugénie seiner verstorbenen Frau
1870	4. September: Hochzeit von Adolf Reinherz mit Hermina Sternberg in Wien
1872	7. April: Vater Bernard Weil geboren in Straßburg, Grand Rue 55
1879	13. Januar: Mutter Salomea Weil geb. Reinherz (genannt Selma oder Mime) als drittes Kind von vier Geschwistern geboren in Rostow am Don; seit 1882 in Antwerpen, seit 1902 in Paris
1905	Großvater Abraham Weil in Straßburg, Manteuffelstr. 49 (jetzt Rue Maréchal Foch) gestorben
1906	6. Mai: Bruder André Abraham Weil geboren in Paris
1909	3. Februar: Adolphine Simone Weil geboren in Paris, Boulevard de Strasbourg 19 – Gründung der literarischen Zeischrift «Nouvelle Revue Française» durch André Gide, Jean Schlumberger, Copeau, Ghéon und Rivière
1912	Umzug nach Boulevard Saint-Michel 37/III. Simone am Blinddarm operiert
1914	Ausbruch des Ersten Weltkriegs. Dr. Bernard Weil eingezogen, nimmt die Familie mit nach: Neufchâteau (Vogesen), Mentone, Mayenne, Chartres, Laval, dann wieder Paris
1915	(etwa) Erste Verse
1916	Simone Weil erhält Privatunterricht in Chartres
1917	Simone Weil geht in Laval zum erstenmal richtig zur Schule: «très bonne élève»
1919	2. März: Großmutter Eugénie Weil geb. Levy in Straßburg gestorben. – Gründung des Völkerbundes in Genf. – Simone Weil beginnt am Lycée Fénelon in Paris leidlich regelmäßigen Schulbesuch. Schreibt ein kleines Märchen *Die Feuerkobolde* (*Les Lutins du feu*). Sommerferien 1919 und 1920 in Penthièvre (Bretagne)
1921	Beginn der schrecklichen maux de tête (Migränen, Neuralgien?)
1922	André geht auf die École Normale Supérieure. – Mussolinis Marsch auf Rom
1923	Januar: Französische Besetzung des Ruhrgebiets. Reparations-

verhandlungen. November: Hitler und Ludendorff putschen in München. – Simone Weil verfiel in eine *jener grundlosen Verzweiflungen des Jugendalters* und wünschte *zu sterben*

1924 22. Juni: Simone Weil besteht den ersten Teil des Bakkalaureats in Latein und Griechisch. Die Familie verbringt ab jetzt (bis 1940) die Wochenenden in dem Chalet «La Guinguette» zwischen Chevreuse und Monfort l'Amaury. Schwierige Entscheidung zwischen Mathematik und Philosophie; das Orakel sagt: Philosophie. Schülerin von Le Senne am Lycée Victor Duruy ab 1. Oktober

1925 27. Juni: Zweiter Teil des Bakkalaureats (Philosophie). – Räumung des Ruhrgebiets beginnt im Juli. Im Oktober Vertrag von Locarno. – Ab Oktober im Lycée Henri IV. Großer Einfluß Alains. André Weil studiert in Rom

1926 September: Aufnahme Deutschlands in den Völkerbund

1926/1927 «Mißerfolg», «Katastrophe»: Simone Weil fällt bei der Prüfung in Geschichte durch und muß ein weiteres Jahr dranhängen. Statt zu arbeiten, hat sie rauchend und diskutierend in Cafés herumgesessen. André Weil in Göttingen. – Mai 1927: Weltwirtschaftskonferenz in Genf

1928 Umzug der Familie Weil in ein Doppel-Appartement Rue Auguste Comte 3, gegenüber dem Jardin du Luxembourg. Herbst 1928: Aufnahme in die École Normale Supérieure. André Weil promoviert in Paris

1929 Erste Publikationen in Alains «Libres Propos», am 20. Mai: *De la perspective ou l'aventure de Protée*; am 20. August: *Du temps*. – 25. Oktober: Der «Schwarze Freitag» der New Yorker Börse leitet die Weltwirtschaftskrise ein

1930 Januar: Zweite Haager Konferenz, Haager Schlußakte. Young-Plan. Außenminister Briands Pan-Europa-Pläne scheitern. Allgemeine Finanzkrise, Zusammenbruch der liberalen Weltwirtschaft. – André Weil nach Indien an die Aligarh Muslim University (1930–32). Simone Weils Eintritt in den Sportclub «Femina». Nach Cabaud: Rugby-Spiel an einem kalten Wintertag Anstoß zu dem lebenslangen Kopfweh

1931 Simone Weil unterschreibt – neben Sartre, Romain Rolland und anderen – eine Protestnote gegen die obligatorische Offizierslaufbahn der «Normaliens», welche in den «Libres Propos» erscheint. Staatsprüfung, Promotion zur «agrégée» im Juli. Ferien an der normannischen Küste, wo Simone Weil auf Fischfang mitfährt. Ab Herbst erstes Lehramt in Le Puy. Besuche bei dem Gewerkschaftler U. Thévenon und Frau Albertine in Saint-Étienne. Simone Weil hält dort unentgeltlich Kurse in der Arbeiterstudiengemeinschaft. Artikel in «Libres Propos», «L'Effort», «La Révolution Prolétarienne» und im Mitteilungsblatt der Lehrergewerkschaft. Einfahrt ins Bergwerk. Darüber: *Après la visite d'une mine*. – 16./17. Dezember: Simone Weil exponiert sich für die Forderungen von Arbeitern und Arbeitslosen beim Bürgermeister und im Stadtrat von Le Puy und macht Skandal. 23. Dezember: Vorladung zur Schulbehörde in Clermont-Ferrand

1932 Januar: Streik in Le Puy, Simone Weil wird festgenommen, aber gleich wieder freigelassen. Zweite Vorladung nach Clermont-Ferrand: Versetzung droht. Januar/Februar: *Une survivance du régime des castes*. Anfang Februar Aufmärsche und Demonstrationen in Le Puy, woran die «rote Jungfrau» maßgeblich beteiligt. – Februar: Erfolglose Abrüstungskonferenz in Genf. – Juni/Juli: Konferenz von Lausanne. Ende der von Deutschland an die Sieger zu zahlenden Reparationen. – August/September: Ferien in Deutschland vor der Machtergreifung Hitlers; darüber von August 1932 bis April 1933 Artikelserien in verschiedenen Zeitungen: *Conditions d'une révolution allemande; Allemagne en attente; Premières impressions d'Allemagne; La Situation en Allemagne.* – April: Inspektion durch M. Gendarme de Bévotte, der prophezeit, daß höchstens zwei von Simone Weils Schülerinnen das Bakkalaureat bestehen werden, was haargenau eintrifft. Simone Weil hält Examina für lächerliche Konventionen. Zum ersten Trimester des neuen Schuljahrs im Herbst strafversetzt nach Auxerre

1933   Januar: Hitlers Machtergreifung in Deutschland. Ende der Weltwirtschaftskrise. – Februar: Reichstagsbrand in Berlin. – März: Austritt Japans aus dem Völkerbund. Aufhebung der Gewerkschaften in Deutschland. – Juli: Konkordat des Vatikans mit Hitler. – Oktober: Deutschland verläßt die Abrüstungskonferenz und den Völkerbund. – 1933 bis 1940: André Weil an der Universität Straßburg. – In Auxerre Wiederholung des «gigantischen Mißerfolgs» von Le Puy: von zwölf Kandidatinnen aus der Klasse der Professorin Weil sind beim Bakkalaureat wieder nur drei oder vier erfolgreich. Der Philosophie-Kursus wird geschlossen, Professor Weil daher überflüssig: «schlechte Pädagogin». – 5.–7. August: Kongreß der Vereinigten Lehrerverbände in Reims, dann Kongresse der C. G. T. und C. G. T. U. (Gewerkschaften). Simone Weils aktive Teilnahme macht Aufsehen, teils bis zum Tumult, weil sie die Deutschland-Politik der Sowjetunion und der von dieser kontrollierten kommunistischen Internationale kritisiert. – Ferien in Spanien. Plan, nach Rußland zu reisen, scheitert. *Perspectives: Allons-nous vers la révolution prolétarienne?; Réflexions sur la guerre; Sur le livre de Lenine «Matérialisme et Empiriocriticisme».* – Herbst: Zum Schuljahrsanfang in Roanne/Loire an Lycée. – 21. und 22. Oktober: Demonstrationen in Saint-Étienne, Simone Weil trägt die rote Fahne der Bergarbeiter und hält eine Ansprache. – 3. Dezember: Der berühmte Aufmarsch der Bergarbeiter, wo Simone Weil die rote Fahne der «Bourse de Travail» von Saint-Étienne trägt. – Ende Dezember: Leo Trotzki und Frau zu Gast bei den Weils. Simone interviewt ihn. Trotzki beim Abschied zu den Eltern: «Sie können sagen, daß die Vierte Internationale in Ihrem Hause gegründet wurde». – 1933 und

1934   entsteht: *Réflexions sur les causes de la liberté et de l'oppression sociale.* – In Deutschland: Röhm-«Putsch» mit blutigen Folgen. Tod des Reichspräsidenten von Hindenburg gibt Hitler die unumschränkte Macht. – Eintritt der UdSSR in den Völkerbund. – Initiativen Simone Weils zugunsten von Flüchtlingen aus Deutschland, derentwegen sie mit Genossen Krach kriegt. Ab 1. Oktober: Unbezahlter Urlaub *zu persönlichen Studien.* Ab 4. Dezember: Hilfsarbeiterin in der Elektro-Firma Alsthom. Protokoll im *Journal d'usine; Expérience de la vie d'usine*

1935   Januar: Rückgabe des Saargebiets an Deutschland. Hitler kündigt Versailler und andere Verträge und führt die allgemeine

Wehrpflicht ein. – 15. Januar bis 25. Februar: Mit Ohrenent-
zündung zu Hause bei den Eltern und in Montana/Schweiz. Anfang April arbeitslos. Vom 11. April bis 7. Mai bei Carnaud.
Dann wieder arbeitslos. Am 31. Mai Brief an das Ministerium:
Bitte um Wiedereinstellung als Lehrerin zu Schuljahrsbeginn im
Herbst. In der vierten Woche arbeitslos, beschränkt Simone
Weil die täglichen Ausgaben auf 3.50 Francs, und *Hunger* wird
zum Dauerzustand: *sentiment permanent.* Ab 5. Juni als Frä-
serin bei Renault bis 22. August. – Urlaub in Portugal. – September: Hitler erläßt die sogenannten «Nürnberger Gesetze»,
welche die deutschen Juden deklassieren. – Ab Herbst Simone
Weil am Lycée in Bourges. Interesse für gregorianische Musik,
häufiger Besuch der Frühmesse in der Kathedrale

1936   Deutsche Truppen besetzen das bis dahin entmilitarisierte Rhein-
land. Freundschaft Simone Weils mit Boris Souvarine; er fand,
sie sei die «intelligenteste Frau seit Rosa Luxemburg». – In den
Osterferien Arbeit auf einem Bauernhof. – Frühjahr: Gründung
der «Nouveaux Cahiers» (erstes Heft März 1937), wo Simone
Weil mitarbeitet. Korrespondenz mit dem technischen Direktor
der Hüttenwerke von Rosière, M. Bernard, und Versuch, an seiner
Werkzeitschrift «Entre Nous» mitzuarbeiten; Simone Weil beginnt eine Artikelserie über griechische Kunst mit *Antigone.*
Simone Weils Begeisterung für den Generalstreik in Frankreich
macht der Zusammenarbeit mit Bernard jäh ein Ende. Artikel
für die «Révolution Prolétarienne» unter dem Pseudonym S.
Galois: *Das Leben und der Streik der Metallarbeiter* (10. Juni). –
18. Juni: Beginn des Bürgerkriegs in Spanien. Anfang August
geht Simone Weil trotz ihres dezidierten Pazifismus zu den Repu-
blikanern nach Barcelona; im September Unfall beim Kochen (!)
durch siedendes Öl. Die Eltern holen Simone aus dem Lazarett
nach Hause. – 19. August: Erschießung Federico García Lorcas
in Viznar bei Granada. *Journal d'Espagne.* Die Brandwunden
heilen schlecht und langsam. Simone Weil bleibt bis auf weiteres
notgedrungen vom Schuldienst beurlaubt. Oktober: *Faut-il grais-
ser les godillots?* [Muß man die Knobelbecher wichsen?]

1937   Februar: *Le Maroc ou de la préscription en matière de vol*
[Marokko oder über die Verjährung von Diebstahlsdelikten].
– Im März: Urlaub in Montana/Schweiz; Brandwunden noch nicht
völlig geheilt. Im Frühling trotzdem Italien-Reise. Pfingsten in
Rom. In Assisi zum erstenmal im Leben auf den Knien. An-
schließend mit den Eltern in Südtirol. Gedicht: *Prométhée* und
Briefwechsel darüber mit Paul Valéry. – Ab Oktober am Lycée
in Saint-Quentin. – *Ne recommençons pas la guerre de Troie
(Pouvoir des mots).* April: *Principes d'un projet pour un régime
intérieur nouveau dans les entreprises industrielles; La Rationa-
lisation:* Vortrag 23. Februar vor einem Arbeiterauditorium
(fragmentarische Notizen eines Hörers); *La Condition ouvrière*
(September)

1938   Ab Januar wieder krankheitshalber beurlaubt bis Juni. – März:
Deutscher Einmarsch in Österreich, Anschluß ans Reich. –
Ostern: Palmsonntag bis Osterdienstag Simone Weil mit ihrer
Mutter in der Benediktiner-Abtei Solesmes. Beim Hören der gre-
gorianischen Messe unter sinnraubenden Kopfschmerzen erstes
Erlebnis von Ekstase. George Herberts Gedicht «Love», das Si-

mone Weil bei Anfällen von Kopfweh rezitiert, hat, ohne daß sie es wußte, *die Kraft eines Gebets*. Herbst: Erstes *Christus-Erlebnis* (nach Rees seitdem Wandlung von Simone Weils Schreibstil). – Mai: Tschechische Mobilmachung. – *L'Europe en guerre pour la Tchéchoslovaquie?* (28. Mai). – Frühsommer: Simone Weil nochmals sechs Wochen in Italien. Entdeckung der romanischen (?) Fresken in der Kapelle Sant' Angelo von Asolo bei Venedig. – September: Sudetenkrise. Konferenz von München rettet noch einmal den Frieden. – Oktober: Einmarsch deutscher Truppen ins Sudetenland. *Was Hitler braucht ... das sind regelmäßige und brutale Bestätigungen für die Existenz und Macht seines Landes. Es ist unwahrscheinlich, daß man ihn auf diesem Wege aufhalten kann, außer mit Waffengewalt.* – 9. November: In Deutschland «spontane» Ausschreitungen gegen die Juden; von Simone Weil kein Kommentar

1939
März: Einmarsch der deutschen Truppen in die Tschechoslowakei. Reichsprotektorat Böhmen und Mähren. Deutscher Einmarsch ins Memelgebiet. Mobilmachung in Polen. Englisch-französische Garantie-Erklärungen für Polen, Griechenland und Rumänien. – *Réflexions en vue d'un bilan: Jeder von uns fühlt nur zu sehr die Tragik dieses Augenblicks für Europa. Es scheint verlockend, Hitlers Expansionsdrang nachzugeben und ihn den Traum Napoleons verwirklichen zu lassen. Aber wenn Europa für mehrere Generationen ein und derselben blinden Tyrannis anheimfiele, wäre der Verlust für die Menschheit unermeßlich, weil nämlich die Gewalt sehr wohl geistige Werte zerstören und sogar ihre Spuren austilgen kann.* Sonst würden sich nur *niedrige Seelen* über *Politik aufregen.* Als Hitler in Prag einzog, gab Simone Weil – *je suis Cassandre* – ihren Pazifismus auf, um für Hitlers Unterwerfung zu kämpfen. – Juli: Neues Gesuch um zwölfmonatigen Urlaub. Mit den Eltern in Genf, um die im Völkerbund ausgestellten Prado-Sammlungen zu sehen. – August: Nichtangriffspakt zwischen Deutschland und der UdSSR, unter japanischem Protest. 23. August: Beginn der britischen Mobilmachung. 30. August: Mobilmachung in Polen. 1. September: Beginn des deutschen Angriffs auf Polen. 3. September: Die Garantiemächte Frankreich und England erklären Deutschland den Krieg. – Eltern und Tochter Weil kehren aus ihrem Urlaubsort oberhalb von Nizza sofort nach Paris zurück. – *Rome et L'Albanie; Réflexions sur la barbarie; Quelques réflexions sur l'origine de l'Hitlerisme* (1. Januar 1940 in «Nouveaux Cahiers» publiziert); *L'Iliade ou le poème de la force* (1940/41) unter Pseudonym Émile Novis in den «Cahiers du Sud» publiziert). – Brief an Jean Giraudoux, damals Propagandaminister; Simone Weil weiß, daß der Brief sie ins Gefängnis bringen kann, aber *was kümmert's mich? Lebenslängliche Haft könnte mich nicht mehr verletzen als die Tatsache, daß ich der Kolonien wegen nicht glauben kann, Frankreichs Sache sei gerecht.* – Lektüre: Appian, Polybios

1940
Lektüre: Bhagavadgita. Studium des Sanskrit. *Projet d'une formation d'infirmières de première ligne* [Plan einer Truppe von Frontkrankenschwestern]; *Prolog* (? vielleicht auch 1942), worin Simone Weil die mystische Begegnung schildert, oder auch eine Art «Prolog im Himmel» für ihre eigene Biographie. – 10. Mai:

Beginn der «triumphalen» deutschen Offensive in Frankreich. André Weil scheint vorher aus Straßburg geflüchtet, wo er bisher einen Lehrstuhl hatte. – Simone Weil bis zu allerletzt in Paris, hilft Flüchtlingen beim Aufbruch, hofft auf Verteidigung der Stadt. 13. Juni: Paris zur offenen Stadt erklärt. 21./22. Juni: Waffenstillstand zwischen Deutschland und Frankreich. Simone Weil zu Fuß über die Demarkationslinie und bleibt zwei Monate mit ihren Eltern in Vichy. *Venise sauvée.* Ab Oktober in Marseille. Mitarbeit an den «Cahiers du Sud»; illegale Tätigkeit in der Résistance, Verteilung verbotener Schriften in der unbesetzten Zone, nämlich die «Cahiers de Témoignage Chrétien», die sie zum *weitaus besten zählt, was es in diesem Augenblick in Frankreich gibt.* Wegen «Gaullismus» verhaftet, langes Verhör, mit Gefängnis bedroht, «in Gesellschaft von Prostituierten», dann freigelassen als geistesgestört, nachdem sie gesagt hat, daß ihr gerade diese Gesellschaft willkommen und einzig im Gefängnis zugänglich sei.471 – Im Juli lief der zwölfmonatige Urlaub ab, im August bewarb sich Simone Weil um neues Lehramt, womöglich in Algerien. November: Brief an den Unterrichtsminister Carcopino. Überwachung durch die Vichy-Polizei

Plan, zu Ostern nach Carcassonne zu fahren, muß aufgegeben werden. März: Versammlungen der Christlichen Arbeiterjugend in Marseille (J. O. C.); darüber Simone Weil unter Pseudonym Émile Novis im April in «Cahiers du Sud»: *À propos des jocistes.* – Juni: Beginn der deutschen Offensive in Rußland. – Bekanntschaft Simone Weils mit dem Dominikaner-Superior Pater Jean-Marie Perrin in Marseille, der, fast blind, ihr geistlicher Freund, Gesprächspartner und Berater wird. – Ab 7. August: Landarbeit in Saint-Marcel d'Ardèche bei Perrins Freund Thibon, dann – weil man hier zu viel Rücksicht auf sie nimmt – inkognito in Saint-Julien-de-Peyrolas (Gard), um die ganze Härte des Landlebens zu erfahren: ... *ob ich nicht, ohne es zu merken, gestorben und zur Hölle gefahren, und ob nicht dies die Hölle sei: ewig Weintrauben zu lesen* ... – 18. Oktober: Brief an den Kommissar für Judenfragen Xavier Vallat, unter anderem mit der Frage, ob man glaube, *daß ein staatlich geprüfter Mathematikprofessor den bei ihm Geometrie Lernenden Böses zufügt? – Condition première d'un travail non servile; Le Christianisme et la vie des champs; Pensées –* und *Réflexions sans ordres sur l'amour de Dieu.* – 25. Oktober: Rückkehr nach Marseille, da Simone Weils Anwesenheit zur Erlangung eines amerikanischen Visums nötig. Verhör vor der Militärpolizei wegen der Studie über die Frontkrankenschwestern, die Simone Weil nach England zu schicken versucht hat und die von der Polizei abgefangen worden ist. Nach Unterzeichnung des Protokolls läßt man sie frei. – Eintritt in eine, zwar enttäuschende, Geheimorganisation, die sich als von den Deutschen organisierte Falle entpuppt. Man läßt Simone Weil als uninteressanten Fall laufen.471 – Bei der Beförderung von Dokumenten der Résistance entleert sich beim Einsteigen in die Trambahn Simone Weils Koffer auf die Straße; keine Folgen. – Oktober: Deutsche Truppen vor Moskau, auf dem Balkan, in Griechenland, Kreta, Afrika. – Dezember: Japanischer Angriff auf Pearl Harbor. Eintritt der USA in den Krieg. – Winter 1941 auf

Zusammenkünfte eines kleinen Freundeskreises in der Krypta des Dominikaner-Klosters, wo Simone Weil aus ihren Studien über die Pythagoreer und Platon, über vorchristliche Christus-Offenbarung mitteilt, später publiziert in *La Source Greque* und *Intuitions pré-chrétiennes*. – April: *L'Avenir de la science* in «Cahiers du Sud» und *Réflexions à propos de la théorie des quantas* (Dezember). – Ostern: Reise nach Carcassonne; Besuch bei den Freunden Roubaud, wo Simone Weils Auftritt als härene Asketin einen bedrückenden Eindruck hinterläßt. Nächtliches Zusammentreffen und leidenschaftliche Gespräche mit Joë Bousquet. Dieser – seit Verwundung im Ersten Weltkrieg mit einer Querschnittslähmung (?) bettlägerig – scheint außer Perrin der einzige, dem sie, auf seine Bitte, von ihren mystischen Erfahrungen mitteilt. Siehe *Brief an Joë Bousquet* vom 12. Mai 1942. – Während der Karwoche Teilnahme an den Gottesdiensten in der Benediktiner-Abtei En Calcat in Dourgnes; Gespräche mit dem Benediktiner Dom Clément, der von ihr den *Questionnaire* erhält. – Zwischen Januar und Mai *Briefe an Pater Perrin*, von ihm später in *Attente de Dieu* veröffentlicht; der vierte dieser Briefe enthält Simone Weils *geistliche Autobiographie*. – Anfang Mai: Beim Abschied übergibt Simone Weil Thibon die «Cahiers», aus denen Thibon 1947/48 eine umstrittene Anthologie mit dem Titel *La Pesanteur et la grâce* ediert. 1951 vollständig bei Plon *Cahiers I–III* (1940 bis Frühjahr 1942). – 14. Mai: Eltern und Tochter Weil auf der «Maréchal Lyautey» nach Algier, müssen im Lager Ain Seba fast drei Wochen warten. – 26. Mai: Brief an Thibon aus Oran. – Anfang Juni: Auf der portugisieschen «Serpa Pinto» Überfahrt nach den USA, die im ganzen vier Wochen dauert. – 6. Juli: Ankunft in New York; Simone Weil fest entschlossen, so schnell wie möglich nach Europa zurückzukehren, am liebsten als Partisanin nach Frankreich. Briefwechsel mit Maurice Schumann. – Herbst: Deutsche Offensive im Osten bleibt, nach grausamem Rußland-Winter mit unzureichender Ausrüstung, endgültig stecken. «Katastrophe von Stalingrad» im Winter 1942/43: Wende des Krieges. – November: Landung neuer alliierter Truppen in Afrika. – August/September/Oktober: In Sondernummer der «Cahiers du Sud» («Le Génie d'Oc») Simone Weils Arbeiten über die Kultur der Langue d'Oc: *L'Agonie d'une civilisation* und *En quoi consiste l'inspiration occitanienne?* – Mitte November (Cabaud: 9. November): Abschied von den Eltern und von New York. Überfahrt auf der schwedischen «Vanessa» in euphorischer Stimmung. – 26. November: Ankunft in Liverpool. Isolierung wegen Spionagegefahr. Im Dezember: *... hier sind die Nerven angespannt, aber man beherrscht sie aus Selbstrespekt und aus echter Großmut gegen die anderen ... Dies Land hat gerade so viel zu leiden, daß seine Spannkraft angeregt und die in ihm liegenden Tugenden geweckt werden*

Ab 15. Januar: Zimmer bei der Witwe Francis, Notting Hill, Holland Park, 31 Portland Road. Arbeit für die Forces de la France Libre (F. F. L.), unter anderem die große Schrift *L'Enracinement* (*Die Einwurzelung*). – Hoffnung und Bemühung, als Partisanin nach Frankreich zu kommen. Briefe an die Eltern, worin die Krankheit mit keinem Wort erwähnt wird. – Februar: Kapitulation der Deutschen in Stalingrad. – 15. April: Einlieferung Simone Weils ins Middlesex Hospital. *Ich möchte wissen, ob es in Amerika Nachtigallen gibt? . . . für M. – Krishna nicht vergessen . . .* – 17. August: Überführung ins Grosvenor-Sanatorium in Ashford/Kent. – 24. August (Dienstag), 22 Uhr 30: «Versagen des Herzens infolge Herzmuskelschwäche, verursacht durch Hunger und Lungentuberkulose.» 30. August (Montag): Begräbnis auf dem Friedhof von Ashford mit acht oder neun Teilnehmern, unter ihnen Mrs. Francis, aber ohne Priester, der in London (vielleicht durch Fliegeralarm) den Zug versäumt hatte. – Im Nachlaß Tagebuchnotizen aus New York und London, zuletzt mit Bleistift geschrieben, wahrscheinlich fast bis zum letzten Tage, jedenfalls bis zur Überführung nach Ashford; später publiziert in *La Connaissance surnaturelle.* – Nach dem Kriege kehren die Eltern Weil nach Frankreich zurück und bleiben dort. – Professor André Weil 1945 bis 1947 in São Paulo/Brasilien, ab 1947 in den USA, seit 1958 am Institute for Advanced Study in Princeton. – Ab 1947 erscheinen in schneller Folge bei Gallimard und Plon in Paris die nachgelassenen Texte Simone Weils (siehe Bibliographie) und auch bald Übersetzungen

1955	15. Mai: Dr. Bernard Weil gestorben
1957	Erscheinen der ersten großen, umfassenden Biographie mit ausführlichem Apparat von Jacques Cabaud: «L'Expérience vécue de Simone Weil», 1967 durch «Simone Weil à New York et à Londres» ergänzt
1958	Seit 1. Mai: Durch Initiative Eugène Fleurés auf dem Grabe Simone Weils in Ashford ein Stein mit den Daten
1965	Mutter Salomea Weil, genannt Mime, gestorben
1968	Cabauds Biographie in deutscher Sprache bei Karl Alber

ZEUGNISSE

EINE MITSCHÜLERIN

Sie zeigte völligen Nonkonformismus in Fragen der Mode und Extremismus in solchen der Politik, was bei ihrer Jugend etwas Affektiertes hatte.

EIN MITSTUDENT

Ich habe Simone Weil gekannt auf dem Henri IV, sie war ungenießbar!

EIN JUNGER ARBEITER UND GENOSSE

Sie hat niemals Politik gemacht – wären alle Leute wie sie, so gäbe es keine Unglücklichen mehr.

EIN FELDARBEITER

... wenn ich an sie denke, da stell ich mir immer vor, daß Jeanne d'Arc so gewesen ist.

KARL PFLEGER

Sie konnte ja wahrhaftig nichts dafür, daß sie für den sehr langen Weg vom Unglauben bis zum Taufstein eine viel zu kurze Zeit hatte.

Geleitwort zu «Wir kannten Simone Weil»

MARCEL MORÉ

Wenn sie ihren Freunden für eine übrigens sehr kurze Zeit der Anziehungskraft des Christentums zu unterliegen schien, so hat sie nachher entschlossen dem Christenglauben den Rücken gekehrt.

In: «Dieu vivant» 17 (1950)

LEO TROTZKI

Sie erzählen mir immer noch von Simone Weil. Ich kannte sie sehr gut; ich habe lange Gespräche mit ihr geführt. Einige Zeit hat sie mehr oder weniger mit uns sympathisiert, dann hat sie allen Glauben an das Proletariat und den Marxismus verloren; sie schrieb nun absurde idealistisch-psychologische Artikel, worin sie die Verteidigung der «Persönlichkeit» übernahm; mit einem Wort, sie entwickelte sich zum Radikalismus. Es ist möglich, daß sie sich von neuem nach links wendet. Aber lohnt es die Mühe, noch länger davon zu reden?

*Brief an Victor Serge vom 30. Juli 1936 in: «Le Mouvement
Communiste en France 1919–1939»*

Sie und ihresgleichen werden noch viele Jahre brauchen, um sich von den allerreaktionärsten Spießer-Vorurteilen freizumachen.

In: «La Quatrième Internationale et L'URSS»

CHARLES DE GAULLE

Sie ist verrückt.[472]

DIETRICH VON HILDEBRAND

...der größte und edelste Zug ihres Wesens [war] ihr Durst nach dem Absoluten. Einer Zeit, die von einem flachen historischen Relativismus verseucht ist und die sich gegen das Absolute auflehnt, hat Simone Weil viel zu sagen.

*Vorwort zur deutschen Ausgabe von Jacques Cabaud:
«Simone Weil»*

MAURICE SCHUMANN

Die Ausstrahlung des fast gänzlich postumen Werkes von Simone Weil reicht über alle Grenzen. Ihre Schriften sind in die verschiedensten Sprachen übersetzt und eine Hilfe geworden für die Meditation und das Gebet von Menschen aller Rassen.

[Sie hat] niemals den geringsten Unterschied gelten lassen zwischen Denken und Handeln... Keiner [hat] die Botschaft Simone Weils begriffen, keiner den verborgenen Sinn ihres Opfers durchschaut, wenn er meint, sie habe sich im Denken und Handeln von einer Vorliebe für das Unglück leiten lassen. Von Natur war sie fröhlich... Aber eine Gewißheit leitete sie, es gebe eine nahe Verwandtschaft... zwischen der Suche nach der Wahrheit und dem Unglück.

In: «Réalités» 1958/I, Geleitwort zu «La Théorie des Sacraments»

RICHARD REES

Sie war sicherlich nicht kalt oder unpersönlich, sondern genau das
Gegenteil... eine Illustration der Wahrheit, daß... derjenige, den
die Gabe der Persönlichkeit auszeichnet, diese auch als ein Hindernis
und eine Last ansehen kann, wie sie es tat.

In: «A Sketch for a Portrait»

ALAIN

Ich habe Simone Weil sehr gut gekannt. Ich habe sie ihren Alters-
genossen überlegen gefunden, außerordentlich überlegen. Ich habe
von ihr Kommentare über Spinoza gelesen, die alles in den Schatten
stellten. Als sie in die Politik ging... erwartete ich viel. Viel? Ich erwartete ganz einfach die Lösung. Ich sah, daß nichts passierte; das
war für mich eine Art Wunder. Daß ein Geist ersten Ranges, und
eine Frau, so bald aufgab, das widersprach allem, was ich vorausse-
hen konnte. Die Wahrheit zu sagen, es passierte wohl einiges, aber
nur Einzelaktionen, kleine Geschichten, Agitationen im stillen; das ließ
wenigstens auf eine Rosa Luxemburg hoffen...

In: «La Table Ronde» 28. April 1950

SIMONE DE BEAUVOIR

Ich beneidete sie um ein Herz, das imstande war, für den ganzen
Erdkreis zu schlagen.

In: «Mémoires d'une jeune fille rangée»

SIMONE PÉTREMENT

Seit Marx hat jedenfalls... das politische und soziale Denken im
Westen nichts hervorgebracht, das scharfsinniger und prophetischer
gewesen wäre.

Notes d'éditeur zu «Oppression et Liberté», 1955

ALBERTINE THÉVENON

Ein Lächeln, ein Blick konnte uns in spaßigen Situationen zu Kom-
plicen machen. Diese Seite ihres Wesens, die... nicht oft zum Vorschein kam, hatte einen unvergeßlichen Zauber. Ebenso bestechend
war ihr Mangel an Konformismus und der Atem der Freiheit, den
sie mitbrachte... All diese Äußerungen, die sie für uns so liebenswert machten, haben ihr auch unauslöschliche Feindschaften einge-

tragen. So ist es für uns eine tiefe Freude, daß wir sie liebten, als es dazu Zeit war.

Im Vorwort zu «La Condition ouvrière»

RENATE RIEMECK

...Geschichte christlicher Selbstkritik, eine Geschichte tiefer Verzweiflung und getroster Hoffnung. In der ununterbrochenen Reihe ihrer Träger steht Simone Weil. Sie erlebt die Spannung... zwischen dem Evangelium Jesu Christi und der «Religion», dem Ruf zur Nachfolge und der konventionellen Lehre, zwischen Wort und Tat, dem Geist und der Institution. [Sie erkennt] die Bewältigung der politischen und sozialen Probleme der Menschheit als eine eminent christliche Aufgabe... ein Anruf, den wir hören müssen.

Für dieses Buch geschrieben

GABRIEL MARCEL

Je öfter ich mich über dieses Leben und dies Werk beuge... desto mehr bin ich überzeugt, daß es uns stets unmöglich bleiben wird, sie in irgendeine Formel zu fassen. [Simone Weil ist] eine Zeugin des Absoluten... Das ist es übrigens, wodurch sie uns, was immer sie selbst darüber denken mochte, vor allem als eine Tochter Israels erscheint.

Im Geleitwort zu M.-M. Davy: «Simone Weil»

T. S. ELIOT

Simone Weil hatte das Zeug zur Heiligen... Ein potentieller Heiliger kann eine sehr schwierige Persönlichkeit sein; ich habe den Verdacht, daß Simone Weil bisweilen unerträglich war. Hie und da ist man betroffen von dem Gegensatz zwischen einer fast übermenschlichen Demut und dem, was eine ärgerniserregende Anmaßung zu sein scheint...

Vorwort zu «The Need for Roots»

GUSTAVE THIBON

Eine der auffälligsten Formen ihrer Achtung für ihren Nächsten bestand darin, ohne Rücksicht auf Zeit und Ort jedem das zu sagen, was sie für die Wahrheit hielt... Insofern ging sie weiter als Gott selbst, der sich hinter vielen Schleiern verbirgt... Im großen Buch des Lebens, das vor ihren Blicken aufgeschlagen lag, war ihr Ich gewissermaßen ein Wort, das auszulöschen ihr vielleicht gelungen war, das aber unterstrichen blieb.

In: «Simone Weil telle que nous l'avons connue»

PATER PERRIN

Was sie für mich war? Eine Seele, der zu dienen ich die furchtbare Verantwortung hatte und die mir das ergreifende Vertrauen erwies, daß sie zu mir von ihrem Leben mit Gott sprach... In meinen Augen war sie, was sie selbst so schön ausgedrückt hat: «wie das Chlorophyll, das sich vom Licht ernährt» und kein anderes Gut zum Leben begehrt als diese Fähigkeit.

Einführung zu «Attente de Dieu»

BIBLIOGRAPHIE (Auswahl)

Weitere Bücher und Aufsätze von und über Simone Weil siehe die ausführlichen Bibliographien der französischen und deutschen Ausgaben von Jacques Cabauds Biographie (CabF und CabÜ). Titel in Klammern geben die Verdeutschung nicht übersetzter Titel (NÜ). **Fettgedruckte** von mehreren Jahreszahlen bezeichnen die jeweils benutzte Ausgabe.

1. Bücher von Simone Weil (alphabetisch)

Attente de Dieu, Paris (1948) **1950**, La Colombe, Éditions du Vieux Colombier; Einführung von J.-M. Perrin (fehlt in späteren Auflagen) A
– deutsch: *Das Unglück und die Gottesliebe*, München 1953, **1961**, Kösel; übers. von Friedhelm Kemp; Vorwort von T. S. Eliot ursprünglich in *Need for Roots* (s. u. E) (UG)
– engl.: *Waiting on God*, London 1951, Routledge
(Brief an einen Ordensmann, NÜ) = *Lettre à un religieux* (LR)
Cahiers I–III, (Tagebuchnotizen) Paris 1951/1953/1956, Plon CH
– deutsch nur als Auswahl in SUG (SUG)
– engl.: *The Notebooks of Simone Weil*, London 1956, Routledge
La condition ouvrière (Die Welt der Arbeit, NÜ), Paris 1951, Gallimard CO
La connaissance surnaturelle (Übernatürliche Erkenntnis, NÜ), Paris 1950, Gallimard CS
– engl.: London 1970, Oxford University Press; übers. von Richard Rees (in Vorbereitung)
Écrits historiques et politiques (Historische und politische Schriften, NÜ), Paris 1960, Gallimard EHP
– engl.: s. nächster Titel
Écrits de Londres et dernières lettres (Londoner Schriften und letzte Briefe, NÜ), Paris 1957, Gallimard EL
– engl.: *Selected Essays 1934–1945* (Auswahl aus den vorigen: EHP und EL), London 1962, Oxford University Press
L'enracinement, Paris 1949, Gallimard (die hier fehlenden letzten Seiten s. i. EÜ 428 ff) E
– deutsch: *Die Einwurzelung*, München 1956, Kösel; übers. von Fr. Kemp (EÜ)
– engl.: *The Need for Roots*, London 1952, Routledge; Vorwort von T. S. Eliot
Essais, lettres et fragments Bd. I (*Essais, Briefe und Fragmente*, NÜ), Paris 1965, Gallimard ESS
(Gedichte, NÜ) = *Poèmes*, s. d. (PMS)
(Das gerettete Venedig, NÜ) = *Venise sauvée*, s. d. (VS)
(Die griechische Quelle, NÜ) = *La source greque*, s. d. (SG)
(Historische und politische Schriften, NÜ) = *Écrits . . .*, s. d. (EHP)
Intuitions pré-chrétiennes, Paris 1951, La Colombe IPC
– deutsch: *Vorchristliche Schau*, München-Planegg 1959, Otto Wilhelm Barth Verlag; übers. von Fritz Werle (VoSch)
– engl.: *Intimations of Christianity* (Auswahl aus ICP und SG), London 1957, Routledge
Lettre à un religieux (Brief an einen Ordensmann, NÜ), Paris 1951, Gallimard LR
– engl.: *Letter to a Priest*, London 1953, Routledge
(Londoner Schriften und letzte Briefe, NÜ) = *Écrits de Londres . . .* s. d. (EL)
Oppression et liberté (Unterdrückung und Freiheit, NÜ), Paris 1955, Gallimard OEL

– engl.: *Oppression and Liberty*, London 1958, Routledge
La pesanteur et la grâce, Paris 1947, Plon; hg. und eingeleitet von Gustave
Thibon (Auswahl aus CH) P
– deutsch: *Schwerkraft und Gnade*, München 1952, **1954**, Kösel (SUG)
– engl.: *Gravity and Grace*, London 1952, Routledge
Poèmes suivis de Venise sauvée (*Gedichte, Das gerettete Venedig*, NÜ), Paris
1968, Gallimard; m. e. Brief von Paul Valéry PMS
Pensées sans ordre concernant l'amour de Dieu (*Verstreute Schriften über
die Gottesliebe*, NÜ), Paris 1962, Gallimard PSO
Schwerkraft und Gnade, München 1952, **1954**, Kösel; übers. von Fr.
Kemp SUG (P)
Seventy Letters (*Siebzig Briefe*, NÜ, aber z. T. in CO, EHP, EL, S), London
1965, Oxford University Press; übers. und hg. von Richard Rees SL
La source greque (*Die griechische Quelle*, NÜ), Paris 1955, Gallimard SG
– engl.: Auswahl in *Intimations of Christianity*, London 1957, Routledge
Sur la science (*Über die Naturwissenschaft*, NÜ), Paris 1966, Gallimard S
– engl.: *On Science, Necessity and the Love of God*, London 1968, Oxford
University Press; übers. von Richard Rees; Auswahl aus S, SG, PSO nebst
zwei Aufsätzen aus den «Cahiers du Sud»
Das Unglück und die Gottesliebe, München 1953, **1961**, Kösel; übers. von
Fr. Kemp; Vorwort von T. S. Eliot (aus *Need for Roots*) UG (A)
(*Unterdrückung und Freiheit*, NÜ) = *Oppression et liberté*, s. d. (OEL)
Venise sauvée (*Das gerettete Venedig*, NÜ), Paris 1955, Gallimard; außer-
dem in PMS VS
(*Verstreute Schriften über die Gottesliebe*, NÜ) = *Pensées sans ordre . . .*,
s. d. (PSO)
Vorchristliche Schau, München-Planegg 1959, Otto Wilhelm Barth Verlag;
übers. v. Fritz Werle VoSch (IPC)
(*Die Welt der Arbeit*, NÜ) = *La condition ouvrière*, s. d. (CO)

2. Bücher über Simone Weil
(in alphabetischer Reihenfolge der Verfasser)

Jacques Cabaud: L'expérience vécue de Simone Weil, Paris 1957, Plon;
mit ausführlicher Bibliographie und Anmerkungen (bei Cabaud selbst:
JCE) CabF
–: Simone Weil à New York et à Londres 1942–1943, Paris 1967, Plon; Ergänzung zu CabF mit Teil-Bibliographie, Anmerkungen und Bildern CabNL
– deutsch: Simone Weil, die Logik der Liebe, Freiburg–München 1968, Alber;
übers. von F. M. Marbach, nach den vorigen (CabF und CabNL) und
der folgenden Ausgabe (CabFL); Bibliographie, Anmerkungen und Bilder CabÜ
– engl.: Simone Weil, A Fellowship in Love, London 1964, Harvill Press;
engl. vom Verfasser; Bibliographie, Anmerkungen und Bilder CabFL
– amerikan.: –, New York 1965, Channel Press
Marie-Magdeleine Davy: Simone Weil, Paris 1956, Éditions universitaires;
Vorwort von Gabriel Marcel
Karl Epting: Der geistliche Weg der Simone Weil, Stuttgart 1955, Friedrich
Vorwerk Verlag
Eugène Fleuré: Simone Weil Ouvrière, Paris 1955, Fernand Lanore
François Heidsieck: Simone Weil, Paris 1965, Seghers
Jean-Marie Perrin und Gustave Thibon: Simone Weil telle que nous l'avons
connue, Paris 1952, La Colombe PT

- deutsch: Wir kannten Simone Weil, Paderborn 1953, Ferdinand Schö-
ningh   PTÜ
- engl.: Simone Weil as we knew her, London 1953 (?), Routledge
E. Piccard: Simone Weil, Essai biographique et critique (S. 11–42) suivi
d'une anthologie (S. 43–308), Paris 1960, Presses universitaires de France
Richard Rees: Simone Weil, a sketch for a portrait, London 1966, Oxford
University Press   SfaP
- franz.: Simone Weil, Esquisse d'un portrait, Paris 1968, Éditions Buchet
Chastel
Simone Weil: Unterdrückung und Freiheit – Politische Schriften (Texte aus
OEL u. EHL) übers. u. m. e. Vorwort von Heinz Abosch, Rogner & Bern-
hard, München 1975
Simone Pétrement: La Vie de Simone Weil, avec des lettres et d'autres textes
inédits de Simone Weil, Fayard, Paris 1973

NACHTRAG

1. Bücher von Simone Weil

Cahiers. Nouv. éd., rev. et augm. Vol. 1 (1970). Vol. 2 (1972). Vol. 3 (1974).
Paris: Plon 1970–1974
First and last notebooks. Transl. by RICHARD REES. London: Oxford Universi-
ty Press 1970 [«Pre-war notebook», franz. Ausg. u. d. T.: «Cahiers». Paris
1970. «New York notebook», und «London notebook», franz. Ausg. u. d.
T.: La connaissance surnaturelle. Paris 1950]
Weil, Simone: Simone Weil reader. Ed. by GEORGE A. PANICHAS. New York:
McKay 1977 [Bibliographie S. 513–516]
Unterdrückung und Freiheit. Politische Schriften. München: Rogner & Bern-
hard 1975

2. Bücher über Simone Weil

LITTLE, JANET PATRICIA: Simone Weil. A bibliography. London 1973
(Research bibliographies & checklists. 5)
Colloque Vigueur d'Alain, rigueur Simone Weil, Cerisy-la-Salle 1974. Paris
1976

ANDERSON, DAVID: Simone Weil. London 1971
BLECH-LIDOLF-LUCE: La Pensée philosophique et sociale de Simone Weil.
Bern 1976 (Publications universitaires européennes. Sér. 20, 23)
BO, DINO DEL: Simone Weil, dall'anarchismo alla christianità. Milano
1976
DUJARDIN, PHILIPPE: Simone Weil. Idéologie et politique. Grenoble 1975
GINIEWSKI, PAUL: Simone Weil ou la Haine de soi. Paris 1978 [Nebst Biblio-
graphie]
HAUTEFEUILLE, FRANÇOIS DE: La tourment de Simone Weil. Paris 1970
LOBATO, ABELARDO: La pregunta por la mujer. Salamanca 1976 (Pedal. 63)
PÉTREMENT, SIMON: La Vie de Simone Weil. Avec des lettres et d'autres textes
inédits de Simone Weil. Vol. 1 (1909–1934). Vol. 2 (1934–1943). Paris
1973 – Engl. Ausg. u. d. T.: Pétrement: Simone Weil. A life. New York
1976

SCHUMANN, MAURICE: La mort née de leur propre vie. Péguy, Simone Weil,
  Gandhi. Paris 1974
SFAMURRI, ANTONIO: L'umanesimo cristiano di Simone Weil. L'Aquila 1970
  (Lo Scandaglio. 7) [Bibliographie: S. 118–121]
VETÖ, MIKLOS: La métaphysique religieuse de Simone Weil. Paris 1971 [Bi-
  bliographie S. 153–164]

NAMENREGISTER

Die kursiv gesetzten Zahlen bezeichnen die Abbildungen

QUELLENNACHWEIS DER ABBILDUNGEN

Aus: Jacques Cabaud, Simone Weil (Verlag Karl Alber, Freiburg–München 1968): 6, 9, 14, 16, 90, 159 / Jacques Cabaud, New York: 8, 36, 37, 38, 45, 66, 105 / La Cogogne (Hachette): 10 oben / Angelica Krogmann: 10 unten, 31 / Aus: Kinder- und Hausmärchen der Gebrüder Grimm (Leipzig 1930): 20 / Aus: Simone Weil, Seventy Letters. Hg. von Richard Rees (London 1965): 23 / SV-Bilderdienst, München: 24, 32, 47, 139 / Aus: Denis Grevot u. George Zarnecke, Gislebertus – Meister von Autuo (Paris 1860, Wiesbaden 1862): 25 / H. Roger-Viollet: 26 oben (Buffard), 33 (Albin Guillot), 53 (Hurrault) / Archives Photographiques, Paris: 26 unten / Photo Giraudon, Paris: 29, 40 / Rowohlt Archiv: 34, 42, 44 oben, 44 unten, 46, 50, 78, 81, 135, 142, 145, 150, 151, 156 / Aus: François Heidsiek, Simone Weil (Paris 1965): 41, 121 oben, 121 unten / Aus: Marc Pincherle, Histoire de la musique (Paris 1959): 54 / Ullstein-Bilderdienst, Berlin: 59, 98 / Archäologisches Seminar der Universität Hamburg: 60 / Aus: Simone Weil, La condition ouvrière (Paris 1951): 68 / Aus: Eva Strommenger, Fünf Jahrtausende Mesopotamien (München 1962): 73 / Aus: André Maurois, Histoire de la France (Paris 1957): 77 oben / Aus: Edith Stein, Auf der Suche nach Gott (Kevelaer 1963): 77 unten links / IBA, Oberengstringen bei Zürich: 77 unten rechts / Internationaal Institut voor Sociale Geschiedenis, Amsterdam: 84 / Aus: Robert Payne, Lenin (München 1965): 87 links / Bild-Archiv Kultur u. Geschichte (G. E. Habermann), München: 87 rechts / Aus: Hellmut Sichtermann, Griechische Vasen in Unteritalien (Tübingen 1966): 89 / Michel Collinet, Paris (Librairie Hachette): 91 / Keystone, München: 94 / Aus: Leonard von Matt, Römische Bildwerke (Würzburg 1958): 100 / Studio A. Faure, Aix-en-Provence: 104 / Aus: Briefe der Heiligen Catarina von Siena. Hg. von Annette Kolb (Leipzig 1906): 106 / Aus: J.-M. Perrin u. G. Thibon, Simone Weil – telle que nous l'avons connue (Paris 1952): 108 / Aus: Sainte Thérèsa de Jesus (Paris 1952): 109 / Gilbert Kahn, Versailles: 110, 113, 114 / Aus: Gerd Heinz-Mohr u. M. Willehad Paul Eckert, Das Werk des Nikolaus Cusanus (Köln 1963): 114 / Aus: Simone Weil, Pensées sans ordre concernant l'amour de Dieu (Paris 1963): 116 / Aus: Gerhart Rodenwaldt, Die Kunst der Antike. Hellas und Rom (Berlin 1927): 143 / Archiv Éditions du Seuil, Paris: 146 / Aus: En Calcat (ohne O. u. J.): 152

rowohlts monographien

in Selbstzeugnissen
und Bilddokumenten
Herausgegeben
von Kurt und Beate
Kusenberg

Betrifft: Geschichte

rowohlts mono- graphien

in Selbstzeugnissen
und Bilddokumenten
Herausgegeben
von Kurt und Beate
Kusenberg

bildmono rororo graphien

Betrifft: Geschichte